Secrets & astuces d'autrefois

Secrets & astuces d'autrefois

DÉCOR, CUISINE, JARDIN
BEAUTÉ ET SANTÉ

Sélection
Reader's Digest

MONTRÉAL

est une réalisation de Sélection du Reader's Digest (Canada) Ltée

Consultants

ÉLISABETH NAUD, ethno-historienne *(chapitres 1 et 2 ; Guide d'achat)*
BRIGITTE ROY, horticultrice *(chapitre 6)*
MARIE-FRANCE SAINT-LAURENT, ethnologue *(chapitres 3, 4, 5 et 6)*

ÉQUIPE DE SÉLECTION DU READER'S DIGEST

Vice-présidente Livres, musique et vidéos : DEIRDRE GILBERT
Directeur artistique : JOHN McGUFFIE
Directrice de l'édition : LORAINE TAYLOR

Réalisation de l'ouvrage
Rédaction : AGNÈS SAINT-LAURENT
Graphisme : ANDRÉE PAYETTE
Lecture-correction : GILLES HUMBERT
Iconographie : RACHEL IRWIN
Fabrication : HOLGER LORENZEN

Nous remercions également pour leur collaboration :

GENEVIÈVE BEULLAC *(secrétariat d'édition)*
JOSEPH MARCHETTI *(lecture-correction)*

© 1998, Sélection du Reader's Digest (Canada) Ltée
215, avenue Redfern, Montréal, Qué. H3Z 2V9

Cet ouvrage est l'adaptation canadienne de *Secrets & astuces d'autrefois*

© 1998, Sélection du Reader's Digest, S.A. 212, boulevard Saint-Germain, 75007 Paris

Pour commander d'autres exemplaires de ce livre ou obtenir le catalogue des autres produits de Sélection du Reader's Digest
(24 heures sur 24), composez le 1 800 465-0780

Vous pouvez aussi nous rendre visite sur notre site Internet : www.selectionrd.ca

Données de catalogage avant publication (Canada)
Vedette principale au titre :
Secrets et astuces d'autrefois : décor, cuisine, jardin, beauté et santé
Comprend un index.
ISBN 0-88850-659-7
1. Conseils pratiques, recettes, trucs, etc. 2. Économie domestique. I. Sélection du Reader's Digest (Canada) (Firme).
TX160.S42 1998   640'.41   C98-940558-3

Imprimé au Canada
98 99 00 01 02 / 5 4 3 2 1

Préface

Ce livre offre le bonheur de mettre en œuvre, à chaque instant de la vie quotidienne, des moyens simples et naturels légués par nos grands-parents. Au fil de ses pages, vous retrouverez le plaisir de faire vous-même – ce qui est autrement valorisant que faire faire ou acheter tout fait. Attendez-vous à accéder à un véritable art de vivre, car ce sont les plus précieux secrets de nos aïeux qui ont été rassemblés à votre intention, et ainsi sauvés de l'oubli. Tours de main, recettes traditionnelles, mais aussi ambiances d'autrefois restituées par la magie de somptueuses images seront pour vous autant de sources d'inspiration.

Tout un chapitre rend hommage aux matériaux qui peuvent composer, de la manière la plus chaleureuse, les finitions de votre maison. Le bricolage fait partie du patrimoine ! La multiplication des produits d'entretien n'a nullement rendu obsolète l'art éternel du ménage. Les astuces révélées dans cette deuxième partie feront le bonheur des sages fourmis soucieuses de ne rien gaspiller.
Viennent ensuite, pour les cigales, de pleines pages d'objets et de cadeaux, de senteurs, de lumières et de fêtes.
Indispensable : le bon vieux livre de recettes de cuisine.
Mais n'écornez pas ce chapitre sur le coin du fourneau, car vous aurez besoin des suivants dans l'intimité de la salle de bains ou bien pour soulager les petits maux de tous les jours, à moins que ce ne soit pour jardiner dans la plus pure tradition.

Faites bon usage de ce livre, qui n'est rien d'autre que la mémoire populaire des siècles au Canada et dans les vieux pays !

L'éditeur

Sommaire

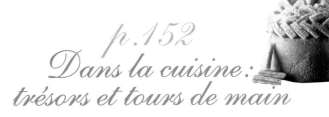

Embellir et préserver la maison

QUAND LES MURS S'HABILLENT

Les murs d'une maison lui confèrent une âme, une identité. Leur trouver une parure appropriée est donc une aventure passionnante. Peinture ou enduit, papier peint ou tissu mural, moulures, tout concourt à créer un effet décoratif. Osez donner à votre intérieur un petit air d'autrefois unique.

Colorez vos peintures avec des pigments.

Les peintures

❀**Une teinte exclusive.** Composez votre couleur personnelle avec des pigments naturels en poudre ou des pigments synthétiques liquides. Ajoutez-les à une base blanche acrylique ou alkyde. Avant de vous lancer, faites quelques touches d'essai avec de petites quantités de peinture, dans une assiette en plastique par exemple, puis teintez le pot tout entier, en respectant exactement les proportions de votre essai.

LE FAUX MARBRE

Un temps décriées et de nouveau en vogue, les peintures qui imitent à s'y méprendre le marbre, le bois, la pierre, nécessitent un peu de doigté mais ne présentent aucune difficulté majeure. À vous de jouer !

FOURNITURES

Peinture blanche, peinture noire et 3 coloris de peintures de même gamme et de même qualité : clair, moyen, foncé (ici, terre de Sienne naturelle, vermillon et terre de Sienne brûlée). Choisissez de l'émail plastique, à moins que vous ne soyez débutant, auquel cas préférez une peinture acrylique, qui se corrige plus facilement du moment que vous réagissez vite.

chiffon de coton non pelucheux ou éponge

3 brosses rondes souples

2 pinceaux fins d'artiste

brosse à adoucir

1 - Au pinceau rond, juxtaposez des taches irrégulières des trois couleurs sur un fond propre, uni, mat et sec. Commencez par la couleur la plus foncée pour terminer par la plus claire.

2 - Passez délicatement un chiffon de coton pour estomper les contours des taches, sans les effacer. (Ou bien, en tapotant avec une éponge humide, vous obtiendrez un effet caillouté de marbre avec des petits grains.)

3 - Fondez les couleurs avec la brosse à adoucir. Procédez alternativement horizontalement puis verticalement, en nettoyant la brosse avec un chiffon chaque fois que vous changez de sens. Laissez sécher 12 h.

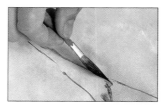

4 - Avec un pinceau fin, tracez les veines principales à la peinture noire. Travaillez délicatement à main levée, pour former le veinage brisé typique du marbre. Laissez sécher au moins 12 h, sans rien toucher.

5 - Avec un pinceau fin, ajoutez des taches blanches aux abords de certaines veines pour les rehausser. Puis estompez-les à la brosse. C'est à l'œil que vous réagirez pour que l'effet soit crédible.

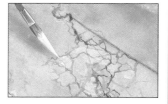

6 - Ajoutez les petites veines et fissures, d'abord à la peinture noire, puis avec le blanc. C'est un travail d'artiste qui demande souvent des retouches. Pour une grande surface, opérez par petites zones juxtaposées.

Pour donner une perspective à une pièce un peu petite, pensez à un mur bicolore, dont la ligne de jonction sera délicatement rehaussée par une frise végétale d'une troisième couleur.

✸ Une finition cirée. Vous obtiendrez un effet étonnant de mur à l'ancienne si, par-dessus une peinture à l'essuyé, vous passez une cire incolore. Laissez bien sécher. Le temps de séchage de la cire étant variable selon la température et le degré hygrométrique de la pièce, vérifiez l'état au toucher sans trop appuyer pour ne pas marquer. Attention, sec au toucher ne signifie pas obligatoirement sec au travail ; patientez quelques heures de plus. Pour finir, polissez la cire avec un chiffon doux non pelucheux.

✸ Pas de traces de pinceau ni de rouleau. Lorsque vous peignez, croisez toujours les passes dans un sens puis dans l'autre, régulièrement, par petites zones. N'attendez jamais que votre premier passage dans un sens soit sec pour croiser en appliquant le deuxième. Ainsi, vous obtiendrez une teinte finale uniforme.

Les couleurs traditionnelles

Au Québec, vers la fin du XVIIIe siècle, il est fréquent de peindre les cloisons de lattes de bois à l'aide de pigments sombres, privilégiant les noir, bleu, vert et rouge. Ces couleurs intenses et profondes, d'influence anglo-saxonne, reflètent le goût georgien en Angleterre.
Au XIXe siècle, les nuances disponibles demeurent encore restreintes. Il faudra attendre les progrès technologiques, à la fin du siècle, pour que les couleurs synthétiques ne soient plus du domaine du rêve. C'est ainsi que les palettes s'enrichissent et... tous les essais colorés sont permis.
Signe des temps ou ironie du sort, au XXe siècle, alors que le choix de couleurs semble désormais illimité, le blanc, symbole de modernisme, occupe une place grandissante au sein de nos décors !

✸ Un moucheté facile. Sur une peinture alkyde en cours de séchage, projetez de l'essence de térébenthine en tapotant sur le manche de la brosse. Attention à ne pas trop imbiber la brosse : égouttez-la avant d'agir. La projection de térébenthine sur le mur déjà peint crée un moucheté léger et ravissant.

✸ La peinture au chiffon. Vous obtiendrez un effet moiré en passant une première couche claire, puis une seconde plus foncée. Très vite, sans attendre que la peinture sèche, tamponnez avec un chiffon de coton non pelucheux, pour laisser apparaître la teinte plus claire.

✸ Une patine comme autrefois. Sur un fond clair et sec, passez une deuxième couche d'un ton plus soutenu. Utilisez des peintures de même qualité. Laissez sécher.
Poncez alors au papier de verre fin 220, doucement et de façon inégale. Vous obtenez un effet patiné, comme usé par les ans.

Les enduits

Mat et doux au toucher, le lait de chaux pénètre le mur et laisse s'évaporer l'humidité. Additionné d'une teinte lumineuse, il égayera facilement une cuisine ou une salle à manger rustique.

Lorsque vous souhaitez rénover des murs à l'aspect irrégulier ou abîmé, passez un crépi pour dissimuler rapidement et sans effort toutes les aspérités. Pensez au crépi de chaux, qui ne nécessite pas un savoir-faire d'expert.

La bonne consistance. Pour bien délayer les enduits en poudre du commerce, utilisez un banal fouet de cuisine. Ne soulevez pas la poudre, mais tournez-la avec le fouet, cela suffit. Laissez la mixture reposer cinq minutes – pas plus ! – avant de l'appliquer sur le mur. Ce temps de repos permet à l'air de s'échapper du mélange. Tout enduit dont la base est minérale (plâtre, marbre ou chaux éteinte) sèche très vite : préparez donc votre enduit au fur et mesure en quantité réduite.

Application à la brosse de crin. Vous avez certainement, dans votre placard de cuisine ou dans la buanderie, ce genre de brosse qui s'avère utile partout dans la maison. Utilisez-la pour appliquer un enduit à condition que vos murs soient sains, propres et secs. Préparez votre enduit au plâtre blanc ou colorez-le avec un pigment. Votre enduit ainsi appliqué aura un style rustique original. Attention, n'utilisez pas une brosse en nylon, aux poils trop souples.

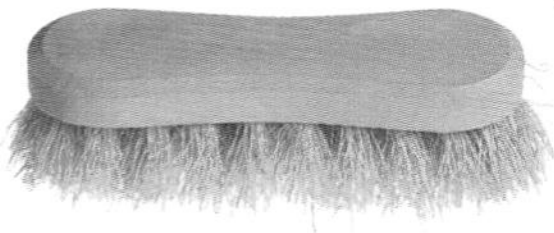

LE STUCCO

Le stucco, enduit au poli profond, habille richement, sans clinquant, une belle pièce. La recette est très ancienne.
Dans les années 30, on le prisait beaucoup pour les décorations intérieures.

FOURNITURES

- poudre de marbre blanc (1 ou 2 mesures)
- plâtre fin (4 mesures)
- chaux éteinte (2 mesures)
- eau
- pigment compatible avec le plâtre (coloris ocre brique)
- pinceau large biseauté
- truelle
- papier de verre fin 220
- cire incolore
- chiffon doux pour lustrer

1 - Mélangez bien la poudre de marbre, le plâtre et la chaux à la truelle. Plus vous mettrez de poudre de marbre, plus vous obtiendrez de profondeur et de poli. Délayez ensuite ce mélange en versant l'eau en filet, petit à petit. Ne remuez pas trop fort pour ne pas faire entrer de bulles d'air. Vous devez obtenir un badigeon liquide et crémeux.

2 - Passez une première couche au pinceau. Le séchage est rapide. Une nuit suffit en général. Mais vérifiez que tout est bien sec au toucher avant de continuer.

3 - Poncez au papier de verre très doucement et régulièrement pour obtenir un aspect très lisse, presque translucide.

4 - Pour la deuxième couche, le lendemain, préparez un badigeon légèrement plus épais avec un peu moins d'eau. Laissez sécher, puis poncez à nouveau.

5 - Pour la couche de finition, vous pouvez ajouter le pigment de votre choix. De l'ocre lavée, par exemple, sera du plus bel effet. Poncez une troisième fois, de façon irrégulière maintenant, pour laisser transparaître le blanc du fond. Laissez reposer 48 h. Reponcez au besoin — vous jugerez où à l'œil.

6 - Cirez pour parfaire le stucco, comme dans les villas palladiennes de la Renaissance en Italie. Laissez sécher la cire 24 h, avant de la lustrer doucement avec un chiffon doux non pelucheux.

TRADITION-HISTOIRE

Pratiques avant d'être décoratifs

Dans la région de Montréal, aux XVIIe et XVIIIe siècles, les maisons sont construites de pierres des champs dures et résistantes aux intempéries. Dans la région de Québec, par contre, les maisons sont faites d'une pierre calcaire, qu'on trouve en abondance, mais qui est friable et dans laquelle l'eau s'infiltre : il est donc impératif de protéger les murs d'un enduit de crépi à base de chaux.
Peu onéreuse et simple à utiliser, la chaux fait aussi partie de tout programme de grand ménage. On profite ainsi de ses propriétés désinfectantes et de sa blancheur éclatante...

LES ENDUITS NOUVEAUX SONT ARRIVÉS

MODERNE ET PRATIQUE Autrefois, pour délayer la poudre minérale avec de l'eau, il fallait veiller à ne pas faire de grumeaux, à ne pas rendre son enduit trop épais ni trop liquide... Déterminer la juste dose et trouver le bon mélange n'était pas à la portée d'un amateur. Aujourd'hui, grâce aux progrès des chimistes, s'il y a encore délayage à l'eau, il se fait sans souci ni la moindre petite bulle. D'autre part, il existe maintenant des enduits tout prêts vendus en pots. Ils s'appliquent au pinceau ou au rouleau, en une seule couche. Le lissé ou le relief original sont immédiats. Un atout pour les pressés ou les paresseux!

❀ **Application à la truelle.** Laissez sécher tels quels les petits débords des marques de truelle comme ils sont apparus. Ne lissez aucune des imperfections. Ce sont elles qui impriment le relief particulier et irrégulier d'un enduit dit « jeté ». Vous confirmez de cette manière son style artisanal.

❀ **Application à la taloche.** Cette technique à l'ancienne revient à la mode pour les grandes pièces des maisons de campagne. Sorte de bouclier de bois, la taloche est une plaque assez large avec une poignée sur le dessus. Plaquez et replaquez la taloche sur le mur sans trop la déplacer. Laissez les marques de taloche pour authentifier l'enduit.

❀ **Pas de relief mais un lissé parfait.** Commencez par lisser l'enduit à la taloche ou au couteau plat. Passez et repassez votre outil pour éliminer au fur et à mesure les rejets de matière, que vous récupérez sur une truelle. Si, après plusieurs passages, vous n'arrivez pas à obtenir un lissé impeccable à l'œil – ce qui est assez délicat –, armez-vous d'une brosse à adoucir large ou d'une éponge naturelle à peine humidifiée. Si vous avez la main légère pour ne pas imprimer de marque définitive, l'effet sera impeccable.

❀ **Un enduit poli.** Votre enduit est complètement lisse et sec? Poncez-le finement et cirez-le avec une cire incolore que vous laisserez sécher, une nuit entière au moins, avant de polir doucement avec un chiffon doux.

ATTENTION! ## La chaux

La chaux vive se raréfie pour l'usage domestique car elle est très dangereuse à manipuler. Préférez toujours la chaux éteinte, aussi appelée chaux aérienne, mais restez vigilant. En effet, ce n'est pas parce qu'elle est éteinte qu'elle est inoffensive à 100 %. Portez toujours de gros gants de caoutchouc et éloignez les enfants et les animaux domestiques.

Un enduit passé sur un mur lui confère, même lissé, un aspect texturé très intéressant.

Les moulures

❀ Dépoussiérer des moulures. Pour sauvegarder vos moulures anciennes en plâtre, ne les maltraitez surtout pas ! Si vous voulez les nettoyer, agissez délicatement. Avec une brosse à poils très souples, en soies de porc de préférence, vous passerez doucement sur les détails en creux des moulures. Gardez-vous bien d'appuyer : la poussière aurait alors tendance à s'incruster, car le plâtre est poreux. Prenez un pinceau fin pour aller jusqu'au fond des sculptures en creux. Si les moulures sont au plafond, n'oubliez pas de vous couvrir la tête !

❀ Restaurer une moulure abîmée. Après nettoyage et éventuellement décapage du plâtre avec du papier de verre, vous pouvez vous occuper des effritements ou des dégâts plus importants. Préparez un peu de plâtre de Paris. Avec une toute petite truelle ou un couteau de cuisine assez souple, rebouchez les endroits les plus touchés. Formez au doigt le volume approximatif de ce qui manque. Sans attendre que cela ne soit totalement sec, modelez les sculptures avec les doigts et en vous aidant du manche d'un fin pinceau pour marquer les tracés. Laissez sécher, puis poncez. C'est un peu un travail d'artiste et vous serez ravi du résultat.

La cimaise, cette moulure fine posée à l'horizontale au tiers inférieur d'un mur, crée un relief architectural de soubassement qui permet toutes les audaces de décoration. Collée, clouée ou vissée, elle délimite deux hauteurs de mur, que vous pouvez décorer en deux tons assortis. Elle peut être peinte, vernie ou teintée en accord ou en contraste avec les couleurs de la pièce.

TRADITION-HISTOIRE

Des moulures de style

Les moulures, rosaces, corniches et cimaises des décors de nos résidences canadiennes puiseront largement dans l'esthétique rocaille ou Louis XV et dans le classicisme. Les lambris d'esprit Louis XV qui parent la maison Van Felson, à Québec, présentent de beaux exemples de moulures fines et élégantes, riches témoins de la maîtrise des artisans de l'époque.

Au XIXᵉ siècle la machine-outil et la prolifération de catalogues de modèles contribuent à la diffusion de cet élément d'ornementation. Jusqu'aux maisons de la classe moyenne qui s'enorgueillissent de ces accessoires décoratifs. C'est qu'il est maintenant à la portée de tous de commander des moulures par catalogue.

Ces fines baguettes ouvragées empruntent à tous les styles antérieurs. À la fin du XIXᵉ siècle, les entrelacs, oves, perles et palmettes posent fièrement dans les décors.

❀ Une peinture qui résiste au temps. Le plâtre neuf reste toujours poreux et a tendance à s'effriter doucement en fine poussière. Pour le protéger efficacement, peignez-le. Commencez par recouvrir le plâtre à vif au pinceau avec une peinture blanche vinylique. Laissez sécher la peinture blanche une nuit avant de peindre définitivement avec la peinture de votre choix. Cette sous-couche permettra à la peinture de finition de ne pas se craqueler ni s'écailler.

❀ Moulures colorées. Au plafond ou en corniche, les moulures restent en général blanches. Mais pourquoi ne pas les peindre en couleur ? Une seule règle, bannissez les couleurs vives, ce serait trop dur. Soulignez les différents motifs avec des coloris pastel. Pour des lignes géométriques, rien ne vous interdit de jouer sur des contrastes de coloris dans un esprit Arts déco.

Le papier peint

Soignez les raccords des lés bord à bord, surtout si votre papier peint est à grands motifs. Il faut prévoir les chutes inutilisables dès l'achat des rouleaux.

❀ **Découpes propres.** Lorsqu'il faut couper le papier posé, en haut sur le plafond, en bas sur les plinthes, autour des portes, etc., munissez-vous d'un large couteau de peintre. Agissez tous les trois ou quatre lés pour que cela soit pratique. Appliquez le couteau là où vous devez couper pour marquer fortement une pliure sur la ligne de découpe. Soulevez légèrement le papier puis découpez avec des ciseaux à longues lames en suivant la ligne marquée. Repositionnez le papier et appuyez avec la brosse à maroufler pour faire bien adhérer les bords.

❀ **Chasse aux bulles.** Le papier que vous avez posé est truffé de petites bulles d'air ? Pas de panique. Prenez tout simplement une épingle ou une aiguille à coudre. Percez chaque bulle en son centre. Théoriquement, l'air s'en échappe et tout rentre dans l'ordre si vous aplatissez ensuite la zone percée avec la roulette à raccords ou avec le plat de la main.

❀ **Marouflage en douceur.** Vous n'avez pas de roulette à joints sous la main ? Courez à la cuisine chercher le rouleau de papier absorbant. Vous le roulerez pour maroufler les joints de papier peint, pour chasser les bulles d'air. Sa souplesse et sa douceur ne risquent jamais d'abîmer quoi que ce soit et vous pourrez appuyer fortement en cas de besoin. De plus, sa largeur est mieux adaptée.

❀ **Trois positions pour une frise.** Vous avez envie d'une fantaisie sans pour autant vouloir faire des folies ? Pensez aux frises. Il en existe de toutes sortes qui s'harmonisent avec le mobilier et les tissus d'ameublement.

Vous les collez sur le papier déjà posé. Placées en haut des murs, c'est classique et conseillé pour des murs hauts. En partie médiane de mur, elles prennent des allures de cimaises (voir à gauche). En pourtour de portes et de fenêtres (à droite), elles créent une animation attrayante.

LES FRISES AUTOADHÉSIVES

MODERNE ET PRATIQUE Les frises sont de plus en plus à la mode. Pour rythmer une pièce unie ou animer de façon colorée un papier imprimé, vous serez ravi de découvrir des frises autoadhésives.
Elles se présentent en rouleau comme les frises classiques. Leur grand avantage : vous n'avez pas à les encoller, ce qui est toujours un peu délicat (la colle déborde souvent de cette petite largeur). Vous déroulez la frise et vous l'appliquez, en retirant la pellicule protectrice au fur et à mesure que vous avancez. Si jamais vous n'êtes pas satisfait du résultat, vous pouvez essayer votre frise ailleurs : elle est repositionnable. N'hésitez toutefois pas trop, car au bout de plusieurs essais infructueux la bande risquerait de moins bien coller.

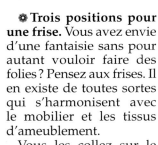

❀ **Réparer un accroc.** Agissez tout en délicatesse. Soulevez avec un couteau exacto la languette de papier déchirée, souvent froissée et repliée sur elle-même. Préparez de la colle à papier peint ou utilisez la colle blanche des enfants, parfaite et toujours prête. Encollez le dos de la languette de papier avec un petit pinceau ou du bout des doigts. Remettez-la en place en appuyant fermement. Passez ensuite une éponge humide sur l'endroit réparé pour redonner de la souplesse au papier.

TRADITION-HISTOIRE

L'arrivée du papier peint

Au Québec, le papier peint sera pratiquement inexistant au XVIIᵉ siècle et fort peu répandu pendant le XVIIIᵉ siècle. Il faudra attendre la production industrielle, au siècle suivant, pour qu'il devienne accessible au plus grand nombre. Les résidences bourgeoises, et même les plus modestes intérieurs, voient désormais leurs murs tapissés de ces papiers en rouleaux sans fin. On préfère les papiers à décor floral. C'est la grande vogue! À la fin du siècle dernier, le papier peint devient un élément essentiel du décor. Qu'il soit d'esprit éclectique, d'atmosphère «artistique» ou donnant dans la manière «Arts & Craft», le papier mural peut offrir soit des motifs en relief, de type Anaglypta, soit des designs de Walter Crane inspirés d'exotisme ou encore des motifs épurés de William Morris. À la fine pointe de la mode, ces rouleaux sont les favoris d'une clientèle qui se veut au goût du jour.

• Maison à visiter: la maison Sir-Georges-Étienne-Cartier, dans le Vieux-Montréal.

❀ **Effacer des traces de doigts.** Vous venez de poser votre papier et vous vous apercevez que certains lés sont marqués de traces de doigts. Il vous suffit de frotter doucement les taches avec de la mie de pain pour redonner au papier sa netteté.

❀ **Coins impeccables.** Pour couper les bandes de frise aux angles, une méthode simple: superposez les deux bandes et coupez au cutter en suivant la ligne de diagonale à l'aide d'une règle.

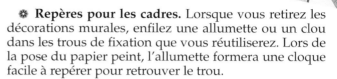

❀ **Repères pour les cadres.** Lorsque vous retirez les décorations murales, enfilez une allumette ou un clou dans les trous de fixation que vous réutiliserez. Lors de la pose du papier peint, l'allumette formera une cloque facile à repérer pour retrouver le trou.

Transformez une porte un peu banale avec des chutes de papier peint. Veillez évidemment à l'assortir aux murs qui l'encadrent.

Le tissu mural

❀ **Prolonger la durée de vie du tissu.** Même si cela vous paraît long et fastidieux, posez votre tissu sur un molleton. L'absence d'isolation entre le mur et le tissu peut rapidement provoquer des problèmes importants : apparition de traînées sombres à travers le tissu en cas de fissures même très fines, de taches si le mur n'est pas uniforme, d'auréoles ou de traces d'humidité… Le molleton joue un excellent rôle d'isolant à la fois thermique et phonique. De plus, il soutient le tissu. Pensez-y, surtout si votre tissu mural est assez onéreux.

❀ **Derrière un radiateur.** Rien ne vous oblige à tenter de poser du tissu derrière un radiateur : ce n'est pas très facile, c'est inutile et la chaleur dégagée par le radiateur est relativement néfaste au tissu. Prenez soin de descendre le lé de tissu assez bas afin qu'on n'en voie pas l'arrêt et contentez-vous de passer une peinture derrière le radiateur, celle des plinthes ou des fenêtres, par exemple. Vous ferez ainsi des économies.

❀ **Portes et fenêtres.** Lorsque vous posez du tissu mural là où il existe une porte ou une fenêtre, faites comme si elle n'existait pas ! Agrafez provisoirement le tissu sur toute la surface du mur. Vérifiez l'aplomb du tissu. Agrafez définitivement le haut, toujours sans tenir compte des ouvertures. Puis agrafez le tissu tout autour de l'ouverture, les agrafes toujours en biais. Avec une large spatule en métal, arasez le tissu autour des huisseries de la fenêtre ou de la porte. Dissimulez les agrafes avec du galon.

❀ **Couleur du galon.** Si vous souhaitez marquer les encadrements et souligner les ouvertures, choisissez un galon textile d'un ton légèrement plus soutenu que le tissu mural. Si vous voulez au contraire ne pas cloisonner votre espace, préférez un galon ton sur ton, le plus fondu et le plus neutre possible. Le galon se colle avec une colle spécial ameublement, qui ne tache pas si vous effacez rapidement les débords. N'encollez pas plus de 40 à 50 cm de galon à la fois, une plus grande longueur se manie difficilement.

Le tissu mural donne toujours un effet très raffiné. Osez poser du tissu là où l'on n'en attend pas, même dans une salle de bains. Certains tissus muraux sont spécialement apprêtés pour ne pas souffrir de l'humidité.

Les murs recouverts de tissu transforment une salle à manger en un univers douillet et chaleureux.

LE TISSU CONTRECOLLÉ

MODERNE ET PRATIQUE La pose traditionnelle du tissu mural demande temps, patience, méthode et soin. Si la technique vous fait peur mais que vous rêviez d'une tenture pour habiller vos murs, le textile mural contrecollé sur un support papier est fait pour vous.

Il se présente en lés de faible largeur (0,53 m), comme le papier peint, et se colle avec des raccords à joints vifs en bord à bord comme un papier peint épais. Il suffit d'enduire le support papier de colle à papier peint avec une brosse souple. Vous trouverez toutes sortes de qualités et de styles de tissu contrecollé.

Une fois le tissu posé, le support papier est insoupçonnable.

● **Vieille dentelle.** Pour donner à une chambre un petit air romantique, sans pour autant choisir un tissu fleuri – parfois un peu lourd –, optez pour un tissu uni orné de motifs ton sur ton qui imitent les broderies du linge de maison d'autrefois (monogrammes, guirlandes de fleurs…).

● **Décoration murale.** Vous voulez fixer un tableau, une applique lumineuse ou une tringle à rideaux sur un pan de mur couvert de tissu. Marquez très légèrement d'une croix, au crayon à papier, l'endroit précis du tissu où vous voulez fixer le crochet de suspension, le clou ou le piton nécessaires. Découpez cette croix avec un exacto très affûté. Coupez sans hésitation les épaisseurs de tissu et molleton. Si vous ne procédez pas ainsi, vous allez déchirer le tissu mural.

● **Retirer les taches.** Quelle que soit la nature de la tache, agissez au plus vite. Tamponnez-la immédiatement le plus possible, avec un papier absorbant renouvelé chaque fois qu'il est souillé.

• Lavez les taches maigres avec de l'eau claire additionnée d'un peu de savon. Épongez et séchez rapidement pour éviter les auréoles.

• Saupoudrez une tache grasse de bicarbonate de soude, de terre de Sommières ou de talc (sur une surface verticale, ce n'est pas facile mais le gras fait adhérer la poudre). Laissez agir puis brossez doucement.

• Effacez les traces de doigts avec un chiffon légèrement imbibé de trichloréthylène (un solvant dégraisseur).

TRADITION-HISTOIRE

Naissance de la toile de Jouy

En 1759, Christophe Philippe Oberkampf, Allemand d'origine, ouvre une manufacture d'indiennes à Jouy-en-Josas, en France. Auparavant, l'industrie textile imprimée était interdite en France (sauf à Mulhouse, en Alsace, qui n'était pas sous la même juridiction que le reste du pays). Pour concurrencer l'afflux des toiles de coton en provenance des Indes (d'où le nom d'indiennes), un arrêté gouvernemental au début de 1759 autorise l'industrialisation de ce produit. En effet, la vogue de ces cotonnades s'imposait depuis quelques années déjà et seule Mulhouse en profitait commercialement. Oberkampf crée ses machines, dessine ses motifs – fleurs, animaux, figurines –, imprime et teint ses tissus. La mode de sa toile de Jouy est telle que, pour faire face au succès, Oberkampf emploiera jusqu'à 1 200 ouvriers... Il parvient même à dominer le marché européen avec ses imprimés particuliers, d'une fraîcheur inégalée. Louis XVI l'anoblit pour le remercier et Napoléon le décore au nom de la nation.

LA CHALEUR DU BOIS

Depuis la nuit des temps, le bois est un matériau simple et naturel que les hommes ont plié à tous leurs désirs pour en parer leur maison. Et du sol au plafond, ce sont parquets, escaliers, poutres, lambris, portes et fenêtres qui apportent, selon les décors, une note raffinée ou rustique.

Le parquet

❀ **Nettoyer à fond un parquet ciré.** Dans un seau d'eau très chaude, diluez du nettoyant TSP (trisodium de phosphate). Frottez toute la surface de parquet avec une brosse. Trempez régulièrement la brosse pour renouveler la lessive, qui se souille rapidement des colorants de cire. Épongez en passant une vadrouille plongée dans l'eau claire, à peine humide. Rincez-la dès qu'elle est saturée et souillée. Laissez sécher au moins trois bons jours – si possible fenêtres ouvertes – avant de cirer.

❀ **Cirer en beauté.** Les cires en pâte ou les encaustiques liquides servent à faire briller joliment le parquet. Mais ne surchargez pas votre chiffon. Plusieurs couches fines donneront de meilleurs résultats qu'une épaisse qui poisse et s'incruste dans les interstices. Agissez toujours dans le sens des lames du bois pour que la cire s'imprègne dans les veines. Laissez sécher 4 heures et lustrez avec un chiffon de laine non pelucheux.

REMPLACER UNE LAME DE PARQUET

Sur un parquet ancien, on a la chance de pouvoir changer facilement quelques éléments pour redonner une seconde jeunesse à une pièce entière. Ne vous en privez pas !

FOURNITURES

ciseau à bois
marteau
clous
tasseau
lame de parquet
colle à bois
cale

1 - Retirez la lame de parquet endommagée à l'aide du ciseau à bois et du marteau.

2 - Clouez un petit morceau de tasseau. Il servira ainsi de support pour fixer la nouvelle lame.

3 - Encollez le pourtour du vide pour pouvoir mettre en place sans problème la nouvelle lame. La cartouche de colle à bois est très pratique pour cette opération.

4 - Avec le marteau et la cale, enfoncez la nouvelle lame, sciée aux dimensions du morceau ôté. Veillez à ce qu'il n'y ait pas de disjoint entre les lames environnantes.

Un parquet ciré à l'ancienne est toujours plus authentique qu'un parquet vitrifié. Le bois est vivant : il a besoin d'être nourri. Cela se justifie surtout pour les motifs très travaillés et les décors en grands panneaux de mosaïque.

Les belles boiseries

Les résidences du Québec voient le parquet devenir d'usage courant vers la fin du XVIIIe siècle. La prédominance du bois dans nos intérieurs s'inscrit dans une recherche de matériaux vernaculaires comme éléments de décor. Ainsi, les riches lattes de bois d'un parquet réchauffent admirablement une pièce par les reflets chaleureux des essences ligneuses utilisées. Au siècle dernier, le parquet est à l'honneur dans toute pièce de sociabilité digne de ce nom. L'assemblage heureux des lames de bois donne de la noblesse au décor, reflétant le bon goût de ses propriétaires. C'est qu'il est impératif d'impressionner le visiteur par le luxe déployé.

Les demeures cossues du Mille Carré Doré (Golden Square Mile) de Montréal font bel exemple de ces pièces de réception.

Quant au château Dufresne, construit entre 1915 et 1918, boulevard Pie-IX, à Montréal, il est de style Beaux-Arts. Dans cette pièce d'apparat (médaillon), le travail du bois dans le parquet, les lambris, les portes et le plafond à caissons, d'une remarquable somptuosité, reflète le goût de l'époque édouardienne.

❀ **Détacher un parquet ciré.** Agissez le plus rapidement possible : tamponnez avec du papier absorbant. Puis, selon les types de taches, essayez d'effacer les dégâts, plus ou moins importants selon le degré d'encaustiquage de votre bois. Dans tous les cas, recirez ensuite.

• Pour les liquides colorés (vin, apéritif, café, thé, soda), essayez en premier lieu une éponge humidifiée avec du liquide vaisselle ou passée humide sur du savon de Marseille. Ou bien diluez du nettoyant TSP (trisodium de phosphate) dans un fond d'eau très chaude et frottez. Si une coloration persiste, poncez à la paille de fer.

• Effacez une tache d'encre avec de l'acide oxalique (sel de citron) ou avec de l'eau de Javel diluée dans de l'eau froide. Laissez agir puis rincez à l'eau claire jusqu'à disparition de la tache. Laissez sécher. Si une coloration persiste, passez la laine d'acier pour mordre les veines du bois.

• Le stylo-bille, le marqueur, le rouge à lèvres s'en vont avec un tampon imbibé d'alcool à brûler.

• Vous estomperez des taches grasses en versant dessus du bicarbonate de soude ou de la terre de Sommières. Laissez agir. Aspirez la poudre. Si cela ne suffit pas, remettez de la poudre, placez dessus un papier absorbant et chauffez avec un fer à repasser sec (thermostat laine).

❀ **Vernis maison.** Au lieu d'une vitrification avec des produits modernes, faites vousmême un vernis que vous étalerez lame par lame au pinceau large. Mélangez bien dans un seau 200 ml de gomme-laque et 500 ml d'alcool à brûler. Passez ce mélange immédiatement sur le bois et renouvelez l'opération au besoin. Le brillant obtenu sera rafraîchi en passant tous les six mois un chiffon imbibé d'alcool à brûler.

❀ **Blanchir un parquet.** Versez dans un seau deux verres d'eau de Javel avec de l'eau claire froide. Passez cette eau javellisée sur votre parquet avec une vadrouille. Portez des gants. Rincez à l'eau claire. Laissez sécher au moins 12 heures, fenêtres ouvertes. Ce lavage peut être pratiqué souvent. Le résultat dépend de la nature de votre parquet : s'il est en chêne, vous pourrez avoir une tonalité grisée claire mais jamais blanche comme lorsqu'il s'agit de pin ou de sapin.

Choisissez une couleur claire pour peindre votre parquet. Le blanc est très élégant, comme le prouve ce parquet peint traditionnel.

UNE PÂTE À REBOUCHER MAISON

Pour reboucher fentes et trous d'un vieux parquet, il est facile et économique de faire sa pâte à bois comme la faisaient jadis les réparateurs de parquets.

FOURNITURES

| seau de ménage |
| sciure de bois |
| eau |
| 1 paquet de colle à papier peint |
| couteau de peintre |

1 - Faites tremper au moins 6 à 8 jours de la sciure dans de l'eau bouillante versée jusqu'à la recouvrir. La quantité dépend de vos réparations. Vous pouvez faire le test avec 3 verres de sciure et le tiers du paquet de colle. Remuez régulièrement votre pâte de sciure, ajoutez de l'eau bouillante en filet si le mélange vous paraît trop épais. Vous devez obtenir une pâte épaisse mais malléable.
2 - Préparez séparément de la colle épaisse à papier peint, en suivant les indications portées sur le paquet.
3 - Versez la colle dans le seau de pâte de sciure et mélangez vivement.
4 - Appliquez cette pâte sur les fentes et dans les trous du parquet avec un couteau de peintre. Laissez sécher complètement 48 heures avant toute finition.

❈ **Colorer et protéger un parquet.** Si vous avez nettoyé un parquet ancien ciré et que sa couleur un peu affadie ne vous plaise plus, teintez-le avec une huile de lin. Utilisez un balai à franges et un seau de ménage dans lequel vous allez verser un fond d'huile de lin. Passez rapidement sur le parquet le balai imprégné, repassez et repassez encore jusqu'à couvrir toute la superficie.

Deux couches sont souvent nécessaires, espacées d'au moins 48 heures. Laissez sécher 24 heures avant de lustrer avec un balai neuf à franges ou, mieux, avec un chiffon de laine enroulé sur un balai.

❈ **Peindre un parquet.** Votre vieux parquet est quelque peu usé ? Peignez-le : c'est une solution pratique et facile à réaliser. Commencez par le poncer pour lisser la surface. Peignez toujours dans le sens des lames sans charger trop le pinceau ou le rouleau pour que la peinture ne coule pas dans les joints. Prévoyez deux couches espacées d'au moins 12 heures. Vernissez ensuite. Attendez 24 heures pour replacer les meubles.

• Les peintures alkydes spéciales pour sols permettent de composer, si on le désire, des motifs géométriques par exemple, en deux tons.

• Les teintures et les glacis, plus transparents, donnent de la luminosité tout en conservant apparents les veinages du bois.

LE SHAMPOOING DE VERNIS

MODERNE ET PRATIQUE Un parquet vitrifié s'entretient assez facilement par simple passage d'une vadrouille humide. Mais au fil du temps, le vernis se ternit, la vadrouille laisse des traînées. Il existe depuis peu des shampooings spécifiques pour parquets vitrifiés qui se sont avérés efficaces. Ils nettoient et ravivent le brillant sans coller. Purs ou dilués dans un seau d'eau chaude, ils s'utilisent deux fois par mois environ.

❈ **Parquet décoré.** Vous ne voulez pas peindre complètement votre vieux parquet mais juste l'égayer ? Ornez-le de quelques motifs que vous réaliserez au pochoir : une frise qui court le long des plinthes sera à la fois élégante et discrète. Utilisez une peinture alkyde spéciale pour sols. Pour protéger votre décor, appliquez trois ou quatre couches de vernis incolore en laissant bien sécher chaque couche (une nuit si possible).

ATTENTION !

Le bon éclairage

Pour éviter tout risque de chute dans un escalier, il ne faut pas qu'il y ait de zones d'ombre. Dans un escalier droit, un plafonnier en haut des marches peut suffire. Mais, dans un escalier qui tourne, mieux vaut poser plusieurs appliques le long de la montée.

❋ **Tapis central.** Si vous aimez le confort, posez un tapis dans votre escalier. Fixez-le à l'ancienne avec une barre métallique en bas de chaque contremarche. C'est un peu plus compliqué que de le clouer mais c'est plus durable, plus élégant et cela facilite l'entretien du tapis car les barres peuvent se retirer.

Les escaliers

❋ **Escalier en fête.** Si vous voulez faire honneur à vos invités lors d'une réception, habillez l'escalier. Ornez les balustres de la rampe de fleurs naturelles ou artificielles, de tulle, de rubans de satin, de guirlandes de feuillage, de frises en papier crêpon, selon votre thème festif. Si vous recevez en soirée, placez, sur les dernières marches du bas, au creux des contremarches, de petits photophores (attention aux enfants dans ce cas). Immédiatement, le ton de la fête est donné.

❋ **Plus de fantôme dans l'escalier.** Repérez à l'oreille la ou les marches qui grincent. Ce bruit gênant peut provenir :

• des vieux clous. Si vous pouvez enlever le dessus de marche en retirant les clous, faites-le. Versez du talc dans les trous laissés par les clous et sous la planche. Reclouez la marche avec des clous neufs.

• d'une fente dans un bois très sec. Si une marche est fendue, versez du talc (avec une brosse de crin, c'est plus facile). Sautez sur la marche pour que le talc s'éparpille. Puis bouchez la fente avec de la pâte à bois.

❋ **Solutions antiglisse.** Si vous glissez sur les marches cirées ou vernies d'un escalier en bois, commencez par poncer au papier de verre assez grossier les nez de marches. Cela ne nuit en rien à l'esthétique et peut suffire à retenir les semelles.

Si c'est insuffisant, collez un ruban de feutrine épaisse de 2 cm de large en bordure du nez de marche. Faites d'abord un essai avec du ruban adhésif double face que vous pourrez décoller si vous n'êtes pas satisfait. Choisissez de la feutrine d'un coloris proche du bois.

Une rampe souple en cordage (appelée aussi tire-veille) peut être un élément de décor supplémentaire, très utile dans les escaliers larges. Fixez sur le mur à intervalles réguliers des anneaux supports de tringles à rideaux en bois. Glissez-y une grosse corde et faites un nœud à chaque bout.

Les poutres et les lambris

Des poutres teintées blanc-gris créent une atmosphère élégante et douce pour une chambre, de même que des lambris ornés de motifs délicats.

UN DÉCAPANT POUR BOISERIES

Pour nettoyer à fond des murs lambrissés très encrassés par le temps, les fumées, les graisses… et décaper peinture et vernis, réalisez ce produit mordant très efficace.

FOURNITURES

1 récipient en émail ou verre

200 ml d'eau froide

1 c. à table de chaux éteinte

2 c. à soupe de bicarbonate de soude

1 - Mélangez à l'eau froide dans un récipient en émail la chaux éteinte puis ajoutez le bicarbonate de soude. Attendez la fin de la réaction et utilisez immédiatement cette potion magique, elle ne se conserve pas.

2 - Appliquez votre mélange sur les boiseries, en insistant sur les taches. Si vous avez de grandes surfaces à traiter, passez le produit avec un pinceau très large. Travaillez fenêtres ouvertes, avec une tenue qui ne craigne rien, des gants très épais de bricolage. Éloignez les enfants et les animaux domestiques.

3 - Grattez au couteau la peinture. Épongez pour enlever le produit. Rincez à l'éponge humide. Poncez au besoin. Laissez sécher puis retravaillez le décor comme vous le souhaitez.

❀ **Foncer des poutres.** Que vous souhaitiez foncer du bois blanc ou raviver la teinte sombre de poutres anciennes, utilisez du brou de noix. Cette teinture très foncée, provenant de la décoction des feuilles vertes de noyer, peut se diluer avec un peu d'eau, plus ou moins en fonction de la teinte voulue. Faites un essai. Vous la passerez en plusieurs couches avec un pinceau large, toujours dans le sens du bois. Laissez sécher 12 heures au moins entre chaque couche. Pour que la teinte soit profonde et légèrement translucide, poncez finement entre chaque couche.

❀ **Poutres craquelées comme autrefois.** Nettoyez les poutres au TSP. Passez un vernis à l'huile. Sans attendre que ce vernis soit complètement sec, passez une couche de vernis à l'eau. Les craquelures vont naître de la réaction eau sur huile. Accentuez-les en utilisant un sèche-cheveux très chaud. Appliquez ensuite, au chiffon, un peu d'encre à l'eau, puis essuyez.

❀ **Glacis sur lambris.** Vous avez envie de peindre vos lambris sans pour autant masquer le bois ? Facile avec le glacis, qui protège et colore tout en laissant transparaître les veines du bois. Appliquez-le au pinceau large, sur un bois propre et sain, décapé ou simplement nettoyé. Le bois semble teinté dans la masse, c'est ravissant.

❀ **Piqûres contre les vers.** Vos poutres anciennes ont été allègrement dévorées par les vers ? Si vous constatez trop de ces petits trous qui, certes, authentifient les vieux bois, traitez les poutres – pour les sauver – avec une seringue : injectez un produit foudroyant contre les vers et les insectes dans tous les trous puis bouchez-les avec de la pâte à bois, de la bougie fondue ou encore de la gomme-laque fondue, que vous lisserez à la petite truelle pour qu'il n'y ait pas de débord. Poncez pour parfaire le lissé final.

Utilisez des poutres comme séparation dans une pièce, à la manière d'un claustra. Cela agrandit l'espace et constitue un élément décoratif. Elles peuvent être récupérées d'un ancien mur d'origine ; sinon, n'hésitez pas à en installer s'il n'y en a pas.

Les portes et les fenêtres

❀ **Effet de peinture.** Vous avez la chance d'avoir des portes et des fenêtres sculptées, comme la plupart des modèles anciens ? Elles perdraient de leur cachet si vous les peigniez uniformément. N'hésitez pas à réchampir (avec un pinceau spécifique au bout pointu) les moulures en creux d'un ton plus soutenu que l'aplat de la porte. Les reliefs seront ainsi mis en valeur. Utilisez de la peinture alkyde, qui a l'immense avantage de pouvoir se laver presque indéfiniment.

❀ **Volets intérieurs.** Efficaces contre la chaleur, le froid et le bruit, les volets intérieurs sont de plus en plus rares. Ne les abandonnez pas, ils participent au décor à l'ancienne de votre intérieur. S'ils ne se plient plus, versez quelques gouttes d'huile sur les paumelles et sur les gonds. Surélevez avec une petite rondelle les gonds pour qu'ils fonctionnent avec plus de facilité.

❀ **Poignées chic.** Si vous désirez donner un petit air d'autrefois à une porte, rien n'est plus facile que d'en changer la poignée. Une vilaine poignée en aluminium sera remplacée par une en laiton, en fer vieilli ou en porcelaine. Si vous posez une plaque de propreté assortie, l'ensemble peut être très élégant. Il en existe des modèles très stylés. N'oubliez pas le sens de la poignée ou optez pour une réversible, qui peut s'ouvrir indifféremment à droite ou à gauche.

❀ **Le comble du raffinement.** Que vous vous décidiez pour une poignée de porte ouvragée en métal ou un bouton à l'ancienne en bois ou en fer forgé, pensez à compléter par une rosace ou une plaque de serrure assorties.

• Dans un salon, veillez à harmoniser toutes les poignées des portes mais aussi des fenêtres.

• Un dernier détail : choisissez des tringles à rideaux du même style (métal, bois ou fer forgé).

❀ **Supprimer un frottement.** Le bois a sans doute travaillé et gonflé. Dégondez la porte ou la fenêtre en vous aidant d'une petite cale qui fait office de levier. Rabotez le dessous légèrement et tout en douceur sur une bonne longueur. Replacez la porte ou la fenêtre sur ses gonds, avant de la repeindre éventuellement, pour vérifier que le rabotage est suffisant.

Pour mettre en valeur des doubles portes vitrées ou des fenêtres originales, peignez-les d'une belle couleur soutenue, un rouge profond par exemple.

❀ **Une vieille porte tête de lit.** Vous trouvez dans un grenier ou une brocante une porte en bois joliment ouvragé à l'ancienne ? Décapez-la, repeignez-la, décorez-la de moulures de plâtre, et transformez-la en tête de lit rétro et originale.

Vous pouvez aussi en faire une porte de placard qui sera plus élégante qu'une porte moderne dans une pièce meublée à l'ancienne.

MASTIC MAISON

Vous pouvez très facilement réaliser votre propre mastic pour restaurer des fenêtres anciennes.

FOURNITURES

pot en verre

blanc de Meudon

huile de lin

1 - Dans un pot en verre, mettez 9 petites mesures de blanc de Meudon et 1 mesure d'huile de lin.
2 - Avec une cuillère, malaxez la pâte pour obtenir une crème lisse et ferme. Ajoutez de l'huile en filet si la pâte est trop épaisse.
Vous conserverez ce mastic en le recouvrant d'huile de lin.

❀ **La fenêtre ne s'ouvre plus**. Attention, n'allez pas tirer, d'une force herculéenne, la poignée. Si vous voulez débloquer la fenêtre, appuyez fermement sur le bas du châssis en même temps que vous tirez sur la poignée. Si vous ne pouvez pas tourner la poignée, versez quelques gouttes d'huile dans la crémone avec une burette. Si cela ne suffit encore pas, dévissez la crémone et huilez toutes les pièces avant de remonter le mécanisme.

Le vitrage inamovible au-dessus des fenêtres est un élément supplémentaire dans la décoration. Les volets extérieurs sont à la dimension des fenêtres, ce qui laisse pénétrer, par le haut, une lumière flatteuse pour la pièce.

❀ **Dégripper un grincement.** Rien de plus désagréable qu'une porte ou une fenêtre qui couinent à chaque mouvement. Si vous ne voulez pas la sortir de ses gonds, versez délicatement avec une burette quelques gouttes d'huile sur les gonds. Épongez le surplus avec du papier absorbant.

Insuffisant ? Alors il faut impérativement dégonder la porte (agissez à deux, c'est plus prudent). Ajoutez une rondelle (un petit joint suffit) sur chaque paumelle et replacez la porte ou la fenêtre.

❀ **Conserver du mastic.** Le mastic de vitrier à l'ancienne ne doit pas sécher. Si vous voulez le conserver, mettez-le dans un bocal en verre et recouvrez-le d'huile de lin. Fermez le bocal le plus hermétiquement possible et conservez-le à l'abri du gel et des fortes chaleurs, dans un garage ou une cave par exemple.

DES VITRAGES TRÈS PERFORMANTS

MODERNE ET PRATIQUE L'efficacité des doubles et triples vitrages contre les problèmes thermiques et sonores n'est plus à démontrer. Mais il arrive qu'aujourd'hui, ce ne soit plus le froid ou le bruit que l'on cherche à contrer, mais le soleil ! Les plus récents des vitrages de haute technologie s'assombrissent tout seuls dès que la luminosité augmente. Ils sont photosensibles grâce à de petites particules chimiques intégrées dans la composition du verre et invisibles à l'œil nu. Vous n'aurez (peut-être bientôt) plus besoin du moindre store solaire. Ces vitrages sont pour l'instant en test dans des immeubles à usage professionnel.

JEUX DE CÉRAMIQUE

A u salon, dans la cuisine, le couloir, ou la salle de bains, au sol ou sur les murs, les carrelages offrent une infinie variété de décors durables. Terre cuite, grès, faïence, mosaïque, à chaque matière son entretien.

La terre cuite

❋ **Protéger le carrelage.** Mélangez une part d'huile de lin avec deux parts d'essence de térébenthine. Faites chauffer doucement ce mélange dans une vieille casserole couverte. Soyez très prudent : le mélange est très inflammable. Stoppez le feu dès que la préparation commence à fumer.

Passez ce liquide au pinceau large sur les carreaux. Ils seront ravivés et protégés pour longtemps.

La terre cuite peut trouver sa place dans de nombreuses pièces, comme cette antichambre salle de jeu. On trouve aujourd'hui des tuiles de tailles très variées, mais les plus petites, octogonales ou rectangulaires, gardent toujours le charme particulier d'autrefois.

RÉPARER UN ÉCLAT

U n carreau cassé, ébréché ou abîmé peut être restauré sur place à peu de frais. Il suffit de confectionner une sorte de pâte pour reconstituer la matière manquante.

FOURNITURES

1 carreau

grosse lime métallique ou râpe à bois

colle pour carrelage

petite truelle langue-de-chat

papier de verre

1 - Préparez de la poudre de carreau en effritant le carreau avec la lime ou avec la râpe à bois. Versez cette poudre dans une coupelle qui ne craint rien.

2 - Mélangez à cette poudre la colle pour carrelage en pâte. À l'aide de la truelle, colmatez l'éclat avec ce mélange. Poncez le carrelage au papier de verre avant de cirer.

❋ **Raviver le rouge.** La coloration rouge des carreaux anciens a tendance à pâlir au fil des années à force de lavages répétés. Si vous voulez leur redonner un rouge profond, lavez tout d'abord le sol avec du savon spécial pour carreaux. Rincez abondamment. Laissez sécher une nuit. Passez sur les carreaux un chiffon imbibé de cire (sans silicone) incolore en première couche, puis utilisez en seconde couche une cire plus foncée que votre carrelage. Laissez sécher quelques heures, puis polissez avec un large chiffon de laine.

LE BON IMPERMÉABILISANT POUR CARREAUX

Pour protéger de vieux carreaux, qui sont devenus encore plus poreux que des neufs, vous avez une solution toute prête, efficace et facile à mettre en œuvre. Passez au pinceau ou au rouleau à manche télescopique un produit hydrofuge, autrement dit un imperméabilisant de surface (attention, vérifiez les étiquettes : bannissez les produits à base de silicone).
Ce type de produit laisse la terre cuite respirer, ce qui est très important pour des sols anciens sans chappe de ciment.
Le carrelage ainsi imperméabilisé ne se laisse pas attaquer par des remontées d'humidité disgracieuses.

REMPLACER UN CARREAU

FOURNITURES

ciseau à bois et marteau	barbotine (pâte à joints)
ciment-colle	truelle langue-de-chat

1 - Descellez le carreau branlant ou cassé avec précaution à l'aide du ciseau à bois et du marteau. Débarrassez-le des restes de colle en le grattant avec le ciseau à bois et le marteau, et grattez également le sol.

2 - Encollez l'envers du carreau avec du ciment-colle. Vous pouvez aussi encoller le sol pour que le carreau adhère bien. Mettez-le en place et appliquez la barbotine avec la truelle langue-de-chat.

❀ **Lutte antitaches.** Les terres cuites sont poreuses : les taches s'y incrustent. N'attendez jamais le lendemain pour agir, le résultat en dépend.

• Si vous n'arrivez pas à déterminer la nature des taches, passez le sol à la vadrouille (ou mieux au balai-brosse) avec de l'eau chaude additionnée de TSP (trisodium de phosphate). Autre solution pour lessiver un sol de terre cuite très sale : versez 1 dose d'acide chlorhydrique dans 5 doses d'eau froide. Attention : versez l'acide dans l'eau et jamais le contraire. Frottez à la brosse. Rincez bien à la vadrouille. Laissez sécher.

• Pour détacher du gras, versez une bonne couche de bicarbonate de soude ou de terre de Sommières le plus rapidement possible sur la tache. Laissez agir 12 heures. Renouvelez l'application si besoin. Lavez au savon de ménage (très concentré avec de l'eau très chaude). Laissez sécher. Cirez une fois que tout est propre. Lustrez.

• Détachez le vin, les sodas, la sauce tomate, le thé, le café… avec de l'eau très chaude additionnée d'ammoniaque (portez des gants et ouvrez les fenêtres). Brossez vigoureusement les taches avec une brosse de crin. Rincez à l'eau avec une vadrouille et laissez sécher avant de passer de la cire colorée ou de l'huile de lin. Lustrez avec un balai enveloppé d'un vieux tricot en laine douce.

❀ **Supprimer les traces blanches.** Le salpêtre, qui remonte par capillarité du sol, et le tartre de l'eau de lavage laissent, surtout dans les maisons anciennes, des traces blanchâtres déplaisantes. Effacez-les en lavant le sol abondamment avec de l'eau très chaude additionnée de vinaigre blanc. Rincez. Laissez sécher au moins 2 heures.

Si certaines taches résistent, renouvelez l'opération en frottant à la brosse de crin les taches les plus récalcitrantes avec du vinaigre blanc chaud.

N'hésitez pas à disposer les tuiles carrées en diagonale, mais pensez à rehausser l'agencement en alternant le biais avec des bordures ou des passages (entre deux pièces) disposés en ligne droite.

Les grès et la faïence

⁂ **Récupérer un carrelage très encrassé.** Lorsque vous faites cuire en assez grande quantité des pommes de terre, pour une purée par exemple, pensez à conserver l'eau de cuisson. Versez-la, chaude, sur un carrelage très encrassé. Frottez avec une brosse de crin. Laissez agir 10 minutes : l'amidon de pomme de terre absorbera les graisses et les salissures. Passez une vadrouille pour éponger l'eau. Rincez abondamment à l'eau claire. Laissez sécher.

UN DÉTARTRANT POUR LES GRÈS

Confectionnez vous-même un bon nettoyant actif contre le tartre pour vos carrelages de sol. Vous pouvez également appliquer ce produit avec une éponge sur les murs carrelés.

FOURNITURES
200 ml d'ammoniaque
100 ml de vinaigre blanc
40 g (2 c. à soupe) de bicarbonate de soude
3 litres d'eau chaude
seau en zinc ou en plastique
bouteille, bocal ou autre contenant qui peut se boucher

1 - Portez des gants lors de toute manipulation. Versez tous les éléments dans le seau et remuez bien.

2 - Mettez ce produit en bouteille, collez sur la bouteille une étiquette « Danger », et stockez-la hors de portée des enfants. Vous pouvez le conserver environ deux mois.

3 - Appliquez ce détartrant avec une vadrouille, brossez éventuellement. Rincez toujours à l'eau chaude. Laissez sécher.

Dans cette cuisine, le mur entier recouvert de faïence brillante, aux coloris dégradés soulignés par des joints larges, est équilibré par le sol mat en grès. Ce contraste est réussi car la pièce est suffisamment grande.

⁂ **Découper un carreau.** Procurez-vous une pointe à tracer dans un magasin de bricolage. Tracez la ligne de coupe sur la face émaillée du carreau avec une règle plate et un feutre. Toujours avec votre règle, passez d'un seul coup la pointe à tracer sur cette ligne de coupe. Elle mord dans l'émail et laisse une marque bien nette. Prenez le carreau en main de chaque côté de cette précoupe. D'un seul coup sec, cassez le carreau. C'est étonnant, mais ça marche !

⁂ **Percer un carreau.** Si vous voulez fixer un crochet sur un mur carrelé, vous allez utiliser la perceuse. Alors, attention ! Pour éviter que le carrelage n'éclate en se fendillant, collez du ruban adhésif en croix juste au point où vous voulez percer. Retirez le ruban après avoir percé et placé la cheville dans laquelle vous visserez le crochet de suspension.

⁂ **Joints colorés.** Ensoleillez un vieux carrelage blanc, un peu terne, en refaisant ses joints en jaune franc. Décapez les joints anciens. Préparez une barbotine (pâte à joints) avec moitié de ciment fin blanc et d'eau. Teintez la barbotine avec un pigment jaune. Ne craignez pas que la couleur soit trop vive, car en séchant, la coloration éclaircit approximativement d'un ton, et sur des joints minces la couleur paraît moins soutenue. Versez la barbotine dans les joints et arasez. Laissez sécher.

⁂ **Joints moisis.** Versez sur les joints moisis du jus de citron pur. Laissez agir une heure ou deux. Frottez les endroits noircis avec une vieille brosse à dents et reversez-y éventuellement du jus de citron.

❀ Carreaux peints. Si vous avez la main agile et un certain sens artistique, vous pouvez dessiner et peindre des motifs sur un carrelage uni. Il vous suffit d'utiliser, après décras-

sage de la surface entière, des peintures émail (disponibles dans les magasins d'art). Un motif par ci, un autre par là, une frise… Et la surface monotone prend vie. Si vous ne vous sentez pas capable de dessiner à main levée, vous pouvez utiliser la technique du pochoir.

❀ Un plan de travail. Collectionnez les carreaux de faïence hétéroclites que vous récupérez çà et là et recouvrez-en le plan de travail de la cuisine de votre maison de campagne. Agencez les carreaux suivant leur forme et leur couleur.

Choisissez un joint hydrofuge pour une meilleure protection à l'entretien. Finissez les bordures avec des listels (sortes de corniches courbes) de couleur, qui ne déparent pas avec un style ancien, surtout s'il est rustique.

MAQUILLER UNE FISSURE

Un très joli carrelage émaillé ne supporte aucune fissure. Réparez ces petits dégâts en peu de temps et avec un minimum de doigté. Votre sens esthétique sera votre principal guide.

FOURNITURES

1 mesure de blanc de Meudon

1 mesure de blanc de titane

petit tube de colle forte

petite truelle langue-de-chat

peintures émail à froid de couleurs adaptées

pinceaux fins (1 pour chaque couleur)

diluant à peinture (Varsol)

1 - Mélangez le blanc de Meudon et le blanc de titane. Ajoutez de la colle forte et malaxez. Avec la truelle, passez cette pâte à reboucher dans les fissures. Arasez bien. Laissez sécher une nuit.

2 - Redessinez au pinceau sur le carreau les motifs dissimulés par la pâte. Lavez vos pinceaux au diluant à peinture ; laissez-les sécher avant de les ranger. Ne grattez jamais la surface des carreaux ainsi restaurés.

Tiffany et mosaïque

La mosaïque est particulièrement élégante dans ce superbe habillage de baignoire blanc uni avec des morceaux de miroir.

❀ **L'art de tout casser.** Ne jetez plus la vaisselle en faïence ébréchée, dépareillée ou celle que vous avez trop vue. Collectionnez les carreaux de carrelage. Les coloris les plus variés – motifs imprimés et unis – vous seront très utiles le jour où vous déciderez de créer votre mosaïque.

Mélangez vaisselle et carrelage dans un sac en toile, puis cassez-les avec un marteau ou une pince. Le sac vous protégera des éclats. Puisez des morceaux au fur et à mesure de votre réalisation. Le hasard préside cette création, et l'on dit souvent qu'il fait bien les choses.

TRADITION-HISTOIRE

Quand le verre s'anime...

En Amérique du Nord, l'Art nouveau est rendu populaire grâce au travail de Louis Comfort Tiffany, l'un des plus grands décorateurs de son temps. En 1879, il fonde à New York une firme de décoration intérieure et atteint rapidement une solide réputation grâce à ses luminaires et à ses vitraux, véritables bijoux de transparence. Le verre coloré, enchâssé entre des fils de plomb et assemblé selon le décor à créer, s'apparente à l'art de la mosaïque.

Les vitraux de Tiffany, raffinés et stylisés, sont parmi les plus beaux exemples de cet art. Ils embrasent de mille feux les halls d'entrée, les jardins d'hiver (alors fort à la mode) et les pièces de réception.

Le monde végétal et animal, source inépuisable d'inspiration pour l'artiste, lui suggère des œuvres d'art animées de paons majestueux, de chrysanthèmes et de verdure.

Le développement de l'éclairage électrique coïncide avec l'apogée de l'Art nouveau. Les fleurs aux pétales tombants de l'abat-jour, véritable mosaïque de verre opalescent, diffusent une douce lumière romantique.

C'est en perfectionnant l'art du verre iridescent que Tiffany conçut le verre Favrile (photo). À l'aube du XXe siècle, la fée Électricité s'unit à l'art du verrier. Le résultat est flamboyant !

❀ **Petits outils utiles.** La réalisation d'une mosaïque n'est pas très difficile mais encore faut-il avoir les bons outils.

• Procurez-vous une pince à tailler le carrelage pourvue de mâchoires en carbure de tungstène. Elle permet de découper aussi bien les carreaux de pâte de verre que les morceaux de vaisselle cassée.

• Une spatule en métal vous permettra d'étendre le mortier-colle et la barbotine de jointage.

• De vieux couteaux de cuisine vous rendront service, que ce soit pour déplacer un morceau de mosaïque ou pour combler un interstice.

❀ **Faire un motif précis.** Vous voulez faire un dessin en mosaïque ? C'est facile. Tracez votre motif sur un papier millimétré. Sélectionnez vos morceaux de carrelage ou de vaisselle à coller en fonction de leur couleur, de leur relief, de leur forme – au besoin recoupez quelques morceaux. Assemblez-les sur une table ou sur le sol pour juger de l'effet obtenu. Placez vos morceaux de mosaïque sur le mortier-colle en vous guidant sur votre modèle. À la fin, pour combler les petits vides, recoupez certains morceaux.

❀ **Méthode d'entretien pour le Tiffany.** Nettoyez le vitrail avec de l'eau chaude savonneuse et rincez ensuite minutieusement avec de l'eau (le plomb ne rouille pas). N'employez jamais un nettoyant abrasif qui risquerait d'endommager la surface du verre.

UN FILET DE SÉCURITÉ

MODERNE ET PRATIQUE Si vous vous lancez dans la mosaïque, que ce soit de carrés tout prêts (pierre ou pâte de verre) ou de morceaux de vaisselle cassée, sachez qu'il existe un filet de soutien spécial à appliquer sur le ciment de fond avant de poser les morceaux. Grâce à ce filet, vous éviterez d'enfoncer les morceaux de façon irrégulière et vous aurez un résultat idéal. Une barbotine finira le travail : vous la coulerez dans les interstices. Ce type de filet est disponible dans les magasins d'artisanat.

✿ **Décorations multiples.** Songez à la mosaïque pour décorer une table basse (voir ci-contre), un mur, donner l'illusion d'un sol couvert d'un tapis, habiller un coin douche, créer une frise dans la salle de bains, recouvrir un plan de travail ou un petit meuble, constituer des corniches, souligner des plinthes… Jouez avec les couleurs, les motifs, les morceaux de tailles différentes : c'est un patchwork original que vous imaginez vous-même.

✿ **Nettoyer une mosaïque en pâte de verre.** Ne passez jamais de poudre abrasive du commerce sur des carreaux de pâte de verre : vous risqueriez de les ternir et de les rendre poreux.

Pour ne pas entamer la surface des pâtes de verre, nettoyez la mosaïque avec de la sciure de bois fine, additionnée d'une cuillerée à table d'acide chlorhydrique. Frottez la surface avec cette pâte sèche, sans oublier de porter des gants et d'aérer convenablement la pièce où vous travaillez.

ATTENTION ! *L'ennemi de la mosaïque*

Les carreaux de mosaïque en pâte de verre supportent bien des produits chimiques mais pas du tout l'acide fluorhydrique ! En effet, cet acide, mélange de fluor et d'hydrogène, sert à graver le verre.

Très beau motif figuratif autour de ce robinet de serre : la vasque fleurie aux morceaux très ajustés contraste avec le fond blanc tout en relief.

PARURES MINÉRALES

À chaque génération, les hommes ont apprécié les matériaux bruts pour construire et décorer leur intérieur. Au Québec, aux XVIIe et XVIIIe siècles, les pavements sont généralement de pierre, de terre cuite ou de brique ; le marbre apparaît au XIXe siècle.

Un sol de pierres polies sera brillant si vous le cirez après l'avoir nettoyé au TSP (trisodium de phosphate). Passez plusieurs couches de cire sur le sol bien sec, en lustrant entre chaque couche avec un chiffon de laine.

La pierre

Réparer une fêlure. Vous restaurez un mur et une fissure vous apparaît un peu trop évidente ? Colmatez-la avec un mélange de 3 parts de plâtre (teinté avec un pigment pour s'harmoniser au coloris d'ensemble), 2 parts d'eau et un peu moins de 1 part de colle à papier peint. Étalez ce mélange visqueux assez épais avec une petite truelle langue-de-chat. Arasez pour que tout soit bien lisse. Poncez le lendemain au papier de verre très fin.

Des joints discrets et élégants. Si vous devez refaire les joints d'un mur de pierres brutes, évitez le ciment brut, gris et désastreux ! Choisissez un joint qui soit de même coloris que la pierre pour ne pas trop forcer sur les contrastes. Le relief irrégulier des pierres se suffit à lui-même.

Lorsque vous préparerez votre barbotine, complétez-la avec un pigment compatible au ciment blanc pour lui donner une belle couleur. Lissez en creux afin que le joint ne déborde jamais de la pierre.

Récupérer un devant de cheminée. Vous souhaitez redonner un coup de jeune aux pierres situées devant l'âtre d'une cheminée ? Grattez-les à la brosse métallique pour mordre la croûte de suif et de salissure.

Si ce traitement n'est pas suffisant, utilisez du produit pour décaper les fours, en bombe. Laissez agir selon les indications. Essuyez. Rincez. Au besoin, grattez à nouveau. Ne touchez pas aux pierres du cœur du foyer, ce ne serait pas joli.

Détacher les pierres. Vous effacerez des taches de rouille en les couvrant de blanc d'Espagne. Attendez une nuit. Retirez la poudre à l'éponge. Recommencez au besoin l'opération. Vous pouvez aussi utiliser un produit antirouille réservé au linge, en le versant sur les traces et en laissant agir selon le mode d'emploi. Rincez.

• Effacez les taches de graisse avec de l'alcool à brûler, de l'ammoniaque pure ou diluée (1 cuillerée à table d'ammoniaque dans 1 litre d'eau) ou du diluant à peinture. Soyez toujours très attentif lorsque vous manipulez ces produits dangereux : portez des gants, aérez et éloignez les enfants.

• Les taches colorées (vin, café, thé, fruits, etc.) seront d'abord atténuées avec de l'eau très chaude. Laissez sécher, puis passez de l'eau de Javel. Si le matériau se décolore un peu, passez une cire plus ou moins teintée sur l'endroit pour récupérer la couleur originelle.

REFAIRE DES JOINTS DE PIERRE

Pour redonner un air de fraîcheur à un mur de pierres, préparez une barbotine (pâte à joints).

FOURNITURES

mortier spécial joints

pigment

truelle

fer à joints

pinceau large

1 - Préparez votre barbotine avec le mortier selon le mode d'emploi du paquet. Teintez-la avec le pigment. Remplissez les joints, en opérant avec l'oblique de la truelle pour éviter d'en mettre trop sur les pierres.

2 - Creusez la barbotine encore humide avec le fer à joints, en donnant de petits coups pour refaire le joint à l'identique. Les joints ne doivent pas être réguliers pour garder l'aspect de l'ancien.

3 - Avec le pinceau large, avant que la barbotine ne soit sèche, enlevez la matière qui aurait pu coller aux pierres. Lissez également les joints afin qu'ils ne soient pas trop rugueux. Laissez sécher 24 h au minimum sans toucher.

Le marbre

❃ **Taches sur marbre blanc.** Prenez un demi-citron, saupoudrez la chair de l'agrume de sel fin. Puis servez-vous du citron comme d'un tampon pour frotter les taches. Laissez agir une dizaine de minutes. Rincez à l'eau chaude. Laissez sécher.

Selon le résultat, recommencez autant de fois que nécessaire ; l'essentiel est de toujours bien rincer.

❃ **Raviver un sol de marbre.** Lavez un sol ancien et assez sale avec une dissolution d'acide oxalique (500 ml d'acide versé dans un seau d'environ 12 litres d'eau et non l'inverse). Frottez avec une brosse de crin les endroits très encrassés (aux alentours d'une cheminée par exemple). Lavez à l'eau chaude plusieurs fois avec une vadrouille rincée dès qu'elle est souillée. Pour que le sol retrouve sa beauté, séchez et passez une cire incolore naturelle sans silicone. Lustrez avec une flanelle.

UN DÉCAPANT POUR MARBRE BLANC

C'est le plus beau des marbres, mais aussi le plus fragile. Il se ternit et bien souvent jaunit. Pour lui redonner un aspect translucide, confectionnez cette potion.

FOURNITURES
250 ml de peroxyde 20 vol.
2 c. à soupe de sel fin

1 - Dans une coupelle usagée, versez le peroxyde. Mélangez le sel fin de façon à obtenir une pâte.
2 - Si le marbre blanc est encrassé, versez-y directement la pâte obtenue et frottez avec un chiffon. En cas de taches récalcitrantes, frottez avec une brosse de crin. Si le sol n'est que légèrement jauni, humidifiez le chiffon avec un peu de pâte et passez en gestes larges le chiffon sur le sol.
3 - Lustrez jusqu'à ce que toute trace de matière ait disparu. Cirez et polissez.

❃ **Colmater une petite fissure sur un marbre clair.** Coulez de la bougie blanche sur la fissure. Laissez prendre.

Arasez avec une lame ou une raclette. Poncez avec le papier de verre le plus fin.

Si la couleur n'est pas la même, passez dessus du feutre indélébile de couleur avoisinante, après avoir fait des essais sur un papier. Cirez pour rendre cette réparation la plus invisible possible.

Seuls les marbres blancs et noirs peuvent être unis, sans veinures. Ils sont magnifiques dans de grandes pièces. Pensez à alterner avec une disposition en damier dans les couloirs ou les lieux de passage.

ATTENTION !

L'eau de Javel et le marbre

Ne versez jamais d'eau de Javel pure, ni fortement concentrée, sur du marbre, même blanc. La réaction serait catastrophique pour l'aspect. Vous pouvez seulement diluer 1 cuillerée à soupe d'eau de Javel dans un grand seau d'eau de 12 litres pour laver un sol de marbre clair très sale. Rincez aussitôt à l'eau impérativement !

❃ **Redonner un joli poli.** Votre marbre a, au fil du temps, perdu son poli ? Utilisez généreusement du blanc d'Espagne, que vous étalerez en frottant avec un chiffon de coton.

Procédez en faisant de petits mouvements circulaires pour que le polissage ne laisse pas de traces visibles, car il n'y a pas de sens ni de droit-fil dans le marbre !

Frottez jusqu'à ce que le blanc disparaisse sous le chiffon. Cirez à la cire incolore, lustrez à la flanelle.

Brique et ardoise

❋**Détacher des briques enduites de suie.** Pour nettoyer la brique (le truc est bon aussi pour la pierre) enduite de suie du foyer, détachez en copeaux deux pains de savon Fells (à base de naphte) dans 3 litres d'eau chaude. Ajoutez 1 1/2 lb de pierre ponce en poudre et 1 1/2 tasse d'ammoniaque ménagère. Passez la solution au pinceau sur les briques du foyer. Laissez reposer une heure. Puis frottez à la brosse de crin et rincez bien.

❋**Faire briller un sol d'ardoise.** L'ardoise n'apparaît dans nos maisons qu'au XXᵉ siècle. Elle est un élément de décoration très recherché aujourd'hui. Après un bon lavage, passez deux couches de cire, en lustrant vigoureusement avec un chiffon doux. Utilisez une cire liquide sans silicone pour éviter de boucher et d'encrasser la surface. Choisissez un coloris neutre pour ne pas dénaturer la teinte d'origine.

❋**Un lait de beauté pour l'ardoise.** Si vous êtes à court de cire liquide incolore, pensez à utiliser du lait entier pur. Passez rapidement sur le sol la vadrouille légèrement imprégnée de lait. Laissez sécher, puis lustrez avec un chiffon doux et non pelucheux. Vous pourriez craindre une odeur... Non! Soyez rassuré, à moins que vous n'ayez utilisé du lait périmé.

Dans une grande cuisine, un sol d'ardoise a très belle allure.

TRADITION-HISTOIRE

La brique, une tradition anglo-saxonne

La brique est utilisée depuis fort longtemps pour paver les sols et édifier les maisons. Au début de la colonie, elle sera laissée de côté, au profit du bois et de la pierre, disponibles en grande quantité en terre d'Amérique. Par ailleurs, pendant le Régime français, on édifie les cheminées extérieures et on construit les fours à pain de ces briques moulées rouges. Ce n'est qu'au XIXᵉ siècle que la brique reçoit ses lettres de noblesse. Les modes anglo-saxonnes et les influences américaines se propagent rapidement par le biais des imprimés populaires et des catalogues. C'est alors qu'un nombre croissant de résidences de style Queen Anne, charmantes maisons habillées de briques rouges, de boiseries blanches et coiffées de multiples pignons, «font les belles» dans les quartiers urbains et les régions rurales (ici, à Lennoxville). Elles semblent tout droit sorties d'un conte illustré par Kate Greenaway.

❋**Un coup de fouet.** Lavez votre sol d'ardoise avec une eau chaude additionnée de bicarbonate de soude (3 cuillerées à table pour 10 litres d'eau). Frottez les endroits très encrassés à la brosse de crin. Rincez à l'eau claire. Passez une vadrouille humidifiée avec du vinaigre coloré (mais attention: pas de vinaigre de vin). Puis, chaque jour, lustrez avec un chiffon de laine.

DU VELOURS SOUS LES PIEDS

Confortables et moelleux, tapis, revêtements de sol en fibres naturelles et moquettes réchauffent l'ambiance d'une pièce et feutrent les bruits. Tous ces éléments du décor nécessitent un entretien irréprochable.

Les tapis

❀ **Traitement au thé.** Pour rehausser la couleur d'un tapis de laine ancien, tissé ou en velours, aux motifs foncés, essayez le thé. Récupérez des feuilles déjà infusées ; laissez-les sécher un peu. Lorsque ces feuilles sont encore légèrement humides, répandez-les sur le tapis. Frottez avec les mains pour que les feuilles absorbent poussières et salissures. Laissez en l'état une heure environ, puis aspirez les feuilles sèches.

TRADITION-HISTOIRE

Les catalognes du pays

Au Québec, il est une coutume traditionnelle qui consiste à recouvrir les parquets de bois d'étroites laizes de catalogne tissées par les femmes pendant les longs mois d'hiver. Ces catalognes sont fabriquées à partir d'étoffes usagées, découpées en fines lanières, puis amalgamées aux fils de trame.
Cette habitude de réutiliser les tissus vieillis en une création nouvelle s'inscrit parfaitement dans l'art du recyclage domestique, longtemps au cœur de nos préoccupations.
Les catalognes sont également destinées à habiller les lits, soit comme couvre-lit ou comme simple couverture. Ce textile résistant, jouant de mille couleurs et maniant avec brio les motifs et les rayures, sera omniprésent dans nos intérieurs québécois jusqu'à la Seconde Guerre mondiale.

❀ **Détacher un tapis.** Agissez vite. Absorbez le maximum avec une éponge, un chiffon sec ou du papier absorbant. Tamponnez à l'eau froide. Laissez sécher et jugez du résultat. S'il n'est pas concluant, essayez de tamponner à l'eau chaude (pas bouillante). Vous pouvez passer sans risque un chiffon légèrement imprégné de trichloréthylène sur l'ensemble du tapis, sans vous attarder. Cela ravive les couleurs et assainit la texture.

• Sur une tache de gras, déposez du bicarbonate de soude ou de la terre de Sommières, puis passez un chiffon de trichloréthylène (un solvant dégraisseur).

• Sur une tache d'urine, tamponnez au maximum et passez une éponge mouillée d'eau chaude pour la diluer. Absorbez à nouveau. Recommencez. Pour désodoriser, passez un chiffon de trichloréthylène.

• Effacez les taches de feutre, de stylo-bille, ou d'encre avec de l'acide oxalique ou de l'alcool à brûler. Faites toujours un essai sur l'envers du tapis pour vérifer que les couleurs tiennent le choc !

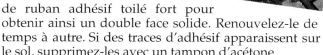

❀ **Tapis bien en place.** Vous empêcherez votre tapis de glisser sur le carrelage ou sur le parquet en collant sous ses quatre angles du ruban adhésif double face. Vous pouvez enrouler sur lui-même un bout de ruban adhésif toilé fort pour obtenir ainsi un double face solide. Renouvelez-le de temps à autre. Si des traces d'adhésif apparaissent sur le sol, supprimez-les avec un tampon d'acétone.

❀ **Raviver les coloris.** Si vous avez la chance d'avoir un grand jardin, profitez-en. Sur une bonne neige fraîche pas trop mouillée, transportez votre tapis de laine ou de coton et déroulez-le, le dessus contre la neige. Laissez-le s'imprégner une heure ou deux, sans pour autant sauter dessus ! Retournez-le. Suspendez-le pour éliminer la neige, tapotez-le avec le plat de la main et non avec une tapette ni un bâton. Laissez-le s'aérer au froid encore deux heures. Puis rentrez-le. Vous constaterez qu'il est vraiment plus « frais ».

Si vous n'avez pas de jardin, ramassez la neige du balcon et répandez-en plusieurs poignées sur le tapis du salon ; l'effet sera le même.

De la douceur pour les tapis !

Ne pliez jamais un tapis, les fibres en seraient cassées. Même un très lourd tapis doit se rouler. Faites un rouleau de papier journal froissé pour démarrer le roulage, cela sera plus facile. Ne battez jamais un tapis, même avec une tapette censée être réservée à cet usage. Ce traitement est trop violent et risque, lui aussi, d'endommager les fibres, de casser le tissage. Tapotez-le doucement après l'avoir retourné, pour faire sortir les salissures et les poussières.

Vous pouvez confectionner vous-même votre tapis de laine. Lancez-vous en faisant des carrés aux différents motifs, c'est moins décourageant. Assemblez-les au final. Bordez votre ouvrage avec une épaisse ganse unie, ce sera plus joli que des franges. Posez votre tapis sur une thibaude antidérapante.

✹ **Chou nettoyeur.** Pas de neige à l'extérieur, pas de thé à la maison ? Essayez le chou pour nettoyer un tapis de petit format. Prenez un beau chou vert, coupez-le en deux et râpez-le (ou passez-le au moulin à légumes). Répandez sur votre tapis le chou râpé, frottez pour absorber les saletés. Retirez au fur et à mesure le chou encrassé. Ne le laissez pas agir longtemps, juste le temps qu'il soit souillé. Lorsque vous aurez retiré tout le chou, laissez le tapis s'aérer fenêtres ouvertes, puis passez l'aspirateur.

Le sisal, le jute et le coco

❋ **Distinguer coco, jute et sisal.** Voici quelques trucs pour reconnaître ces fibres végétales.

• La fibre de coco provient des enveloppes de noix de coco : au toucher, vous sentirez comme des piquants. C'est une fibre très résistante, d'où son utilisation fréquente dans un escalier.

• Les filasses de la fibre du jute lui donnent son aspect particulier, couleur ficelle. Pensez aux sacs de pommes de terre ! C'est la plus souple et la moins résistante des fibres naturelles.

• Même teint en rouge, vous reconnaîtrez un tapis de sisal (dont les fibres proviennent de l'agave) à sa ressemblance avec le raphia.

❋ **Séance de ménage.** Le tissage grossier de ces tapis retient les miettes, les poussières. Vous pouvez les dépoussiérer à l'aspirateur, mais sachez que le passage répété de la brosse finit par lustrer les fibres trop aplaties. Mieux vaut sortir vos tapis au garage, dans le jardin ou sur la terrasse, roulés (pas pliés), pour les retourner et passer un grand coup de balai de paille.

❋ **Retirer les poils d'animaux.** Les poils de chien ou de chat s'accumulent d'autant plus qu'ils sont pratiquement invisibles sur ces matières de coloris en général neutres. Pour les dénicher sans peine, enroulez une bande adhésive large autour d'une brosse, puis passez-la sur les fibres. Les poils vont, en un seul passage, se coller sur l'adhésif.

❋ **Peindre des ornements.** Votre tapis de sisal ou de jute (évitez le coco) vous semble trop uni ? Décorez-le d'un motif ou d'une frise que vous peindrez au pochoir. Utilisez des peintures acryliques en pot et de grosses brosses à poils ras. Ne déposez pas trop de peinture pour ne pas faire de paquets inesthétiques, qui s'useraient trop vite. Laissez bien sécher avant de remettre le tapis en place.

❋ **Nouvelle vie pour vieux tapis.** Les franges de votre tapis sont en mauvais état, le pourtour est très usé ? Posez tout autour une ganse de coton, large et résistante, d'un ton contrasté (une ganse de tapissier conviendra parfaitement). Vous auriez tout le mal du monde à la coudre : collez-la avec une colle pour tissu d'ameublement.

ATTENTION !

Pas d'eau pour le coco

Les tapis en fibres végétales tropicales, très sèches, ne supportent pas l'eau qui les amollit, les déforme et les décolore. Alors pour les assainir, les nettoyer, n'utilisez jamais d'eau tamponnée à moins que la tache ne soit toute petite. Passez plutôt un chiffon imprégné de diluant à peinture inodore. Faites toujours un essai sur le dessous avant de prendre le moindre risque de décolorer la teinte de surface. Ces tapis ont souvent été teints artisanalement en Asie ou en Amérique du Sud, alors prudence !

Rustique, sobre et peu onéreux, le coco peut se poser partout. Dans une chambre, prévoyez des tapis moelleux en descente de lit si vous marchez pieds nus.

Comme toutes les fibres naturelles, le sisal est apprécié pour ses tons chauds.

❀ Pas de marque. Les empreintes laissées par les pieds des meubles sont redoutables. Pour les éviter, placez sous chaque meuble lourd des sortes de patins. Découpez dans les chutes de moquette, ou de revêtement de sol plastique, des petits morceaux de la dimension exacte des pieds, et glissez-les dessous.

Vous effacerez les marques trop importantes sur la moquette en passant un fer à repasser chaud sur une pattemouille. Les poils de la moquette vont se redresser à la chaleur humide. Au besoin, ébouriffez-les avec les doigts pour en unifier l'aspect.

La moquette, un nid d'allergies ?

Il a été de bon ton, il y a peu de temps, de dénigrer la moquette en prétextant qu'elle était cause d'allergies respiratoires graves : la chasse aux acariens était lancée. Il est vrai que ces parasites aiment loger dans les poils de la moquette… mais ils sont aussi dans les plis et replis de nos draps et couvertures, sur les canapés, les chaises, et même sur les murs… La lutte la plus efficace est de faire régulièrement le ménage avec une brosse spéciale tapis/moquettes et d'aérer sa maison chaque jour.
Ces petites bêtes détestent à la fois le froid (en dessous de 10 °C) et le chaud (au-dessus de la température humaine). De plus, la moquette n'est pas seule responsable des problèmes respiratoires : la pollution urbaine est sans aucun doute plus fautive que les acariens domestiques !

La moquette en laine est la plus confortable. Elle se décline en une riche palette de coloris et n'est pas réservée qu'aux intérieurs modernes.

La moquette

❀ Brûlure de cigarette. Avec de très fins ciseaux à ongles, coupez les fibres brûlées à ras. Passez un tampon de coton imbibé de peroxyde 20 volumes sur les dernières traces brunes pour décolorer les traînées disgracieuses. Rincez à l'eau froide en épongeant au fur et à mesure. Rincez et laissez sécher à l'air libre. Une fois que la moquette aura « bougé » à côté du petit trou, vous ne verrez presque plus rien.

Si les dégâts sont plus graves, découpez le trou à l'exacto et collez-y une petite rondelle prélevée dans une chute de moquette, en respectant le sens des poils.

❀ Une pose parfaite. Que vous posiez votre moquette libre ou collée, sachez que le joint entre deux raccords doit se trouver perpendiculaire à la source de lumière naturelle pour être le plus invisible possible. La position de la fenêtre est donc très importante dans votre calcul du métrage.

❀ L'art du détachage. Avant tout traitement, épongez la tache avec une éponge ou du papier absorbant.

Sous votre moquette bouclée pure laine, intercalez une couche de feutre spécial, appelé thibaude ou sous-tapis. Vous aurez ainsi un moelleux sensationnel.

• Pour la gomme à mâcher collée, durcissez-la avec un glaçon et tirez vivement dessus. Détachez ce qui reste avec une lame de rasoir. Étêtez avec des ciseaux fins les poils restant agglutinés.
• Pour les taches alimentaires (et de vomi ou d'urine), utilisez de l'eau avec du détergent et du vinaigre blanc.
• Pour des taches de graisse, couvrez avec du bicarbonate de soude sur une moquette claire, de la terre de Sommières sur une moquette foncée. Aspirez la poudre et passez un chiffon imprégné de trichloréthylène.
• Pour une tache ancienne, passez un chiffon imprégné de trichloréthylène. Sur de la laine claire, tamponnez avec un chiffon à peine imprégné d'eau javellisée.

PETITES GUERRES DU QUOTIDIEN

Rongeurs, nuisibles rampants ou volants, mauvaises odeurs, vents coulis, froid, humidité ou chaleur, autant d'ennemis contre lesquels il faut batailler pour conserver saine une maison. En ce domaine tout particulièrement, il est des astuces qui facilitent bien la vie !

Les petits rongeurs

❀ **Éloigner les souris.** Des souris ont envahi votre demeure ? Stoppez dès que vous le pouvez leur expansion. Repérez leur trajet ; coutumières, elles prennent souvent le même. Placez sur ce chemin du poivre en grains. Les souris détestent son odeur piquante. Résistantes et rusées, elles prendront peut-être un chemin parallèle, poivrez à nouveau, elles finiront par se sauver ailleurs.

• Émiettez quelques feuilles de menthe fraîche devant le trou des souris et sur leur trajet.

Avec de la menthe poivrée, le résultat sera encore plus probant car ce sont les deux senteurs qu'elles détestent.

• Mettez un morceau de sucre blanc sur une soucoupe, en métal de préférence. Posez-la devant le trou de souris. Avec une grande allumette, carbonisez le sucre. La souris ne supporte pas cette odeur...

DES APPÂTS NON TOXIQUES

MODERNE ET PRATIQUE À côté des traditionnelles mort-aux-rats, il existe aujourd'hui des plaquettes qui tuent les rongeurs mais qui ne sont pas toxiques pour les humains (ce qui ne signifie pas qu'il faille les placer à portée de main des enfants). Ces plaquettes, gluantes à la surface, contiennent un appât. Les rongeurs, immobilisés par la glu, mangent le contenu de la plaquette et meurent très rapidement. Il faut jeter la plaquette entamée. Efficaces, ces appâts présentent également l'avantage d'être assez discrets.

Une cave bien rangée et nettoyée attirera moins les rongeurs.

❀ **À chacun ses goûts.** Si vous êtes décidé à éliminer les rongeurs en les empoisonnant (vérifiez s'il y a des règlements l'interdisant dans votre municipalité), posez le poison sur des appâts, chacun selon ses préférences :
• les souris sont friandes de gras, c'est-à-dire de lard ;
• les rats seront alléchés par du pain avec de la mie ;
• les écureuils, omnivores, adorent les graines, le pain et les restes de repas ;

• les mulots préféreront les fruits frais ;
• les campagnols se régalent de fromage.

Surveillez bien vos appâts pour éliminer très rapidement les rongeurs morts.

Les insectes

❀ **Des oignons contre les mouches.** Faites cuire à l'eau quelques oignons. Coupez-les en tranches et déposez-les dans des coupelles. Cachez celles-ci derrière un cadre, un bibelot, cela ne nuira en rien à l'esthétique de votre décor. Retirez régulièrement les mouches mortes et changez les oignons tous les deux à trois jours. L'oignon sera encore plus efficace si vous le piquez de deux ou trois clous de girofle.

Protégez votre linge avec des feuilles de cèdre antimites efficaces et décoratives.

❀ **Éradiquer les œufs de mite.** Si vous découvrez de minuscules boules blanchâtres dans un tapis ancien, en laine tissée ou nouée, sachez que ce sont des œufs de mite (voir larve ci-dessus). Commencez par en éliminer le plus possible à la brosse sèche (nettoyez ensuite la brosse trempée dans de l'eau bouillante javellisée). Puis passez un chiffon imbibé de diluant à peinture inodore sur toute la surface du tapis.

• Si le tapis est de petite dimension, vous pouvez aussi le repasser avec une pattemouille fortement vinaigrée, à fer très chaud.

❀ **Garde-manger à l'ancienne.** Pour laisser les fruits mûrir ou les fromages s'épanouir à l'abri des insectes, fabriquez-vous un garde-manger avec des tasseaux de bois et de la toile métallique. Prévoyez des étagères à claire-voie faites de tasseaux juxtaposés pour que l'air circule bien. Ainsi les produits alimentaires se conserveront plus longtemps.

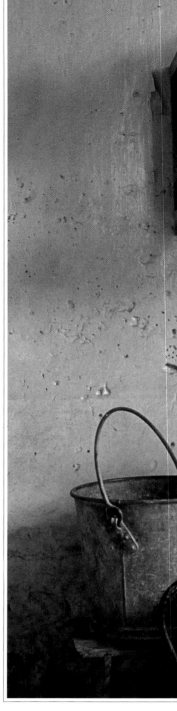

PULVÉRISATION ANTICOQUERELLES

Cette recette d'autrefois était, aux dires des grands-pères surtout, redoutable contre les coquerelles ! Ramassez-les dès qu'elles sont mortes. Ne laissez ni les enfants ni les animaux domestiques s'approcher des endroits traités.

FOURNITURES	
1 part de camomille (fleurs séchées)	
6 parts de borax	
0,5 part de sulfate de chaux	
1,5 part de soufre	
1 part de poudre de pyrèthre	

1 - Enfilez des gants épais de bricolage.
2 - Dans un seau en zinc, mettez tous les produits dans l'ordre des fournitures. Mélangez bien.
3 - Appliquez la poudre obtenue avec un pulvérisateur de jardin ou une boîte poudreuse aux endroits où vous avez repéré les coquerelles.

❀ **Solution parfumée.** Pour vous débarrasser des insectes volants fréquents en été à la campagne, vaporisez sur des boules d'ouate des essences d'eucalyptus, de cannelle, de patchouli, de santal et de girofle. Posez le coton dans des petites assiettes cachées à l'abri des regards.

❀ **Haro sur les puces.** Broyez et émiettez quelques feuilles de menthe là où vous soupçonnez que certaines puces de maison ou d'animaux ont pu élire domicile : sous les matelas, les couvertures, au creux des fauteuils et des canapés… Renouvelez souvent pour que l'odeur soit toujours présente.

Autrefois, le garde-manger protégeait bien les aliments contre les insectes, à condition que le maillage du grillage soit très fin. Aujourd'hui, il peut être plus décoratif qu'utilitaire.

❀ **Chasser les fourmis.** Vous vous souvenez du soufre épandu le long des murs pour faire fuir les fourmis. Pas très discret !

• Il vous reste le chlorpyrifos (assassin radical de fourmis), que vous manipulerez avec précaution et tiendrez hors de portée des enfants.

• Déposez du clou de girofle à la source d'entrée des fourmis dans la maison : l'odeur forte de cette épice éloigne ces insectes.

Du temps où le cafard était roi

Le cafard (que nous appelons coquerelle), honni et maudit de nos jours, fut, il y a bien longtemps, un animal précieux. Dans l'Antiquité, en Égypte, les cafards pullulaient sous l'œil bienveillant des habitants d'une maison. Car qui dit cafard dit provision et, qui dit provision dit richesse... Des tablettes égyptiennes relatent même que, lors des déménagements, les habitants étaient fiers d'avoir réussi à capturer un cafard pour l'implanter dans leur nouvelle demeure. Symbole de richesse, il était aussi symbole de fécondité.

• Une solution douce, efficace et très rapide : mélangez de la cendre de cigarette avec du cerfeuil réduit en miettes. Placez cette mixture sur le chemin des fourmis. Renouvelez très souvent car les fourmis reconnaissent l'endroit où sont mortes leurs congénères.

• Sachez aussi que les fourmis se détournent de l'eau de Javel et du citron moisi.

❀ **Contre les poissons d'argent.** Les poissons d'argent, qui s'appellent scientifiquement lépismes ou thermobies, se retrouvent dans nos maisons, principalement dans les salles de bains. Déposez un filet de savon à vaisselle non dilué le long des plinthes de la pièce.

NOYER INTERMÉDIAIRE
Juglans intermedia

❀ **Protéger les vêtements des mites.** Rangez les vêtements que vous ne mettez pas sous une housse et placez au fond de celle-ci une petite boule d'ouate imbibée d'essence de cèdre, de romarin ou de thuya (en herboristerie ou en magasin de produits naturels). L'alcool camphré agit bien également.

• Si vous avez la chance de posséder un noyer dans le jardin, sachez que les feuilles de noyer sont d'une rare efficacité contre les puces, qui exècrent leur odeur.

• Glissez des feuilles fraîches de géranium dans une pile de pulls. Placez-les au préalable entre deux feuilles de papier absorbant pour qu'elles ne tachent pas les vêtements.

❀ **Des feuilles de tomate contre les araignées.** Placez des feuilles de tomate aux angles des murs, là où les araignées adorent remonter lentement et sûrement pour tisser leur toile. Elles ne supportent pas cette odeur et succombent si elles en inhalent trop.

Les mauvaises odeurs

❀ **Une éponge absorbante.** Si vous avez fait cuire un steak ou frire des sardines, vous aurez tout le mal du monde, même si la hotte aspirante fonctionne, à vous débarrasser des odeurs dans la cuisine. Posez sur une assiette une grosse éponge (végétale ou naturelle) gorgée d'eau très chaude. La vapeur d'eau va remplacer les molécules responsables du désagrément. Renouvelez l'eau chaude pour plus de résultat.

❀ **Précieuses essences.** Pour chasser les mauvaises odeurs tenaces que vous n'arrivez pas à identifier, mélangez dans une coupelle quelques gouttes d'huile de benjoin et d'essence de santal. Versez dessus un peu d'alcool de bois et laissez s'évaporer le tout.

Vous pouvez créer votre propre mélange en utilisant d'autres huiles essentielles : l'ylang-ylang, issu d'un arbre exotique aux délicieuses fleurs blanches extrêmement parfumées ; la vanille, aux notes sucrées ; la violette, au parfum délicat ; l'iris.

❀ **Le pouvoir désodorisant du lait.** Pour juguler les mauvaises odeurs, placez du lait dans une ou plusieurs soucoupes. Vous pouvez utiliser ce petit truc dans toutes les pièces de la maison, car il est très efficace. Mais n'oubliez pas de dissimuler les soucoupes, inesthétiques, derrière un canapé, des livres ou des plantes.

❀ **Le pouvoir désodorisant de la moutarde.** Si vous avez des chats, renoncez évidemment à utiliser le lait. Essayez plutôt la moutarde sèche : délayez-en avec un peu d'eau pour obtenir une pâte crémeuse ou laissez-la telle quelle dans la soucoupe.

❀ **Plus d'odeur de moisi.** Pour désinfecter une pièce où l'odeur de moisi prédomine, mélangez du camphre avec de l'alcool de bois ou de l'alcool à brûler. Parfumez avec quelques gouttes d'essences de girofle et d'eucalyptus. Humidifiez de ce désinfectant un torchon. Suspendez celui-ci dans la pièce dont vous voulez renouveler l'atmosphère. Ouvrez les fenêtres afin que le linge sèche naturellement.

❀ **Classique lavande.** Pour parfumer une pièce, pulvérisez de l'essence de lavande sur toutes les plinthes. Vous pouvez aussi utiliser ce produit sur les doubles rideaux, mais sur l'envers et dans l'ourlet, pour ne pas risquer de les tacher. Sachez que les mouches se tiendront éloignées car elles n'aiment pas cette odeur.

❀ **Les odeurs d'ailleurs.** Vous souvenez-vous du papier d'Arménie ? Sachez le retrouver – très peu cher – en pharmacie ou parapharmacie. Enflammez un bord du papier et éteignez la flamme immédiatement pour laisser la petite feuille se consumer seule dans une soucoupe en métal ou en céramique. Il réduit à néant toutes les odeurs de cuisine (en particulier celles des viandes grillées, du poisson et du chou-fleur).

• Si vous en aimez le parfum, les encens exotiques en bâtonnets ou en cônes sont également très efficaces.

❀ **Marc de café pour siphon.** Votre siphon dégage une odeur nauséabonde ? Versez du marc de café directement par la bonde de l'évier et faites couler de l'eau bouillante en mince filet. N'ayez crainte, le marc de café ne risque absolument pas de boucher votre évier, au contraire. Il va glisser doucement dans les canalisations et, de par sa texture un peu grasse mais fine, entraîner les salissures. Attention, le marc de café n'est pas fait pour déboucher.

EFFLUVES PARFUMÉS CONTRE ODEUR DE RENFERMÉ

Lorsque vous arrivez dans une maison de campagne fermée depuis quelques mois, les odeurs persistantes vous assaillent. Faites chauffer des épices dans un autocuiseur et parfumez ainsi toute la maison.

FOURNITURES

2 gousses de vanille
2 ou 3 bâtons de cannelle
1 toute petite poignée de clous de girofle

1 - Versez 2 à 3 cm d'eau au fond d'un autocuiseur. Jetez en vrac la vanille, la cannelle et les clous de girofle. Fermez la cocotte.
2 - Lorsque le bouchon vapeur chuinte, baissez la chaleur au minimum. L'important est que la vapeur s'échappe le plus doucement mais aussi le plus longtemps possible.
3 - Ouvrez toutes les portes de la maison pour que le parfum se répande partout. Recommencez l'opération si nécessaire.

❀ De l'eucalyptus pour un air plus sain. Placez quelques feuilles d'eucalyptus sur une cuisinière tiède ou dans un four éteint mais encore chaud. Non seulement leur parfum masquera les odeurs, mais l'air tout entier sera assaini.

Pensez à cette astuce en particulier lorsque vous êtes enrhumé, vous pourrez renouveler l'atmosphère de la maison tout en l'embaumant.

● Si vous faites un feu de cheminée, n'hésitez pas à jeter dedans une poignée de feuilles d'eucalyptus, elles grilleront vite fait bien fait en dégageant leurs principes actifs.

❀ Herbes aromatiques. Pour éliminer une odeur de friture tenace, faites brûler sur un gril chaud des feuilles de laurier, des branches de thym, de sauge ou de romarin.

❀ Contre les odeurs de tabac. Pendant une soirée où les gens fument, n'oubliez pas d'allumer des bougies. Pour assainir l'atmosphère le lendemain, faites longuement bouillir une casserole d'eau avec quelques gouttes d'essence de thym ou de lavande.

Malgré les hottes aspirantes, la cuisine est bien souvent le lieu privilégié des odeurs persistantes. Pensez à l'aérer régulièrement.

DES DÉSODORISANTS SANS PARFUM

MODERNE ET PRATIQUE Il existe aujourd'hui des produits actifs et assainissants pour lutter contre des odeurs spécifiques (odeurs de tabac, de cuisine, de litière animale, de peinture…). Au contraire des classiques bombes du commerce, ces nouveaux produits à vaporiser ne parfument pas. Du fait de leur composition chimique différente, ils ne masquent pas les molécules qui composent les mauvaises odeurs mais les détruisent. L'absence de parfum est déroutante la première fois, puis on adopte vite ces bombes car leur action est rapide.

Les caprices de la météo

❄ **Tapis à l'abri de l'humidité.** Si vous quittez une maison plusieurs semaines ou plus, roulez vos tapis en intercalant des feuilles de papier journal. Ne les laissez pas à même le sol, mais rangez-les debout ou, mieux, en hauteur, loin des atteintes des bestioles rampantes. Le papier journal absorbe l'humidité et l'encre est un excellent protecteur contre les mites.

❄ **Miroir sans buée.** Lorsque vous prenez une douche bien chaude, vous ne pouvez plus vous regarder dans le miroir de la salle de bains. Il est très facile d'y remédier. Frottez le miroir avec un chiffon non pelucheux (torchon de lin) ou, mieux, du papier absorbant imprégné de glycérine incolore liquide. Ce procédé est également valable pour les vitres.

❄ **Redoutables moisissures.** Si vous constatez que vos murs ou vos sols sont tachés de moisi, diluez du TSP (trisodium de phosphate) dans de l'eau et passez-en sur les surfaces avec une vadrouille bien essorée. Vous assainirez ainsi le support. Si cela s'avère insuffisant, utilisez une brosse et une eau javellisée dosée à 250 ml de Javel pour un seau d'eau froide. Rincez à l'eau claire.

❄ **Assainir avec du sel.** Dans une pièce froide et humide, placez un grand saladier rempli de gros sel (inutile de choisir le haut de gamme!). Celui-ci va très rapidement absorber l'humidité ambiante et se dissoudre. Changez souvent le contenu du saladier, sinon le sel devient vite inopérant. Cachez le récipient si vous occupez régulièrement la pièce (sous un meuble, sur une armoire) et ne l'oubliez pas!

❄ **Stopper les vents coulis.** Renouez avec la tradition de nos grands-mères en plaçant un boudin de tissu devant votre porte d'entrée. Confectionnez un tube étroit d'une dizaine de centimètres de large et dont la longueur correspond à la largeur de la porte. Bourrez-le de collants filés, de vieux pulls, de chutes de tissu ou de mousse. Ne cherchez pas à tout prix à rendre votre boudin invisible en choisissant un tissu neutre car il peut être décoratif. Osez la couleur en veillant à ce qu'elle s'harmonise avec votre entrée. Vous pouvez même décorer ce boudin de feutrine.

Quand l'hiver a revêtu son blanc manteau,
la ville prend une allure théâtrale avec ses escaliers extérieurs,
conçus pour préserver les espaces habitables.

« Mon pays, c'est l'hiver ! »

Au pays du Québec, le froid rigoureux des mois hivernaux est une réalité incontournable. En effet, l'hiver conditionne notre mode de vie. L'architecture de nos maisons n'y échappe pas non plus.

Afin de se protéger du froid et, du même coup, conserver efficacement la chaleur à l'intérieur du logis, les premiers habitants n'ont eu d'autre choix que de limiter les ouvertures en nombre et d'en réduire la surface. Ce qui explique l'obscurité des salles communes d'autrefois. Avec le temps, d'autres solutions se sont présentées à eux : l'installation de fenêtres doubles et le calfeutrage des ouvertures.

L'ingéniosité de nos premiers colons a su répondre à un besoin réel de confort. Se protéger du froid était au cœur des préoccupations de tous car, de novembre à avril, la froidure était au rendez-vous.

❀ **Plus de givre aux fenêtres.** Frottez vos vitres anciennes, qui se couvrent facilement de givre, avec un morceau de coton imbibé d'alcool de bois. Insistez bien en repassant plusieurs fois au même endroit. Laissez sécher puis recommencez. Le givre n'apparaîtra plus puisque l'alcool gèle à une température bien inférieure à 0 °C.

❀ **Radiateurs plus efficaces.** Si votre chauffage central ne vous protège pas suffisamment du froid, déroulez derrière chaque radiateur une feuille d'aluminium ménager (choisissez le plus épais). Collez-la avec du ruban double face. La chaleur rayonnera vers l'avant et ne sera plus absorbée par le mur.

❀ **Contre la sécheresse des mois d'hiver.** Dans les maisons où l'on bénéficie d'un chauffage d'appoint à combustion lente, l'atmosphère est généralement très sèche. Pour parer cet inconvénient, nos grands-mères déposaient une bouilloire en fonte sur le poêle à bois. Si le poêle se trouve à la cave, prenez leur truc, car la chaleur fait évaporer l'eau, ce qui permet d'augmenter le degré d'humidité. Et n'oubliez pas de renouveler l'eau : elle s'évapore vite.

❀ **Contre les courants d'air.** Vous en avez assez des portes qui claquent ? Fabriquez-vous un cale-porte en bois, rustique et tout simple. Choisissez une bûche d'environ 25 cm, sur laquelle prend naissance une petite branche. Fendez-la en deux. Posez votre cale-porte contre la porte ouverte.

❀ **Un badigeon contre le soleil.** Il fait chaud comme dans un four dans votre grenier ? Badigeonnez la vitre de la lucarne avec un mélange utilisé autrefois dans les serres de jardin pour abriter les plantes des rayons du soleil. Mélangez 500 g (1 lb) de blanc de Meudon et 120 g (4 oz) de bleu d'outremer. Ajoutez 150 g (5 oz) de solution concentrée de silicate de soude. Versez de l'eau en filet pour obtenir un badigeon liquide.

Règles d'or

d'un intérieur bien tenu

DU BEAU MOBILIER

Rien n'est plus agréable ni plus accueillant que des meubles bien entretenus. Ils dénotent une maison soignée et donnent son style à une pièce. Tous les matériaux méritent des soins attentifs : le bois, le métal, le fer forgé, le marbre, l'osier, le rotin, la paille, le cuir et les tissus.

Le bois

❋ **Économie de cire.** Si vous mettez de la cire liquide sur un chiffon, c'est lui qui va s'en nourrir et non le bois. Utilisez un pinceau, vous gâcherez beaucoup moins de produit. Versez une cire liquide dans un contenant à fond plat (coupelle, assiette creuse) où vous pourrez tremper et égoutter facilement votre pinceau. Ne versez que de petites quantités de cire liquide à la fois, c'est plus prudent et plus pratique. Si la cire est en pain dur, faites-la ramollir au bain-marie.

❋ **Joli brillant.** Vous venez de cirer un meuble et souhaitez le lustrer au chiffon ? Mettez un peu de fécule de maïs sur votre chiffon avant de frotter. La fécule absorbera l'excès de cire et donnera de l'éclat à votre meuble.

RESTAURER UN PETIT MEUBLE

Le petit meuble que vous avez déniché au marché aux puces est un peu mal en point ? Le placage se décolle et il en manque des morceaux çà et là ? Donnez-lui une nouvelle jeunesse par de petites réparations assez faciles et dont le résultat sera spectaculaire.

FOURNITURES

colle à bois

couteau de peintre

serre-joint

éponge

pâte à bois

papier de verre très fin

chiffon

teinture fluide à l'alcool
ou vernis à bois
ou cire liquide

pinceau plat

1 - Recollez les morceaux de placage avec de la colle à bois que vous appliquerez avec le couteau de peintre. Maintenez les deux parties à l'aide du serre-joint. Effacez toute trace de colle avec une éponge.

2 - Bouchez les fissures et les trous ou reconstituez les parties manquantes en passant de la pâte à bois avec le couteau de peintre et lissez bien. Ne laissez pas trop de matière sur la surface.

3 - Attendez que la colle ou la pâte à bois soit sèche (une nuit environ), puis poncez finement au papier de verre. Époussetez avec un chiffon. Poncez jusqu'à ce que tout soit parfaitement lisse et poli.

4 - Appliquez la teinture, le vernis ou la cire au pinceau, toujours dans le sens des veines du bois. Si votre meuble a été décapé, recirez-le entièrement, sinon faites juste un raccord à l'endroit des réparations.

Les meubles en bois bien entretenus brillent et captent la lumière.

Petit lexique pour un siège

Au VIIᵉ siècle, le «faudesteuil» est une sorte de pliant en bronze, avec deux accoudoirs. Au XVIᵉ siècle, les caquetoires sont des chaises basses que l'on place près de l'âtre pour papoter autour du feu. Mais au XVIIIᵉ, les appellations se multiplient. Une bergère est un fauteuil bas avec des oreilles et des joues pleines (rembourrées). Une duchesse est une bergère longue. Une duchesse brisée a un bout de pieds. Une veilleuse s'installe près de la cheminée. La turquoise est un grand siège de repos à dossier amovible. Une voyelle est une chaise sur laquelle on s'assoit à califourchon; son accoudoir permet de poser les bras devant soi; lorsque cet accoudoir a une boîte à cigares, la voyelle s'appelle une fumeuse. En ce qui concerne la berceuse, la légende veut que ce soit Benjamin Franklin qui l'ait inventée au XVIIIᵉ siècle. Même si son origine demeure incertaine, elle est très populaire en Amérique du Nord. Symbole d'hospitalité, elle constitue un siège de choix pour tout visiteur que l'on désire honorer.

❀ **Effacer les taches d'eau.** Le verre d'eau que vous avez posé sur un meuble récemment ciré a laissé une vilaine tache ronde? Une seule solution: prendre votre courage à deux mains pour décaper puis cirer à nouveau. Passez d'abord un chiffon imprégné d'un mélange à parts égales de vinaigre blanc et d'essence de térébenthine. Laissez bien sécher.

Poncez avec une laine d'acier extrafine, puis éventuellement avec un papier de verre fin pour mettre à nu les veines du bois si la trace persiste. Époussetez pour vérifier que la tache est partie. Passez deux couches de cire espacées d'au moins vingt-quatre heures et lustrez.

❀ **Décolorer une tache de vin.** Passez un chiffon imprégné d'alcool à brûler pour décolorer les traces de tanin. Si la décoloration n'est pas parfaite, poncez avec une laine d'acier ou un papier de verre très fins pour mordre doucement les veines du bois – faites-le toujours dans le sens de ces veines afin de ne pas endommager la surface. Époussetez précautionneusement la surface. Puis, si vous êtes satisfait du résultat, passez deux couches de cire et lustrez.

Évitez de trop cirer les meubles car à la longue l'excès de cire encrasse le bois et celui-ci ne brille plus. Il faut alors décaper avant de recirer.

❀ **Cirer le bois blanc.** Le bois blanc a lui aussi droit à des égards pour offrir un bel aspect. Vous protégerez votre meuble en bois blanc en le frottant avec un chiffon imbibé d'huile de lin. Mais avant de le cirer, appliquez un bouche-pores pour fermer les pores du bois et éviter qu'il ne s'encrasse.

❀ **Détacher du gras.** Supprimer une tache de gras demande du temps et de la patience. Il faut parfois renouveler l'opération plusieurs fois avant d'obtenir entière satisfaction.

Commencez par recouvrir largement la tache de bicarbonate de soude. Laissez agir une nuit. Époussetez et vérifiez le résultat. Poncez et recirez.

Si cela ne suffit pas, passez un chiffon d'essence de térébenthine pour nettoyer la surface et décaper. Soyez toujours prudent lorsque vous manipulez cette essence : portez des gants, travaillez avec un tablier, aérez la pièce et ne fumez surtout pas ! Laissez sécher. Poncez avec une laine d'acier fine. N'hésitez pas si nécessaire à mordre profondément les veines superficielles pour atteindre le bois sain. Une fois que vous aurez à nouveau bien nourri le bois en le cirant, il n'y paraîtra plus.

❀ **Polir une rayure sur un meuble verni.** Agissez délicatement pour ne pas risquer d'endommager davantage le vernis. Passez sur la rayure un coton-tige imprégné de dissolvant à ongles en prenant garde de ne pas déborder. Appliquez ensuite un peu plus largement de l'alcool à brûler avec un autre coton-tige. Laissez sécher. S'il subsiste une trace terne, frottez-la doucement avec un coton imprégné de très peu d'essence de térébenthine et de quelques gouttes d'huile d'olive.

Donnez une touche de couleur fleurie à votre commode en changeant les poignées, que vous pouvez faire vous-même en pâte à sel ou en argile.

Pour ranger des affaires ou exposer des objets, les meubles en bois à l'ancienne, rustiques ou raffinés, ont un cachet incomparable. Table de cuisine (1), secrétaire (2) ou meuble à couture (3), ils ont leur place dans toutes les pièces de la maison. Une jolie table de chevet suffit à donner une âme à une petite chambre où tiendrait difficilement une armoire traditionnelle.

LA CIRE EN AÉROSOL

MODERNE ET PRATIQUE La cire en aérosol est une solution idéale pour redonner un lustre d'antan aux meubles sculptés. Inutile alors de vous munir d'une petite brosse à dents pour nourrir le bois dans ses moindres recoins et volutes. Une pression sur le bouton de la canette, et la cire se pose en pluie toute légère là où vous le souhaitez. L'aérosol est à réserver à ce seul usage car son prix est assez dissuasif. Il existe plusieurs coloris : choisissez le plus proche de la teinte de la cire que vous utilisez habituellement afin de ne pas créer de démarcation.

❀ **Nettoyer le bois doré.** Commencez par dépoussiérer très délicatement le bois doré avec une brosse en poils naturels très souples, genre brosse à épousseter les vêtements.

Pour raviver le doré, préparez une mixture maison. Battez en neige ferme deux blancs d'œufs. Ajoutez une demi-cuillerée à thé d'eau de Javel (si les blancs tombent un peu, c'est sans importance). Avec ce mélange, badigeonnez au pinceau les parties dorées, en insistant dans les sculptures en creux. Laissez bien sécher. Polissez énergiquement avec un chiffon de laine très doux. Dans les creux, utilisez une brosse à dents très souple.

❀ **Entretenir la laque.** Votre meuble laqué est couvert de traces de doigts ? Frottez-le avec une peau de chamois, il retrouvera tout son éclat.

Pour un nettoyage plus profond, frottez votre meuble avec une peau de chamois trempée dans du lait frais (le lait cru est le meilleur) et essorée. Puis lustrez avec une peau de chamois sèche.

UNE ENCAUSTIQUE MAISON

INGRÉDIENTS

500 g (2 lb) de cire jaune en pain (cire d'abeille)

2 litres d'essence de térébenthine

1 - À l'aide d'un couteau, réduisez le pain de cire en copeaux très fins que vous mettrez dans un bocal. Ajoutez 1 litre d'essence, fermez le bocal et secouez fortement.

2 - Agitez le bocal de temps en temps pour faciliter la dissolution de la cire, qui peut prendre plusieurs jours.

3 - Si le mélange est trop épais, ajoutez de l'essence jusqu'à ce que la pâte prenne la consistance d'une crème.

4 - Appliquez cette encaustique au pinceau sur vos meubles.

Le métal et le fer forgé

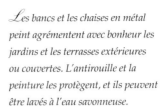

Les bancs et les chaises en métal peint agrémentent avec bonheur les jardins et les terrasses extérieures ou couvertes. L'antirouille et la peinture les protègent, et ils peuvent être lavés à l'eau savonneuse.

❀ **Guerre contre la rouille.** Essayez de supprimer une toute petite tache de rouille en la frottant avec un oignon coupé en deux et saupoudré de sucre granulé. Si cela n'est pas suffisant, passez à un traitement plus radical.

Pour dérouiller des ferrures de meuble très anciennes et abîmées, appliquez du diluant à peinture inodore. Utilisez un chiffon ou une laine d'acier si les ferrures sont vraiment endommagées. Portez des gants de bricolage très épais pour cette opération, éloignez les enfants et les animaux domestiques et aérez le local où vous travaillez.

❀ **Nettoyer le fer.** Lavez un objet en fer avec de l'eau chaude additionnée de carbonate de sodium. Comptez 1 cuillerée à soupe pour 2 tasses d'eau. Rincez à l'eau et polissez avec du papier journal froissé en boule.

❀ **Patiner en bleu.** Ce truc n'est valable que pour des petits objets ou des ferrures. Placez vos objets à traiter dans un récipient allant au feu. Recouvrez-les d'huile de vidange. Couvrez le récipient et faites chauffer à feu très doux pendant une heure ou plus (aérez la pièce) : il faut que l'huile arrive à se dessécher. Surveillez bien la casserole. Sortez les ferrures avec des gants. Vous constaterez alors qu'elles sont de ce beau bleu intense qu'on appelle bleu ferronnerie. Lustrez-les avec un chiffon de laine.

❀ **Nettoyer le fer peint.** Vous pouvez laver un meuble en fer dont la peinture est impeccable avec une éponge et de l'eau savonneuse très diluée. Rincez avec l'éponge et séchez soigneusement avec un chiffon doux non pelucheux.

Mais si la peinture boursoufle ou s'écaille, ne lavez surtout pas votre meuble à l'eau. Passez-y rapidement un chiffon imprégné d'ammoniaque (en aérant le local dans lequel vous êtes).

❀ **Protéger des ferrures patinées.** Pour que la couleur des ferrures que vous venez de patiner tienne longtemps, recouvrez-les de cire d'abeille.

Ramollissez celle-ci au bain-marie pour pouvoir l'appliquer au pinceau. Choisissez une cire claire ou incolore pour ne pas durcir la couleur. Passez deux couches de cire en laissant une nuit ou douze heures de séchage au minimum entre les deux. Lustrez ensuite avec un chiffon de laine. Pour les endroits délicats à atteindre, utilisez une brosse douce en poils naturels.

❀ **Un noir plus noir.** Intensifiez le noir d'un meuble en fer forgé en enduisant celui-ci de cirage noir au chiffon. Attention, cette astuce n'est valable que pour un fer forgé ni rouillé ni attaqué par les intempéries. Dans les endroits difficiles à atteindre, appliquez le cirage avec une petite brosse. Laissez-le sécher une vingtaine de minutes avant de le lustrer au chiffon. Pour les petits recoins, vous utiliserez une vieille brosse à dents bien propre pour faire briller.

❀ **Décaper du fer peint.** La peinture d'une chaise de jardin commence à boursoufler ? C'est le signe que vous devez la décaper avant de la repeindre. Appliquez un décapant chimique au pinceau, puis raclez la peinture avec un couteau. Le grattage qui suit tout décapage doit être impeccable. Si certains endroits résistent, griffez-les avec un couteau avant d'appliquer à nouveau du décapant. Éliminez les dernières écailles de peinture à la brosse métallique.

DES JOURNAUX POUR PATINER LE MÉTAL

Pour patiner un objet en métal nu et non peint, fer forgé ou pas, on conseille de le poser sur des feuilles de papier journal dans une vieille bassine en zinc puis de faire brûler le journal (cette opération doit avoir lieu en extérieur).
Une fois le papier consumé, l'objet a pris une belle teinte noir ferronnerie, de style traditionnel.
Ce truc qui semble magique a une explication chimique : sous l'action de la chaleur, l'encre d'imprimerie devient volatile et adhère au métal.

Bien décapé, le fer forgé retrouve une seconde jeunesse, comme ce vieux lit qui s'intègre bien dans le décor mansardé. Le fer forgé sera encore plus beau si vous le cirez.

TRADITION-HISTOIRE

La mode du fer forgé

Avant les années 20, le fer forgé ne trouvait pas sa place dans les décorations intérieures raffinées. Il a fallu que les adeptes des Arts déco lancent cette mode pour que le métal élise domicile non seulement sur les terrasses, dans les vérandas, mais aussi dans les salons (ci-contre bar et tabouret haut). De nombreux artistes se lancent alors dans les arts décoratifs et créent des meubles qui allient fer forgé, métal, verre, marbre et incrustations de bois. Les consoles deviennent fort à la mode. Leurs pieds ouvragés sont en fer teinté de bleu ou de noir. Le Corbusier lui-même, génial architecte de 1919 aux années 50, crée du mobilier qui joue sur le mélange de tous ces matériaux. Aujourd'hui, ses meubles continuent à être diffusés industriellement sans avoir pris une ride.

❂ **Décaper un meuble en fer forgé.** Armez-vous d'une brosse métallique pas trop fine et usez de votre huile de coude. Grattez très soigneusement chaque partie pour décaper le noir ancien ou enlever la rouille. Pour peaufiner votre travail, prenez une brosse de plus en plus fine. Puis vous poncerez avec une laine d'acier fine. Ensuite seulement, vous pourrez commencer une remise en couleur ou en noir.

UN PRODUIT DEUX EN UN

MODERNE ET PRATIQUE Jusqu'à maintenant, pour obtenir une peinture antirouille, il fallait ajouter un antirouille incolore à une peinture normale. Il existe désormais une peinture qui contient son propre antirouille et qui se passe en une seule couche, rarement deux, sur les métaux juste dépoussiérés et grattés. Inutile avec cette toute nouvelle peinture de décaper complètement avant de rénover. Il suffit de gratter les plus grosses fleurs de rouille pour qu'elles ne laissent pas de relief. À noter : les coloris proposés sont très élégants ; on a retenu par exemple un vert martelé, charmant pour des meubles de jardin et plus original que le noir ou le blanc traditionnels...

Le marbre

❊ Le meilleur nettoyage. Lavez le plateau de votre console en marbre avec une éponge savonneuse (savon de Marseille ou savon de ménage). Ne mouillez pas trop, c'est inutile. Insistez sur les endroits très sales avec une brosse de crin. Rincez soigneusement pour éliminer toute trace de savon. Ne laissez pas sécher car des traces d'eau ou de calcaire disgracieuses resteraient alors. Essuyez avec une peau de chamois ou un torchon qui ne peluche pas.

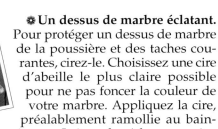

❊ Un dessus de marbre éclatant. Pour protéger un dessus de marbre de la poussière et des taches courantes, cirez-le. Choisissez une cire d'abeille le plus claire possible pour ne pas foncer la couleur de votre marbre. Appliquez la cire, préalablement ramollie au bain-marie, au pinceau. Laissez-la sécher au moins quatre heures puis polissez-la avec un chiffon de laine non pelucheux. Repassez une deuxième, voire une troisième couche la première fois que vous appliquez ce traitement. Pour réchauffer le brillant, lustrez avec un chiffon doux que vous aurez laissé tiédir sur un radiateur.

Le marbre craint les taches. Pour profiter sans risques d'une jolie table, mieux vaut l'imperméabiliser à la cire.

❊ Enlever de la bougie. Une bougie a coulé sur le plateau de marbre de votre commode ? Grattez la tache très précautionneusement avec une lame de rasoir. Ayez soin de ne pas mordre la surface du marbre. Recouvrez la tache qui subsiste de blanc de Meudon. Frottez avec un chiffon roulé sur lui-même. Laissez sécher puis polissez avec un chiffon doux. Cirez au besoin.

RECOLLER UN PLATEAU DE MARBRE

Votre commode ou votre table de chevet a piètre allure avec son dessus de marbre cassé ? Lancez-vous dans une restauration dont le résultat vous étonnera. Après avoir recollé les morceaux de marbre cassé, vous poncerez légèrement avec un papier de verre pour éliminer toute trace de colle et unifier la surface. Puis vous peindrez un raccord avec de la peinture acrylique en imitant les veines du marbre pour faire illusion.

FOURNITURES

couteau

trichloréthylène

colle époxy à deux composants

couteau de peintre

alcool à brûler

serre-joint ou ruban adhésif fort

1 - Souvent le marbre recasse là où il avait déjà cassé. Grattez les anciennes traces de colle avec le couteau et nettoyez les derniers résidus au trichloréthylène. Si la cassure est récente, nettoyez-la aussi.

2 - Mélangez les deux composants de la colle puis étalez-la avec le couteau sur les deux tranches cassées. Ne débordez pas et ne touchez pas la colle car elle est redoutablement efficace. Réunissez les deux parties.

3 - Effacez la colle avec un tampon d'alcool à brûler. Posez le serre-joint si cela est possible, sinon collez un morceau de ruban adhésif fort. Vous n'avez plus qu'à poncer et à peindre un raccord si nécessaire.

❀ **Blanchir le rotin.** Votre mobilier de jardin en rotin est devenu gris ?
• Nettoyez-le à l'éponge avec de l'eau chaude additionnée de peroxyde 15 volumes (4 ou 5 cuillerées à soupe pour 1 litre d'eau). N'oubliez jamais de rincer.
• À défaut, utilisez du jus de citron dans les mêmes proportions.

❀ **Nourrir le rotin.** Protégez et nourrissez votre mobilier en rotin en l'enduisant au pinceau d'une huile de lin pure ou d'une huile de teck (plus nourrissante). Laissez sécher au moins deux jours. Lustrez au chiffon non pelucheux.

L'osier, le rotin et la paille

❀ **Décrasser l'osier.** Pour dépoussiérer dans ses moindres recoins un meuble en osier tressé très encrassé, utilisez votre aspirateur, il n'y a pas mieux. Grattez la poussière agglomérée avec un petit couteau et aspirez.

❀ **Grand lavage pour l'osier.** Lavez le meuble avec du nettoyant TSP (trisodium de phosphate) dilué dans de l'eau selon les indications du fabricant. Rincez abondamment. Laissez sécher à l'extérieur (jamais au soleil) ou dans un local très aéré. Vous ne risquez rien à renouveler l'opération.

❀ **Blanchir l'osier.** Utilisez une eau javellisée dosée faiblement (1 cuillerée à soupe par litre d'eau froide) pour blanchir l'osier patiné par les ans. Brossez énergiquement avec une brosse de crin. Rincez abondamment à l'eau claire.

❀ **Laver le rotin.** Lavez-le avec une brosse trempée dans de l'eau additionnée de nettoyant TSP.
• Autre solution : utilisez du bicarbonate de soude (2 cuillerées à soupe par litre d'eau). Rincez à l'eau claire. Laissez sécher à l'air libre mais jamais en plein soleil.

❀ **Nettoyer la paille.** Dépoussiérez l'assise en paille de vos chaises avec une brosse douce. Frottez toujours dans le sens des fibres, même lorsqu'elles sont entremêlées et tressées. Si la paille est très encrassée, lavez-la avec de l'eau chaude fortement salée (un verre de gros sel pour un seau d'eau).

❀ **Blanchir la paille.** Passez du jus de citron avec une éponge sur l'assise des chaises et rincez à l'eau claire pour que la paille retrouve souplesse et brillant. Oubliez l'eau javellisée, trop agressive pour la paille. Laissez sécher à l'abri de toute source de chaleur.

Le cuir

❀ **Nourrir le vieux cuir.** Le cuir perd tout doucement de son éclat. Ravivez-le avec des peaux de banane. La recette est économique mais, avouons-le, peu pratique, aussi réservez-la aux petits meubles. Frottez le cuir avec l'intérieur des peaux de banane. Laissez sécher dix minutes puis polissez avec un chiffon sec qui ne peluche pas : il éliminera tous les résidus de la peau de banane.

❀ **Restaurer un cuir craquelé.** Enduisez-le de lait d'entretien à base de cire d'abeille pour le nettoyer, le nourrir et le protéger. N'hésitez pas à passer plusieurs couches, jusqu'à ce que le cuir ait retrouvé une certaine souplesse. Lustrez.
● Si les dommages sont trop importants, la meilleure méthode consiste à décaper le cuir (car, autrement, la teinture se concentrerait dans les craquelures) et à le teindre de nouveau. Cirez et lustrez.

❀ **Traces d'eau.** Frottez les taches avec un chiffon imprégné d'essence de térébenthine. Recirez pour retrouver la coloration originelle. Lustrez.

❀ **Nouvel éclat pour cuir terne.** Nettoyez-le en l'enduisant de lait démaquillant ou de lait de toilette pour bébé. Lustrez.
● Détachez et cirez votre meuble. Laissez bien sécher. Préparez un mélange d'huile de lin (1/3) et d'essence de térébenthine (2/3). Appliquez cette solution coup de fouet au pinceau. Laissez sécher et lustrez avec un chiffon doux.

❀ **Masquer une éraflure.** Frottez doucement la griffure avec une pierre ponce pour en adoucir les bords. Époussetez bien au fur et à mesure. Appliquez du cirage avec un pinceau fin ou une brosse à dents. Lustrez avec une flanelle douce.

❀ **Taches de stylo.** Prenez un coton-tige et trempez-le dans de l'alcool à brûler ou de l'éther. Passez-le sur la ligne d'encre, de stylo bille ou de feutre. Tamponnez doucement pour ne pas étaler les traces. Recommencez jusqu'à disparition totale. Passez ensuite un coton-tige imbibé d'essence de térébenthine, puis laissez sécher et recirez. Lustrez.

Le cuir est un matériau facile à entretenir et qui vieillit bien. Mais n'utilisez pas de cire à base de silicone, qui empêcherait le cuir de respirer.

❀ **Masque pour cuir sombre.** Mélangez 1/3 de glycérine et 2/3 d'alcool à brûler. Portez des gants pour travailler, aérez le local où vous êtes et éloignez les enfants et les animaux domestiques. Utilisez une brosse douce pour passer ce mélange très volatil sur le cuir. Les cuirs grenus apprécient ce nettoyage nourrissant.

CRÈME DE BEAUTÉ POUR CUIR CLAIR

Vous serez étonné des effets salutaires de cette crème qui nourrit et ravive le cuir clair.

FOURNITURES

huile de ricin
alcool à brûler

1 - Mélangez 200 ml d'huile de ricin et 200 ml d'alcool à brûler dans une tasse à mesurer que vous réserverez aux travaux de bricolage.
2 - Passez ce mélange sur votre meuble avec un chiffon.

3 - Laissez sécher au moins 24 h, puis passez un chiffon à peine imprégné d'huile de ricin pure.
4 - Attendez 24 h pour lustrer.

Les tissus

❀ **Redonner vie à une soie ancienne.** Votre petit sofa ou votre fauteuil recouvert de soie ancienne est sali et terne ? Regardez le tissu précieux de près. S'il paraît solide et en bonne santé, essayez ce traitement de beauté miracle. Préparez un mélange de 1/3 de magnésie et de 2/3 d'essence minérale (achetées en pharmacie). Appliquez cette pâte sur le siège, les accoudoirs, le dossier et l'appuie-tête. Attendez que cela soit sec puis époussetez doucement avec une brosse souple en poils naturels. Encore une fois, cette astuce n'est valable que pour un textile sain !

❀ **Enlever de la bougie.** Grattez le plus possible de matière sèche avec la lame d'un couteau de cuisine. Puis placez une feuille de papier absorbant sur les traces de bougie. Passez un fer à repasser sec sur le papier, qui va absorber le gras de la bougie. Déplacez rapidement le papier et changez de feuille très souvent. Si une petite coloration persiste dans les fibres du tissu, frottez avec un chiffon imprégné de trichloréthylène.

Les fauteuils capitonnés en tissu clair sont délicats à entretenir. Pour les protéger, jetez-y un carré de mousseline ou de dentelle en appui-tête.

UN FAUTEUIL EN HABIT NEUF

Votre vieux fauteuil, bien qu'encore valide, présente un tissu très abîmé. Du doigté, de la patience et un peu de savoir-faire vous permettront de le remettre à neuf. Pour dégarnir votre siège, décollez le galon en l'arrachant et retirez toutes les semences qui fixent le tissu, à l'aide d'une pince. Gardez le tissu, qui vous servira de patron pour découper votre nouvel habillage.

FOURNITURES

toile blanche aux dimensions
molleton ou ouatine aux dimensions
tissu d'ameublement aux dimensions
houseaux (épingles longues à tête)
semences de 7 mm (clous de tapissier)
marteau de tapissier
galon de tapissier assorti au tissu
colle d'ameublement

1 - Assurez-vous du bon état du tissu blanc de protection, qui servira de base pour que le molleton reste bien en place. Au besoin, il faudra le changer aussi, en procédant comme pour le tissu du dessus.

2 - Posez le molleton sur le tissu blanc du fond et recoupez-le juste au-dessus des semences. Inutile de le fixer avec des semences, car il adhère tout seul et sera maintenu par le tissu du dessus.

3 - Coupez le tissu en vous servant de celui que vous avez retiré comme patron. Comptez une marge de 6 à 8 cm. Fixez-le sur le fauteuil avec des houseaux. Crantez les angles en suivant la forme des montants du fauteuil.

4 - Recoupez les arrondis des coins arrière du siège et fixez-les d'abord avec des houseaux. Repliez le bord du tissu vers l'intérieur et fixez-le avec les houseaux. Clouez des semences tous les 2 cm avec le marteau.

5 - Recoupez les arrondis à la base des pieds de devant et fixez-les. Revérifiez l'axe du tissu et retendez-le bien, en commençant par le milieu devant, puis à droite et à gauche, de façon qu'il n'y ait pas de faux plis.

6 - Repliez le tissu vers l'intérieur et fixez-le avec les houseaux. Clouez des semences tout au bord du tissu, d'abord tous les 2 cm, puis entre chaque semence. Pour finir, collez le galon par-dessus.

Du beau mobilier

Si vos sièges sont trop abîmés ou si vous voulez changer de décor à peu de frais, confectionnez d'élégantes housses en coton, qui ont de plus l'avantage d'être facilement lavables. Ne vous privez pas de l'atmosphère douillette et confortable que créent les coussins, que vous pouvez réaliser vous-même en broderie (1) ou en imprimé fleuri (2). Déhoussables, ils pourront être régulièrement lavés et repassés.

❀ **Raviver le velours.** Pour traquer la poussière, qui est la pire ennemie du velours, brossez énergiquement le tissu avec une brosse souple en tapotant de la paume de la main. Passez la petite brosse de l'aspirateur dans les jointures seulement, pour ne pas marquer le velours. Pour lui redonner couleur et bonne mine, passez un chiffon imprégné de tétrachlorure de carbone (un solvant dégraisseur pour textiles qu'on trouve en quincaillerie).

❀ **Rafraîchir les fauteuils tapissés.** Dépoussiérez les fauteuils à l'aide de la petite brosse de l'aspirateur. Passez-la dans le sens de la trame du tissu. Ne tapez pas trop fort sièges et dossiers pour ne pas casser les fibres textiles et ne pas endommager sangles et ressorts. Passez rapidement sur le tissu (en particulier sur les accoudoirs et le repose-tête) un chiffon épais légèrement imbibé de térébenthine inodore. Aérez bien la pièce.

❀ **Détacher les tissus.** Vous enlèverez une trace de sucre avec un tampon humide d'eau tiède.
• Vous effacerez des taches colorées d'alcool (vin, bière) avec un chiffon imprégné de trichloréthylène.
• Vous supprimerez le gras en saupoudrant le tissu de bicarbonate de soude ou de terre de Sommières que vous laisserez pendant toute une nuit. Époussetez et brossez. Passez un chiffon de trichloréthylène pour parfaire votre travail et raviver les coloris.
• Pour les traces de stylo bille ou d'encre, utilisez de l'acide oxalique ou un coton-tige imbibé d'alcool à brûler.

Ces repose-pieds garnis de chintz et de coton satiné risquent de se ternir ou de se salir, mais ils sont si faciles à recouvrir d'un nouveau tissu que ce serait dommage de se priver de si soyeuses notes de couleur !

❀ **Nouvelle parure pour une chaise de jardin.** La toile de votre chaise longue est usée ? Remplacez-la par du lin, dont l'aspect naturel est très élégant. Pour un résultat raffiné, posez un galon blanc et pour plus de confort, prévoyez des coussins ornés de dentelle blanche et de croquet pour la tête et les jambes. Ces coussins, amovibles, sont accrochés par des pattes à gros boutons.

❀ **Laver les sièges de jardin.** Lavez vos sièges en toile au nettoyant TSP très fortement dilué dans de l'eau. Frottez à la brosse de crin si la toile est très encrassée. Rincez à grande eau et laissez sécher à l'air libre, mais pas en plein soleil.
Vous pouvez laver ainsi tous les sièges, même ceux rembourrés de mousse. Essorez bien la mousse synthétique entre vos mains après avoir rincé et comptez un temps de séchage plus long.

❀ **Retendre la toile des chaises de jardin.** La toile des chaises longues finit toujours par s'affaisser. Si elle est en bon état, retendez-la. Repérez les clous qui sont dissimulés sous un retour de toile autour de l'un ou l'autre des montants. Déclouez-les sur l'un des montants avec un marteau chasse-clous. Coupez quelques centimètres de tissu pour qu'il soit à nouveau tendu. Reclouez avec des petits clous de tapissier neufs.
Vous pouvez procéder de la même façon pour changer carrément de toile, en déclouant les deux montants.

UNE LITERIE SAINE ET CONFORTABLE

É dredons bien ronds, oreillers de plume moelleux, lourdes couvertures, matelas de laine, draps et taies chiffrés, les lits à l'ancienne avaient beaucoup de charme. Même avec une literie moderne, retrouvez le goût du linge de lit bien entretenu.

Les édredons, les couettes et les couvertures

❀ **Nettoyer un édredon.** Nettoyez vous-même un édredon (ou une couette, un oreiller) synthétique ou garni de plumes avec un chiffon imprégné de trichloréthylène. Frottez rapidement l'enveloppe de chaque côté.

Attention : les émanations de trichloréthylène étant nocives, laissez l'édredon s'aérer au moins quarante-huit heures à l'extérieur si possible (jamais en plein soleil) avant de le ranger ou de le remettre en service.

❀ **Un édredon ancien remis à neuf.** Videz votre édredon en ouvrant une couture latérale sur une dizaine de centimètres. Retirez les plumes par poignées et enfermez-les immédiatement dans un grand sac plastique pour qu'elles ne s'envolent pas. Pour nettoyer les plumes, glissez un tampon de coton imprégné de trichloréthylène dans le sac. Fermez-le bien et secouez-le de temps en temps pendant une journée. Retirez le tampon de coton, secouez à nouveau le sac plastique.

Dans le tissu de votre choix, faites une housse aux dimensions de l'ancienne enveloppe. Replacez les plumes à l'intérieur. Fermez l'enveloppe. Laissez l'édredon s'aérer à l'extérieur au moins quarante-huit heures avant de le remettre sur un lit.

❀ **Se protéger des plumes.** Rien à faire... Les plumes traversent votre édredon ou votre oreiller et cela vous gêne ? Passez sur l'enveloppe qui enferme les plumes du savon de Marseille sec. Il va boucher les petits trous du tissage de l'enveloppe et vous serez tranquille.

Recouvrez l'enveloppe passée au savon d'une housse. Renouvelez le traitement au savon une fois par mois.

Une belle couverture piquée satinée bicolore peut suffire à créer une atmosphère douillette. Vous y ajouterez du cachet en choisissant pour l'oreiller une taie aux coloris anciens.

❋ **Une jolie pile d'oreillers.** Sur un lit, multipliez les oreillers non seulement pour votre confort, si vous lisez au lit, mais plus encore pour l'aspect décoratif. Variez les tailles : utilisez comme base deux oreillers rectangulaires, qui donneront une bonne assise, puis placez un grand oreiller carré et mettez enfin devant, en exposition, de petits coussins carrés, ronds ou rectangulaires. Jouez aussi avec les housses : choisissez-les très contrastées ou au contraire dans une harmonie de coloris.

❋ **Détacher une couette.** Votre petit déjeuner au lit se solde par une tasse de café ou de chocolat renversée sur la couette ? Soyez prompt. Épongez au maximum la tache. Enlevez vite la housse et tamponnez la couette avec de l'eau chaude. Si cela n'est pas suffisant pour décolorer la tache, tamponnez avec un chiffon imprégné d'une eau javellisée faiblement dosée (1/2 cuillerée à soupe pour 4 tasses d'eau froide). Rincez soigneusement en tamponnant toujours pour ne pas trop humidifier le rembourrage. Laissez sécher à l'air libre.

❋ **Courtepointe à l'ancienne.** Pour un joli effet déco dans une chambre meublée à l'ancienne, posez une courtepointe colorée sur un dessus-de-lit blanc (crocheté ou en piqué de coton). Le contraste des couleurs est très élégant.

Vous pouvez réaliser vous-même votre courtepointe en cousant ensemble, façon patchwork, des carrés ou des bandes de drap ou de tissu.

Doublez-la d'une toile de piqué de coton blanc, ou d'une couleur assortie à la teinte dominante de votre ouvrage. Repliez cette doublure en bordure tout autour sur le dessus de votre ouvrage en formant des onglets dans les angles.

❋ **Laver une couette.** Si votre machine à laver a une capacité suffisante, vous pouvez y mettre une couette lavable d'une personne.

Pour éviter la formation de gros paquets à l'intérieur de la couette, ajoutez trois ou quatre balles de tennis dans le tambour de la machine.

Plutôt qu'un ou deux oreillers un peu stricts, placez-en plusieurs sur le dessus de lit en jouant sur les tailles. Harmonisez vos plus beaux coussins à volants avec une tenture fixée en tête de lit.

❋ **Rangement estival.** Ne rangez pas édredons et couettes sans les avoir secoués vigoureusement. Pliez-les sans les tasser. Mettez-les sous housses. Protégez-les des mites en glissant dans les housses des boules d'ouate imprégnées d'essence de lavande ou des feuilles de menthe fraîche ou séchée.

TRADITION-HISTOIRE

Du lit clos au lit de fer

Le lit clos, que nos ancêtres appelaient lit cabane, est fort répandu au début de la colonie. De tradition française, c'est une grande boîte assemblée de planches de sapin ou d'épinette comprenant un toit et une ou deux portes. Une fois fermé, le lit clos a l'avantage de conserver à l'intérieur la chaleur du corps tout en protégeant des courants d'air. Nos aïeux dormaient également dans des lits à quenouilles et dans des lits à colonnes dont on tirait les rideaux, ou courtines, le soir venu (comme celui de la photo, qui a servi aux Filles du Roy, Maison Saint-Gabriel). Du même coup, on assure son intimité tout en se garantissant du froid.

Au XIXᵉ siècle, lorsque s'accroît l'amélioration des moyens de chauffage, les lits clos disparaissent. La mode apporte les lits carriole d'inspiration Empire et les lits à fuseaux, d'influence américaine. La fin du siècle dicte de nouvelles valeurs dont l'hygiène. On remplace alors les lits de bois par des lits de fer qui, croyait-on, procuraient une salubrité irréprochable, les fibres du bois étant censées attirer les insectes nuisibles.

LES HOUSSES ANTIACARIENS

MODERNE ET PRATIQUE Pour les sensibles aux acariens, les allergiques, les asthmatiques, il existe désormais des housses d'oreiller et de matelas antiacariens. Composées de coton et de polyesther et doublées d'une pellicule de plastique ou d'un textile microporeux, ces housses restent perméables à l'air. Elles sont lavables en machine et il est recommandé de les nettoyer souvent pour maintenir un excellent niveau d'hygiène.

❀ **Rajeunir une couverture piquée.** Pour restaurer une ancienne couverture piquée, recouvrez-la de tissu neuf. Fabriquez-vous une housse aux dimensions exactes de la couverture. Puis, avec une aiguille recourbée de matelassier et du fil assorti assez épais, refaites les points de matelassage. Vous n'êtes pas obligé de tous les reproduire : quelques-uns suffiront pour maintenir en place le tissu neuf.

Nos grands-mères aimaient les superpositions : oreillers, traversin, édredon, dessus-de-lit à pans plissés (ci-contre). Dans l'esprit d'autrefois, confectionnez un ciel de lit pour une chambre d'enfant (ci-dessus). Celui-ci est doublé et fixé sur la largeur du lit. Il est retenu par deux gros nœuds à chaque montant du lit.

ATTENTION ! Question de mesures

Les mesures des accessoires de literie ne sont pas standards. Or les magasins nous proposent, venant des pays européens, des produits aux formats variés. Aussi lorsque vous allez acheter des taies d'oreiller ou une housse de couette, n'oubliez pas de noter leurs dimensions ! En France, la forme carrée profile les oreillers (65 x 65 cm), les pays du Nord et la Grande-Bretagne préfèrent les formes rectangulaires (50 x 75 cm). Chez nous, en Amérique du Nord, la norme est de 51 x 76 cm. Quant aux couettes, en France, une housse pour une personne mesure 1,40 x 2 m. L'Angleterre préfère une couette plus étroite, soit 1,20 m de largeur. Chez nous, nous habillons nos lits d'une couette mesurant 1,60 x 2,18 m. À chacun ses couettes !

❀ **Une couverture comme neuve.** Que la ganse d'une couverture s'effiloche et aussitôt c'est toute la couverture qui a piètre allure ! N'attendez donc pas pour renouveler une ganse mal en point. Décousez l'ancienne sur tout le pourtour. Pour la remplacer, choisissez une ganse soit de la même couleur que celle de la couverture, soit dans un ton contrasté. Fixez-la à cheval avec une piqûre machine ou à la main à points glissés.

❀ **Des couvertures aux couleurs bien vives.** Secouez et aérez le plus souvent possible les couvertures de laine car elles prennent vite la poussière et ternissent, mais ne les exposez pas en plein soleil, les couleurs risqueraient d'en pâtir.

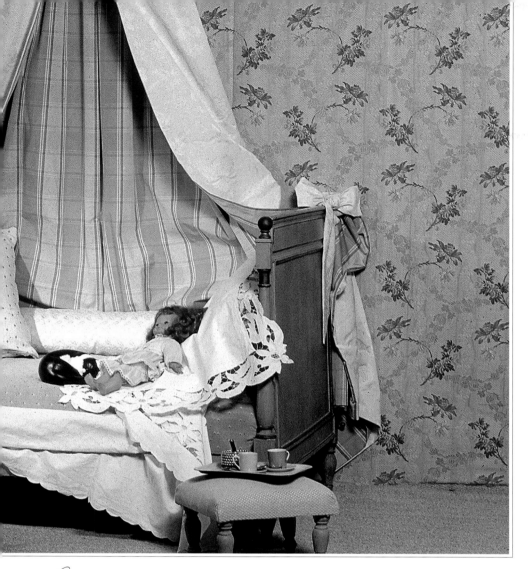

● **Matelas tachés.** Les fuites sont toujours imprévisibles chez les enfants... Alors sachez traiter les taches d'urine. Tamponnez le matelas avec une éponge humide chaude; passez ensuite un tampon d'alcool à brûler sur les surfaces souillées. Laissez sécher puis renouvelez un tamponnage à l'eau chaude. Aérez le plus possible avant de remettre le matelas en service.

● Frottez une tache de sang sur le matelas avec du soluté physiologique puis tamponnez avec du peroxyde à 10 volumes. Rincez à l'eau en épongeant avec un chiffon propre. Laissez sécher.

● **Chasse aux acariens.** Les acariens, source d'allergies, adorent loger dans votre literie. Retournez votre matelas très régulièrement (par exemple le premier jour de chaque mois). Tapotez le sommier, aspirez ou tapez les bords recouverts de coutil.

Les sommiers et les matelas

● **Nettoyer un sommier.** Votre sommier est poussiéreux et a besoin d'un coup de fouet? Frottez le coutil avec un chiffon imprégné de trichloréthylène. Laissez le sommier s'aérer une journée entière au minimum, fenêtres ouvertes, avant de refaire le lit.

● **Un matelas bien protégé.** Ne jetez plus vos draps décolorés, tachés, usés ou même troués. Réparez-les grossièrement et utilisez-les en protège-matelas, par-dessus une alèse. Cela ajoutera par la même occasion du moelleux à votre couchage.

LE SUMMUM DU CONFORT

MODERNE ET PRATIQUE Avec les sommiers à lattes articulés, il est facile de dormir la tête et/ou les pieds surélevés. D'un confort absolu, les lattes sont très appréciables pour les personnes alitées pour raison de santé. Certains lits possèdent une télécommande pour actionner le sommier sans aucun effort. Ces performances technologiques se paient assez cher mais les personnes qui en ont fait l'acquisition en sont absolument enchantées.

La toile à matelas peut être très décorative. Ici, elle tapisse une banquette garnie d'un matelas très rembourré, laissé à nu pour mettre en valeur son capitonnage et son épaisseur. Les traversins sont sans taie et jouent sur le bicolore pastel. Un coussin de tapisserie et un édredon plié sur le côté rehaussent de couleurs vives quelques beaux coussins piqués.

1

2

✣ Repasser les draps brodés. Humidifiez les parties brodées et laissez-les se détendre une dizaine de minutes, avant de les repasser sur l'envers. Ne repassez jamais les broderies sur l'endroit, vous les écraseriez. Insistez autour des broderies avec le bout pointu du fer.

Pour avoir un linge empesé comme autrefois, délayez de l'amidon dans l'eau de rinçage. Ajoutez une pincée de sel pour que l'amidon ne colle pas au fer. Si vous n'avez pas d'amidon, délayez 1 cuillerée à soupe de fécule de maïs dans 1 tasse d'eau et vaporisez.

Le linge de lit

✣ Des draps parfumés. Vous voulez donner à votre linge de lit une odeur plus naturelle que celle des lessives ou des adoucissants? Lavez-le avec du savon doux en cristaux et ajoutez quelques gouttes d'essence de lavande, de verveine ou de romarin.

✣ Des draps sans taches. Vos draps anciens ont de vilaines traces jaunes? Faites-les tremper une nuit dans du lait cru puis lavez-les normalement.

• Pour effacer des taches de moisissure, mouillez le drap avec de l'eau fortement vinaigrée (1 part de vinaigre pour 2 parts d'eau).

• Pour venir à bout d'une tache de rouille, passez des tiges de rhubarbe à la centrifugeuse ou au mixeur et frottez la tache avec le jus obtenu. Laissez agir une nuit puis lavez le drap.

✣ Des draps trop rêches. Le linge en lin vous semble trop empesé? Pour lui donner de la souplesse, faites-le tremper une heure dans un seau d'eau chaude avec un verre de gros sel et un verre de cristaux de soude. Puis lavez le linge plusieurs fois de suite à la machine.

✣ Séchage sur pré. Retrouvez l'image idyllique des draps d'autrefois séchant sur une prairie. Déposez vos draps au petit matin, lorsque l'herbe est mouillée de rosée très oxygénée, qui blanchit le coton. Mais vérifiez l'épaisseur du tapis herbeux pour que vos draps ne soient pas tachés de terre.

Autrefois, chaque jeune fille savait broder les jours (1) et son trousseau de mariée comportait une parure brodée à son chiffre (2). Cette housse de couette est réalisée en lin naturel associé à des broderies récupérées d'un ancien drap.

BLANCHIR LES DRAPS À L'ANCIENNE

Les lavandières d'autrefois utilisaient la cendre de bois pour donner aux draps un blanc immaculé.

FOURNITURES

5 oignons
1 litre de vinaigre blanc
150 g (2 1/2 tasses) de cendre de bois
50 g (1 3/4 oz) de savon en cristaux (ou Marseille râpé)

1 - Râpez les oignons pour en faire une purée. Pressez cette purée pour en extraire le maximum de jus.
2 - Mélangez le jus d'oignon au vinaigre, ajoutez la cendre de bois et les cristaux de savon. Portez ce mélange à ébullition dans une lessiveuse.

3 - Plongez le drap dans ce liquide détachant. Laissez tremper une nuit entière. Portez à nouveau à ébullition en ayant soin d'ajouter suffisamment d'eau pour couvrir le drap. Laissez refroidir.
4 - Sortez le drap et rincez-le abondamment à l'eau. Faites sécher à l'air libre mais jamais au soleil ni par pleine lune.

✣ Récupérer des broderies anciennes. Vous avez déniché des draps ou des taies brodés trop usés pour être utilisés? Découpez de façon assez large les chiffres brodés épargnés par l'usure. Appliquez ces broderies sur des draps neufs en faisant une piqûre tout autour.

✣ L'art du rangement. Dans une armoire ancienne, rangez vos piles de draps dans des housses que vous aurez fabriquées avec des torchons de lin. Pour plus de raffinement, brodez-les au point de croix avec du coton rouge: «chambre parents», «chambre amis», «chambre enfants»... Plus de confusion possible entre les draps.

DES VÊTEMENTS LONGUE DURÉE

L'entretien courant des vêtements et des accessoires exige quelques menus travaux de couture et des soins adaptés aux différentes matières: textiles naturels ou synthétiques, tissus particuliers. Redécouvrez le plaisir d'une armoire s'ouvrant sur des habits impeccables.

La couture et le tricot faciles

❀ **Boutons pas trop serrés.** Pour coudre un bouton en laissant assez de jeu au fil, glissez une allumette entre le bouton et le tissu.

❀ **Boutons solides.** Sur des vêtements un peu épais, cousez un bouton de soutien en dessous de chaque bouton apparent. Il vous sera facile de coudre les deux boutons ensemble s'ils ont à peu près les mêmes perforations.

❀ **Boutons souples.** Sur les vêtements des jeunes enfants, ceux qu'ils auront à refermer ou tenter de refermer tout seuls, cousez tous les boutons avec du fil de latex, assez épais et élastique.

❀ **Réserve à boutons.** Pour ne pas chercher vos petits boutons dans votre boîte à ouvrage, enfilez-les sur une épingle de nourrice. Si vous en avez beaucoup, triez-les par couleurs: une épingle pour les rouges, une pour les bruns…

Rassemblez tout votre matériel de couture sur un plan de travail: c'est beaucoup plus commode que d'avoir à le sortir et à le ranger à chaque utilisation.

LA COLLE À OURLETS

MODERNE ET PRATIQUE On connaissait le ruban de stoppage thermocollant qui s'applique au fer à repasser, mais il y a encore mieux pour les adeptes du moindre effort : la colle à ourlets. Vous déposez un filet de colle sur les deux faces de tissu à assembler ; vous faites pression, et c'est tout. Une seule précaution : évitez de laver à l'eau bouillante les vêtements ainsi ourlés.
Attention : ne comptez pas utiliser cette colle sur des textiles très épais – elle ne tiendrait pas –, ou au contraire très fins – elle traverserait le tissu.

❀ **Enfiler une aiguillée.** Difficile de faire passer le fil à travers le chas de l'aiguille ? Frottez l'extrémité du fil sur du savon, elle ne s'effilochera plus et vous la manipulerez plus aisément.

❀ **Ciseaux tout neufs.** Les petits ciseaux de couture rouillent assez facilement. Pour les aiguiser, coupez plusieurs fois de suite un morceau de toile émeri fine. S'il reste des traces de rouille, frottez les lames avec du papier de verre fin.

❀ **Le fil de la pelote.** Lorsque vous commencez un tricot, plongez les doigts à l'intérieur de la pelote de laine ou de coton et tirez sur le fil. C'est par cette extrémité que vous allez débuter votre ouvrage ; vous ne rencontrerez jamais de nœuds.

Pour manipuler plus facilement votre tricot lorsque vous faites un jacquard, faites des petits bobineaux avec les laines que vous mettez en attente et attachez-les à l'ouvrage avec une épingle de nourrice.

• Autre solution pour défriser la laine : repassez-la avec beaucoup de vapeur sur une serviette-éponge ; et rembobinez-la en pelote serrée.

❀ **Raccorder un rang.** Choisissez le début d'un rang pour faire un raccord de fil à tricoter. À la fin de votre pelote et du rang, laissez quelques centimètres de fil. Commencez le rang suivant avec la nouvelle pelote en laissant libres quelques centimètres de fil. Pour plus de solidité, enfilez ces deux fils ensemble avec une grosse aiguille à laine dans la lisière.

Ce dévidoir-envidoir permettait de faire des écheveaux de laine puis de la mettre en pelotes.

❀ **Un raccommodage décoratif.** Faites disparaître de minuscules trous dans un tee-shirt d'enfant en brodant une petite étoile au point lancé.

❀ **Défriser de la laine.** Vous voulez récupérer la laine d'un vieux pull ? Détricotez-le en embobinant la laine. Pour la défriser, maintenez-la au-dessus d'une casserole où vous faites bouillir de l'eau.

REPRISER UN ACCROC

Plutôt que d'essayer de masquer vainement un vilain accroc, initiez-vous à la reprise damassée, en utilisant des fils de couleurs contrastées.

FOURNITURES

tambour à broder
ciseaux à repriser
aiguille à repriser
2 fils de couleur de la même grosseur que le fil du tissu

1 - Fixez le tambour à broder autour de l'accroc afin que le tissu soit bien tendu.

2 - Avec les ciseaux, découpez tout autour de l'accroc : les bords doivent être bien droits et suivre la trame du tissu.

3 - Mettez en place les fils de chaîne en piquant l'aiguille à 0,5 cm des bords. Changez de couleur tous les quatre fils sans les couper.

4 - Passez les fils de trame dessus/dessous les fils de chaîne. Inversez le tissage au retour. Changez également de couleur tous les quatre fils.

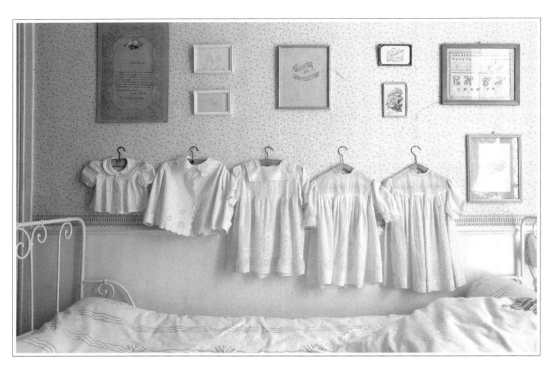

Plutôt que de les oublier au fond d'une armoire ou d'un grenier, exposez au mur vos plus jolis vêtements à l'ancienne. Ils donneront à la pièce un petit air rétro charmant.

❀ **Coton blanc.** Vous voulez raviver un vêtement blanc qui a jauni ou terni ? Lavez-le à la main en utilisant du savon doux en cristaux. Rincez généreusement puis, dans la dernière eau de rinçage à froid, ajoutez 1/2 cuillerée à soupe d'eau de Javel. Si vous êtes incommodé par l'odeur du chlore, ajoutez quelques gouttes d'ammoniaque, qui la neutraliseront. Faites sécher à l'ombre.

Les textiles naturels

❀ **Plus de mauvaises surprises.** Pour éviter que vos vêtements neufs en coton ne rétrécissent au lavage, faites-les d'abord tremper douze heures dans de l'eau froide salée.

❀ **Coton de couleur.** Vous avez taché votre jupe rouge ? Commencez par passer du savon de Marseille sec sur la tache. Frottez-la ensuite avec du peroxyde à 20 volumes dilué dans de l'eau froide (ne soyez pas intrépide et faites un essai sur l'envers). Puis lavez comme d'habitude.

❀ **Coton noir.** Les teintures noires ont tendance à verdir ou à blanchir. Pour redonner de la profondeur au noir, lavez le vêtement en dosant faiblement la lessive. Rincez à l'eau froide. Ajoutez un verre de vinaigre coloré et laissez tremper quelques heures avant de rincer à l'eau claire une dernière fois. Faites sécher à l'ombre.

Déjaunir la soie et la laine

L'eau de Javel est à proscrire pour la soie et les lainages, même s'ils sont blancs. Ne l'oubliez pas, vous brûleriez vos vêtements. Pour déjaunir de la soie, plongez-la quelques minutes dans un mélange composé de 4 parties d'eau, 1 partie de peroxyde à 10 volumes et quelques gouttes d'ammoniaque. Pour déjaunir la laine, laissez-la tremper une demi-heure dans une cuvette d'eau froide additionnée de 3 cuillerées à soupe de peroxyde à 10 volumes. Faites sécher la soie ou la laine à l'ombre, à plat et à couvert.

❀ **Col propre.** Sur un vêtement en coton, frottez le col avec une éponge imbibée d'alcool à brûler dans lequel vous aurez fait dissoudre du gros sel.
• Sur un lainage, frottez le col avec une brosse à habits, puis passez un chiffon imprégné de trichloréthylène.

❀ **Tache d'encre.** Dans un bol, battez un jaune d'œuf à la fourchette. Ajoutez au fur et à mesure 1 cuillerée à soupe d'eau tiède puis quelques gouttes d'alcool à brûler. Appliquez la mixture au pinceau sur la tache. Laissez agir le temps qu'elle se décolore. Recommencez si nécessaire. Lavez ensuite le vêtement à l'eau savonneuse.

❀ **Repassage futé.** Votre vêtement en coton a de jolis boutons fragiles ? Protégez-les avec une petite cuillère pour ne pas risquer de les abîmer avec votre fer très chaud.

❀ **Noble lin.** On reproche au lin de se froisser facilement. Pour le repasser au mieux, vaporisez-le d'amidon et humectez-le avant de le repasser. Utilisez une patte-mouille humide.

Rien n'est plus pratique qu'un coin lingerie comme autrefois : la table à repasser est ainsi toujours prête et vous avez sous la main tout ce dont vous avez besoin : fer, paniers et étagères pour le linge, jeannette (1), cintres, pinces à linge, savon, lavande (2), amidon, pattemouille…

❀ Séchage malin. Pour éviter les marques de pinces à linge sur un pull, un coton ouaté…, enfilez un vieux collant ou deux bas dans le col et faites passer les jambes dans les manches. Vous fixerez les pinces à linge sur le collant.

❀ Laine sombre. Pour raviver les lainages sombres, faites-les tremper dans une eau de lierre (faites bouillir quelques feuilles dans 1 litre d'eau puis laissez tiédir).

❀ Laine feutrée. Ne croyez pas au miracle, si le vêtement en laine est très feutré, presque rétréci, il n'y a plus rien à faire… Si, en revanche, le feutrage est léger, laissez tremper le vêtement dans de l'eau déminéralisée. Faites sécher soigneusement.
• Autre solution : un mélange d'eau tiède et de glycérine (1 cuillerée par litre d'eau) peut rendre un meilleur aspect au lainage.

❀ Peluches et bouloches. Ne vous armez pas d'un rasoir pour les enlever, vous risqueriez de couper le vêtement. Enroulez un large ruban adhésif fort autour d'une brosse à habits, puis brossez et rebrossez votre vêtement. Renouvelez le ruban adhésif lorsqu'il est couvert de peluches.

❀ Doux angora. La laine d'angora est ravissante, mais elle laisse ses poils doux un peu partout. Pour limiter les dégâts, placez votre pull en angora dans un sac en plastique que vous mettrez dans le haut du réfrigérateur, près du compartiment du congélateur. Laissez le pull une nuit entière. Inutile de le placer au congélateur comme il est parfois recommandé, cela casse les fibres.

POURQUOI ÇA MARCHE

LE SUCCÈS DU LIN

Le lin est une fibre vieille comme le monde. Cette plante doit son succès à sa culture facile en zone tempérée : le lin se sème tous les sept ans seulement. C'est une plante particulièrement généreuse puisqu'elle donne, outre ses fibres vouées au tissage, des graines avec lesquelles on fabrique de l'huile (très utile pour entretenir les carrelages poreux) et des résidus pour nourrir le bétail. Le tissu de lin est solide et reste frais par temps chaud. Il ne peluche pas, ne se détend pas et ne passe pas à la lumière.

❀ Repasser la laine. Pour que votre pull garde son moelleux, posez sur votre table une serviette-éponge ; repassez le pull à l'envers avec une pattemouille humide sans appuyer.

❀ Laver la soie. Lavez et rincez la soie à l'eau déminéralisée. Râpez du savon de Marseille et diluez-le bien avant de tremper le linge. Pressez entre vos mains sans jamais frotter ni tordre. Rincez abondamment.

❀ Détacher la soie. Pour éliminer des traces de transpiration, diluez 1 cuillerée de jus de citron dans 1 cuillerée d'eau tiède, imprégnez les taches, laissez agir quinze minutes, lavez et faites sécher. Si cela n'est pas suffisant, recommencez l'opération avec de l'ammoniaque diluée (comptez 1 cuillerée à soupe pour 1/2 tasse d'eau).

Quoi de plus doux que le coton d'autrefois ?
Une simple chemise de grand-père ou une vieille chemise de nuit
deviendront des cadeaux de choix si vous les ornez
de poignets raffinés et d'une poche en dentelle.

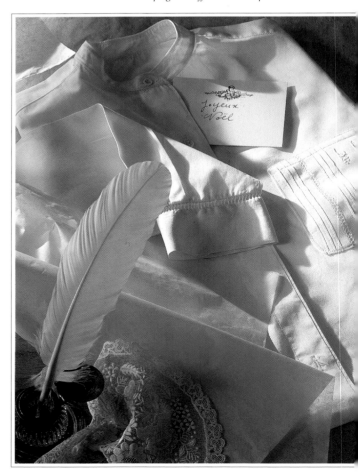

Les textiles synthétiques

❀ **Petit coup de frais pour les sous-vêtements synthétiques.** Délayez une petite boîte de bicarbonate de soude dans un lavabo plein d'eau chaude. Plongez tous vos sous-vêtements et laissez-les tremper une nuit. Rincez-les et faites-les sécher, ils seront comme neufs.

❀ **Des bas et des collants plus solides.** Plus vous laverez vos bas et vos collants (à la main), plus ils dureront. Ils seront également plus résistants si vous versez quelques gouttes de glycérine dans l'eau de rinçage.

❀ **Détacher les synthétiques.** Les coloris des textiles synthétiques sont généralement stables, mais faites toujours un essai sur une couture ou un revers invisibles, pour vous assurer que le détachant que vous utilisez est sans danger. Agissez le plus rapidement possible.

• Vous pourrez effacer les taches de gras et de fruit avec du jus de citron : tamponnez à plusieurs reprises, puis rincez abondamment.

• Frottez les taches de café avec un tampon de peroxyde, puis rincez.

❀ **Déjaunir le nylon.** Si vous avez déniché un chemisier des années 50 en nylon blanc et que vous le trouviez un peu jauni, faites-le tremper dans une eau froide (environ 5 litres), dans laquelle vous verserez 1 tasse de vinaigre blanc. Lavez ensuite le vêtement doucement sans trop l'essorer et faites-le sécher à couvert.

❀ **Teindre des textiles artificiels.** S'il ne vous est pas possible de déjaunir un vêtement en fibres synthétiques ou artificielles, vous pouvez alors facilement le teindre. Prenez soin de vérifier que la poudre de teinture est bien conseillée pour les synthétiques, sinon la teinte obtenue sera très pâle et tout à fait irrégulière.

N'oubliez pas de vous protéger avec des gants de caoutchouc et un tablier avant de teindre des textiles.

ATTENTION !

Un entretien délicat

Souples et soyeuses, les fibres synthétiques telles que la rayonne ou la viscose deviennent raides et cassantes sous l'effet du lavage. Ne vous inquiétez pas : une fois secs, ces tissus retrouvent leur aspect.

Ne lavez pas les vêtements composés de ces fibres à trop haute température. Ne les essorez pas violemment, ne les tordez pas : ils sont très fragiles et peuvent parfois rétrécir. Pour repasser tous ces textiles synthétiques, qui sont très froissables mais ne supportent pas directement la semelle d'un fer chaud, utilisez une pattemouille légèrement humidifiée.

Les tissus particuliers

❀ Blanchir des dentelles. Pour raviver des dentelles un peu fatiguées, lavez-les avec du savon doux en cristaux et faites-leur prendre un bain blanchissant dans une eau javellisée (1 cuillerée à soupe pour 4 tasses d'eau).

❀ Teindre des dentelles claires. Faites tremper les dentelles dix à douze heures dans un bain de thé fort. Remuez souvent pour que la teinture soit uniforme. Épongez-les sans les tordre, puis faites-les sécher à plat.
  • Pour un ton moins soutenu, utilisez une décoction de tilleul.

❀ Raviver des dentelles noires. Plongez-les dans un bain de café noir. Amidonnez-les et faites sécher à plat. Elles auront retrouvé tout leur éclat.

❀ Empeser des dentelles. Après avoir lavé et rincé les dentelles, faites-les tremper dans de l'eau sucrée (comptez 8 carrés de sucre pour 2 tasses d'eau).

❀ Repassage délicat. Pour repasser ruchés, plissés, tuyautés comme ceux des coiffes ou des vêtements anciens, utilisez un fer à friser bien chaud. Vous aurez pris soin d'amidonner votre linge avant pour une bonne tenue de l'ensemble.

Bonnet serre-tête très sophistiqué en soie et laine, garni de plumes d'autruche et de nœuds de velours (c. 1880-1890). En bas, bonnet de soie blanche orné de délicates bandes drapées et garni d'un bouquet de fleurs bleues (c. 1845). Les deux chapeaux sont au musée McCord, à Montréal.

Robe en linon brodée de fleurs et ornée de guipure blanche (1900).

TRADITION-HISTOIRE

Le mot robe

Si, du XIIe au XIVe siècle, la robe était le butin volé sur autrui (voir le verbe dérober), son sens évolua jusqu'à désigner tous les vêtements qui composaient l'habillement au XVIe siècle. De nos jours, le mot robe désigne encore un vêtement masculin très particulier, sacerdotal ou professionnel, comme la robe du moine ou de l'avocat. Mais il s'applique avant tout, depuis le XVIe siècle, au vêtement féminin par excellence.

❀ Conserver un plissé régulier. Avant de laver une jupe plissée, passez un fil de bâti sur l'arrondi, après avoir mis soigneusement à plat tous les plis. Laissez le fil en place pendant le séchage et le repassage, puis coupez-le. Redonnez éventuellement un petit coup de fer à vapeur pour supprimer toutes les traces d'aiguille.

UN PRODUIT IMPERMÉABILISANT MAISON

INGRÉDIENTS

10 litres d'eau
250 g (1 tasse) d'alun en poudre

1 - Versez la poudre d'alun dans l'eau et faites-la bouillir. Procédez en deux fois si vous n'avez pas de faitout assez grand.

2 - Mettez vos vêtements dans l'eau encore tiède et laissez-les s'imprégner du produit pendant quelques minutes. Essorez-les grossièrement sans les tordre et laissez-les sécher.

❋ **De la douceur pour le satin.** Lavez le satin avec du savon doux en cristaux. Rincez-le à l'eau déminéralisée. Sinon, ajoutez quelques cuillerées à soupe de vinaigre blanc et une petite pincée de sucre en poudre à l'eau de rinçage. N'essorez pas le satin, tamponnez-le entre deux serviettes-éponges. Faites-le sécher à plat et recouvert d'un torchon. Vous le retrouverez lisse et brillant.

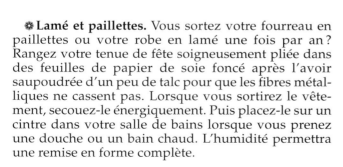

Fer à coque servant à repasser les manches ballon.

Pour redonner du brillant à un ciré, lavez-le avec une éponge imbibée d'eau savonneuse. Rincez-le à l'eau tiède et essuyez-le soigneusement avec un chiffon non pelucheux. Puis frottez-le avec un tampon de papier absorbant imbibé de lait cru. Séchez-le à nouveau au chiffon.

❋ **Lamé et paillettes.** Vous sortez votre fourreau en paillettes ou votre robe en lamé une fois par an ? Rangez votre tenue de fête soigneusement pliée dans des feuilles de papier de soie foncé après l'avoir saupoudrée d'un peu de talc pour que les fibres métalliques ne cassent pas. Lorsque vous sortirez le vêtement, secouez-le énergiquement. Puis placez-le sur un cintre dans votre salle de bains lorsque vous prenez une douche ou un bain chaud. L'humidité permettra une remise en forme complète.

❋ **Nettoyer le velours.** Secouez et brossez régulièrement les vêtements en velours, car la poussière a tendance à s'y installer durablement. Pour ôter une tache, frottez-la avec un peu de sable fin et propre.

❋ **Repasser le velours.** Procédez toujours sur l'envers pour ne pas risquer d'écraser les côtes ou de marquer les fibres. Faites glisser le fer sans appuyer avec beaucoup de vapeur.

❋ **Supprimer le lustre.** Votre pantalon en velours a pris un vilain lustre ? Frottez-le doucement avec une brosse trempée dans de l'eau additionnée de poudre d'alun. Laissez sécher, puis brossez à nouveau à sec dans le sens du tissu.

Versez une pincée de talc dans vos chaussures : elles seront plus faciles à enfiler ; de plus, vous les désodoriserez, vous empêcherez que l'intérieur ne se salisse et vous éviterez que vos pieds ou vos chaussettes claires ne prennent la coloration du cuir ou du daim.

TRADITION-HISTOIRE

Les ancêtres de nos chaussures

Très tôt, les hommes ont porté des couvre-pieds. Ainsi, nombreux sont les musées à nous montrer la diversité des souliers, sandales, socques et bottines. Jusqu'au XVIIᵉ siècle, les hommes préfèrent les chausses, qui couvrent le corps depuis la ceinture jusqu'aux pieds. Quant aux femmes, elles portent des chaussures basses et fines, souvent en tissu brodé pour les fêtes. Avant le XVIIᵉ siècle, si l'on fait une différence entre soulier et chaussure, c'est pour préciser la finesse et le matériau dont l'un ou l'autre est fait : soulier fin en tissu ou chaussure lourde en cuir. Par la suite, les deux mots se confondent peu à peu. (Au Canada, visitez le musée de la chaussure BATA, 327 Bloor St. W., Toronto, Ont.)

Les accessoires

❀ **Gants souples.** Si vos gants en peau sont secs, craquants, enfilez-les après vous être passé les mains à l'huile d'amandes douces. Massez-vous les mains gantées : le cuir va s'imprégner d'un peu d'huile et s'assouplir. Vous pouvez recommencer sans scrupules autant de fois que nécessaire.

❀ **Plus de traces sur les mains.** Vos gants en peau non doublés déteignent ? Retournez-les et passez dessus un tampon de coton imbibé d'alcool à brûler.

❀ **Détacher le daim clair.** Frottez doucement les taches avec un papier de verre 220 ou plus fin, puis passez une gomme d'écolier blanche sur la surface pour ébouriffer le duvet.

❀ **Chaussures non glissantes.** Si les semelles sont en cuir, frottez-les au papier de verre pour mordre sur la matière et la rendre rugueuse.

• Une pomme de terre crue coupée en deux passée sur la semelle est aussi efficace, mais renouvelez souvent l'application.

• Si ce sont des semelles en caoutchouc lisse, pratiquez dedans quelques entailles superficielles avec un exacto.

❀ **Cirage pour bébé.** Si votre bébé a tendance à sucer ou à mordiller ses chaussures en cuir blanc, frottez celles-ci avec du lait cru ou du lait de toilette pour enfants et lustrez vigoureusement au chiffon. Cela sera moins nocif et tout aussi efficace que du cirage blanc.

❀ **Chapeau de feutre.** Ne gâchez pas un vieux chapeau de feutre en le lavant. Offrez-lui tout simplement un bain de vapeur pour lui redonner une nouvelle jeunesse. Suspendez-le au-dessus d'une casserole d'eau bouillante. Puis laissez-le sécher sur un moule de fortune (casserole, saladier, bol...).

Si vous avez la chance de posséder d'anciennes boîtes à chapeau en cuir, pensez à les entretenir régulièrement avec un cirage nourrissant.

L'ART DU RANGEMENT

Autrefois, nos grands-mères n'avaient pas forcément beaucoup plus de place que nous, mais sans doute une organisation plus rigoureuse et un grand sens de l'ordre… Renouez avec leurs astuces gain de place.

L'armoire idéale

❀ **Une penderie à plusieurs niveaux.** Placez des barres à différentes hauteurs pour suspendre les vêtements suivant leur longueur : vestes, chemises, chemisiers et pantalons pliés sur une barre ; les vêtements longs, comme les robes, manteaux, imperméables, sur une autre. Si vous le pouvez, faites mieux encore : séparez les espaces penderie par des cloisons pour ne ranger ensemble que des vêtements de même nature.

❀ **Armoire douillette.** Même décapée et recirée, une armoire ancienne sera plus douillette pour vos vêtements ou votre linge de maison si vous gainez de papier fort (chutes du papier peint de la pièce dans laquelle se trouve l'armoire, papier brun, papier ciré) ou, mieux, de tissu les étagères, les planches de séparation et l'intérieur des portes. Maintenez en place le gainage avec une agrafeuse en faisant un petit rentré à chaque bord. Lissez le plus possible le tissu pour éviter les plis disgracieux.

❀ **Tiroir secret.** Vous venez de dénicher une vieille armoire ancienne ? Inspectez-la bien. Dans les armoires de grand-mère, il y a souvent un tiroir à double fond quasi invisible au premier regard. Placez-y les vêtements ou le linge dont vous vous servez peu (foulards, pochettes…), à moins que vous ne préfériez dissimuler les lettres d'amour ou les photos de votre jeunesse… N'y mettez pas d'argent, la cachette est connue des cambrioleurs !

❀ **Jupes impeccables.** Cousez deux boucles de ruban à l'intérieur de la ceinture de vos jupes – une de chaque côté – et suspendez-les par ces attaches sur un cintre à encoches.
• Autre solution si vous n'avez pas de cintres à pinces : accrochez vos jupes sur un cintre ordinaire avec deux pinces à linge.

Suspendez à l'intérieur des portes de vos armoires des vide-poches en tissu. Vous y glisserez des tas de menus objets difficiles à ranger. Pour un résultat élégant, assortissez vide-poches et boîtes de rangement.

DIVISER POUR MIEUX RANGER

MODERNE ET PRATIQUE Il existe dans le commerce des séparations verticales à fixer sur une étagère par un clip. En fil métallique gainé de plastique, elles sont idéales pour isoler les éléments à ranger sur une très grande planche. Grâce à elles, plus de piles de chemises ou de pulls qui s'affaissent, plus de chapeaux qui glissent. Peu onéreuses, ces séparations sont réellement astucieuses pour aménager une armoire ancienne dont on peut difficilement changer l'ordonnancement.

❀ **Cintres maison.** Les cintres recouverts de tissu sont chers, mais bien pratiques pour suspendre les vêtements fragiles ou très légers. Qu'à cela ne tienne, fabriquez-les vous-même. Rembourrez un cintre standard en l'entourant d'une bande de vieux tissu. Recouvrez ce rembourrage d'une jolie étoffe que vous maintiendrez en place en la cousant à tout petits points. Pour une penderie raffinée, confectionnez des petits sachets parfumés à la lavande dans le même tissu et collez sur les autres cintres un galon ou un croquet assorti au tissu des cintres rembourrés.

Garnissez chaque étagère de vos armoires d'une frise à l'ancienne : tissu blanc brodé, dentelle, cotonnade colorée… Choisissez en fonction du contenu de l'armoire.

❀ **Housses protectrices raffinées.** Protégez de la poussière et des faux plis les vêtements fragiles ou ceux que vous portez rarement en les rangeant dans des housses confectionnées en tissu léger. Prenez pour patron une housse en plastique de couturier.

❀ **Trouver la paire.** Si vous ne voulez pas partir à la chasse aux bas dépareillés, retournez-les l'un sur l'autre par l'ouverture en les rangeant ou pliez-les ensemble soigneusement. Placez-les tous dans un grand sac en tissu accroché à la porte de votre armoire ou dans une grande boîte que vous aurez pris soin de recouvrir d'un joli imprimé.

❀ **Pantalons sans faux plis.** Vous ne voulez pas être obligé de repasser à nouveau votre pantalon lorsque vous le sortez de l'armoire ? Pour que le cintre ne marque pas, vous pouvez enrouler autour un cylindre de carton – celui du papier absorbant, par exemple – que vous ferez tenir par du ruban adhésif. Ne mettez pas plusieurs pantalons sur le même cintre, celui du dessous serait froissé.

❀ **Cravates à portée de main.** Suspendez les cravates sur des petits crochets larges ou sur une tringle fixée sur la porte de votre armoire.

• Si vous n'avez pas cette possibilité, nouez-les sur la barre transversale d'un ou de plusieurs cintres en bois pour qu'elles ne glissent pas.

• Dernière solution : réservez-leur un tiroir, roulez-les soigneusement et rangez-les les unes à côté des autres par couleurs.

❀ **Du tri dans les ceintures.** Vous en avez assez de devoir sortir toutes vos ceintures pour trouver la bonne ? Fixez de grands clous ou des pitons recourbés dans la porte de votre armoire. Rangez les ceintures par styles – les larges, les fines, les sport, celles du soir – ou par couleurs. Si vous réservez une ceinture à une tenue, rangez-la en l'enfilant sur le même cintre.

❀ **Sous-vêtements bien à l'abri.** Fabriquez-vous de jolies pochettes pour enfermer à l'abri de la poussière et de la lumière le petit linge délicat. Elles vous seront aussi très utiles en voyage. Utilisez un coupon de lin de 180 cm de long sur 40 cm de large que vous plierez en trois parties égales – deux formeront la pochette et la troisième servira de rabat. Piquez les côtés. Brodez une bride au milieu du rabat et cousez un bouton sur la pochette pour pouvoir la fermer. Personnalisez votre pochette en brodant sur le rabat un motif au point de tige (ci-dessus, un angelot aux couleurs pastel).

❀ **Chaussures à part.** Rangez vos chaussures nettoyées et cirées dans un placard isolé de votre penderie. Vous éviterez les odeurs... Placez chaque chaussure sur un piton en bois fiché sur une barre transversale, les paires tiendront moins de place que posées côte à côte.

• Autre solution : confectionnez des petits sacs en tissu. Passez dans le haut de chaque sac, entre deux coutures, un biais ou une ganse pour pouvoir le fermer. Pour éviter que les chaussures ne s'abîment, rangez-les tête-bêche dans chaque sac. Pour gagner de la place, entassez les sacs sur une étagère. Vos sacs vous seront aussi très utiles en voyage pour ne pas salir votre linge dans la valise.

• Enfin, si vous avez un peu plus de place : gardez vos boîtes à chaussures en carton et habillez-les de tissu. Pour un rangement élégant, utilisez toujours le même tissu ou des étoffes coordonnées. Vous pouvez pratiquer une ouverture dans l'un des petits côtés de chaque boîte pour en voir le contenu sans avoir à l'ouvrir.

L'élégance de ce placard de rangement tient à la simplicité des matériaux utilisés : bois, tissu, osier, métal... Vouloir masquer à tout prix le contenu d'un placard par de grandes portes n'est pas toujours une bonne idée. Ici, certaines niches sont protégées du regard par un petit rideau blanc, d'autres sont laissées ouvertes et permettent de voir des malles très décoratives ou des piles de linge soigneusement plié.

Le gain de place

❁ **Piles de chemises.** Rangez les chemises et chemisiers pliés tête-bêche (un col d'un côté puis un autre col de l'autre). Cette alternance vous permettra d'avoir des piles équilibrées, moins hautes, et qui ne risqueront pas de se défaire.

❁ **Vide-poches malin.** Difficile de trouver une place pour tous ces petits riens dont on ne sait que faire, mais qui sont trop importants pour qu'on s'en débarrasse. Glissez-les dans des pochettes en tissu que vous accrocherez sous une étagère murale. Ci-dessus, les pochettes sont décorées d'une fleur artificielle assortie au tissu.

❁ **Plus de place perdue sous les lits.** Organisez le dessous des lits sur pieds. Confectionnez des housses rectangulaires en tissu plastifié qui ferment bien (avec une fermeture à glissière ou des attaches Velcro). Glissez-les vers le centre du lit afin qu'elles ne soient pas visibles. Là, à la belle saison, vous pourrez ranger des couvertures ou des vêtements d'hiver nettoyés et bien pliés. N'oubliez pas de placer un antimites à l'intérieur pour vous éviter les mauvaises surprises. Si vous n'aimez pas coudre, réemployez vos vieilles valises pour cet usage.

RECOUVRIR UN CARTON À CHAPEAU

Qu'elle vous serve réellement à ranger un chapeau ou que vous y cachiez des petits trésors, une boîte ronde est toujours utile. On en trouve maintenant très facilement dans le commerce. Habillez-la d'un papier assorti aux tons de la pièce dans laquelle vous comptez la placer. Servez-vous de la boîte comme patron pour découper le papier peint. Prévoyez une marge de 4 cm (2 cm en haut + 2 cm en bas) pour la bande de papier qui couvrira le corps de la boîte.

FOURNITURES

boîte ronde

papier peint

colle à papier peint

pinceau plat

ciseaux

compas

1 - Encollez la bande de papier et appliquez-la autour de la boîte. Découpez des languettes et rabattez-les sur le fond et à l'intérieur.

2 - Avec le compas, dessinez sur le papier peint un rond à peine inférieur au diamètre du fond de la boîte. Découpez-le et collez-le.

3 - Découpez un autre rond supérieur de 3 cm au diamètre du couvercle. Collez-le. Découpez des languettes tout autour et rabattez-les.

4 - Pour masquer les languettes sur le couvercle, collez une fine bande de papier de dimension à peine inférieure à la largeur du bord du couvercle.

❁ **Des tiroirs qui glissent mieux.** Rien de mieux pour l'ordre que les tiroirs, mais ils peuvent vite devenir récalcitrants. Frottez un bloc de paraffine sur leurs bords : ils n'opposeront plus aucune résistance. Attention : n'utilisez pas de savon, il prend l'humidité.

❁ **Bocaux faciles à saisir.** Vous rangez de petits éléments (pointes et vis, boutons, bonbons ou bougies d'anniversaire) dans des bocaux en verre ? Au lieu de les poser sur une étagère, vissez les couvercles des pots sous la planche. Plus de couvercles perdus, et, autre avantage, vous pouvez ranger autre chose sur l'étagère.

❀ **Plateaux de cuisine au mur.** Vous les rangez verticalement entre deux meubles, mais ils glissent sans cesse. Vous les entreposez à plat, mais vous les trouvez encombrants. Il vous reste une solution simple et pratique : confectionnez un porte-plateaux avec un anneau de rideau en bois et deux bandes de tissu. Suspendez-le au mur dans votre cuisine.

À l'instar de nos grands-mères, qui suspendaient dans la dépense jambons, saucisses et viandes, gagnez de la place dans votre cuisine en rangeant en hauteur ustensiles et/ou aliments.

❀ **Tasses suspendues.** Il est difficile et dangereux d'empiler les tasses sur une étagère. Fixez plutôt des petits crochets recourbés sous la planche et accrochez-y vos tasses par l'anse : c'est très pratique et décoratif. Espacez les crochets pour que les tasses ne se touchent pas.

• Dans le même esprit, et si vous êtes bricoleur, fabriquez-vous une étagère à verres à pied en découpant de fines encoches dans lesquelles vous glisserez les verres la tête en bas.

❀ **Boîtes à épices d'autrefois.** Au lieu d'encombrer vos placards des produits d'épicerie de base (farine, sucre, café…), stockez-les en hauteur, à portée de main, dans des boîtes métalliques au charme rétro.

❀ **Réserve à couvercles.** Rangez vos couvercles de casseroles verticalement dans une caisse à outils en bois peinte aux couleurs de votre cuisine. Vous pouvez également en réserver une pour vos couvercles en plastique.

Accrochées par l'anse, les tasses libèrent l'étagère et sont décoratives. Ici, elles sont assorties aux boîtes rangées au-dessus et aux petits pots de jacinthes qui fleurissent l'évier.

UN ÉQUIPEMENT IMPECCABLE

Les appareils ménagers, les ustensiles de cuisine, le matériel d'entretien et celui de bricolage rendent suffisamment de services au quotidien pour que l'on en prenne le plus grand soin : ils seront ainsi plus efficaces et dureront plus longtemps.

Les appareils ménagers

❀ **Plus d'odeurs dans le réfrigérateur.** Placez un demi-citron sur la clayette du haut. Il absorbera les odeurs ; mais, comme il n'est pas éternel, saupoudrez-le d'une toute petite pincée de sel fin pour le réactiver, et remettez-le en place. Répétez cette opération jusqu'à ce que le citron soit tout à fait sec, puis changez-le.

❀ **Réfrigérateur propre.** Pour nettoyer et désodoriser l'intérieur de votre réfrigérateur, utilisez une éponge imbibée d'une eau fortement vinaigrée. N'oubliez pas d'essuyer avec un chiffon bien sec pour qu'il n'y ait ni macération ni mélange d'odeurs. Pour venir à bout des joints encrassés, frottez-les avec une vieille brosse à dents.

Les robots et autres appareils ménagers prennent facilement la poussière. Protégez-les avec de jolies housses en tissu.

❀ **Vieux fers à repasser rouillés.** Si vous avez de vieux fers à repasser et que vous vouliez vous en servir ou les exposer en collection, refaites-leur une beauté. Appliquez dessus du diluant à peinture inodore au pinceau et laissez agir une nuit environ. Essuyez les fers, puis frottez-les au papier de verre. Insistez sur la semelle, qui doit redevenir parfaitement lisse. Essuyez à nouveau soigneusement. Avant de repasser, frottez la semelle sur un chiffon clair pour vérifier qu'elle ne laisse plus aucune trace.

❀ **Aspirateur parfumé.** N'hésitez pas à placer deux ou trois brins entiers de lavande dans le sac de l'aspirateur. Votre appareil ne sentira plus la vieille poussière, mais parfumera au contraire discrètement la pièce !

TRADITION-HISTOIRE

L'ancêtre de la machine à laver

Sans revenir aux lavandières, qui lavaient et essoraient à la main au lavoir municipal, on peut dater l'apparition de la première « laveuse » à manivelle aux alentours de la Révolution française. En banlieue parisienne, à cette époque, fonctionnait même une blanchisserie industrielle qui utilisait l'énergie (toute récente) de la vapeur. Mais le succès ne persista pas, le linge chauffait trop et brûlait ! Ce n'est qu'après 1870 que les vraies lessiveuses apparurent. Malheureusement, les gestes pénibles pour actionner la manivelle et essorer le linge restaient les mêmes. La première machine à laver le linge est américaine et date des années qui précédent la Première Guerre mondiale. Elle faisait tout toute seule (ou presque) et devait tout à la fée Électricité. Ce ne sera qu'après les années 50 que le lave-linge moderne se démocratisera... Que ferait-on sans lui aujourd'hui ?

❀ Ménage de printemps.
Un grand ménage ne sera pas parfait si vous ne décollez pas du mur les appareils ménagers pour enlever toute la poussière qui adore s'accumuler au dos d'un réfrigérateur, d'une cuisinière ou d'une machine à laver. Époussetez l'arrière des appareils, lavez le mur, le sol, les côtés des machines, sans gratter. Profitez-en pour nettoyer les filtres du lave-linge et du lave-vaisselle. Remettez tout en place en veillant à ce que les pieds soient toujours bien équilibrés (posez un niveau à bulle sur chaque appareil).

❀ Allumage facile. Pas toujours évident d'allumer un four à gaz sans se brûler les doigts… Utilisez une grande allumette pour feu de cheminée et vous n'aurez plus de problème pour atteindre le brûleur.

Extrait du catalogue P.T. Légaré de 1918 annonçant le Rural, une cuisinière en fonte ornée de nickel.

❀ Excès de mousse. Votre lessive mousse trop dans la machine à laver ? Versez un verre de vinaigre blanc dans le casier de lavage et réglez sur le programme vidange.

❀ Cuisinière à bois brillante. Pour récupérer les plaques en fonte encrassées d'une cuisinière à bois, versez dessus (alors qu'elles sont totalement froides!) de la poudre abrasive nettoyante et frottez-les avec du papier journal froissé en boule. Polissez avec une paille de fer ou une toile émeri très fines. Passez une éponge savonneuse, rincez à l'eau claire, puis séchez avec un chiffon pour faire briller.

❀ Nettoyage du four. Pour récupérer un four très sale, remplissez d'eau la lèchefrite et allumez le four, au thermostat le plus élevé. La vapeur va décoller certaines salissures. Rajoutez de l'eau au fur et à mesure qu'elle s'évapore. Laissez refroidir, passez un tampon de papier journal sur les parois. Nettoyez à l'éponge savonneuse en rinçant bien ensuite. S'il reste des taches, une solution de bicarbonate de soude peut en venir à bout. Laissez agir une heure avant de rincer à l'eau, puis essuyez.

❀ Nettoyer les brûleurs. Pour redonner vie et efficacité à des brûleurs de cuisinière à gaz encrassés, faites-les tremper dans un bain d'eau bouillante. Une fois que l'eau aura refroidi, ajoutez quelques gouttes d'ammoniaque. Laissez à nouveau tremper une heure. Rincez et grattez pour tout décoller, puis frottez avec un tampon métallique de ménage. Essuyez parfaitement ou laissez bien sécher avant de remettre en place. Attention : vérifiez que le gaz passe bien par tous les trous de la couronne du brûleur, sinon démontez et grattez à nouveau.

Les ustensiles de cuisine

❋ **Planches à découper en bois.** Pour les désodoriser, frottez-en la surface avec un quartier de citron, rincez à l'eau claire, essuyez et faites sécher au soleil.

❋ **Point de lavage pour la théière.** Le thé est mille fois plus savoureux infusé dans une théière culottée. Lors de la première utilisation, faites un thé pour rien. Par la suite, ne lavez pas l'intérieur de la théière. Attention à toujours choisir le même parfum de thé lorsque la théière est culottée, car certains arômes sont incompatibles.

❋ **Un autocuiseur plus efficace.** La soupape encrassée et entartrée tourne moins bien et moins vite ? Nettoyez-la très bien avec un coton-tige mouillé de vinaigre chaud.

Les ustensiles en bois nécessitent un entretien soigné car ils peuvent véhiculer des microbes à l'origine d'intoxications.

❋ **Nouvelle jeunesse pour les cuillères en bois.** Mettez à tremper les cuillères en bois une nuit entière dans de l'eau à peine javellisée (quelques gouttes pour 2 litres d'eau froide). Rincez-les en les laissant quelques heures dans une bassine d'eau froide. Essuyez-les puis faites-les sécher au soleil. Pour leur redonner un bel aspect, vous pouvez les enduire d'une fine couche d'huile, incolore et inodore, de paraffine par exemple. Laissez-les sécher à nouveau avant de les utiliser.

❋ **Ustensiles chromés.** Faites briller les ustensiles chromés avec une peau de chamois. Vous pouvez aussi les lustrer avec un chiffon imbibé de crème à polir pour coutellerie non toxique. Tous les métaux, brillants ou mats, se verront d'ailleurs embellis par ce traitement. La crème, très fine, ne laisse aucun dépôt gras.

Il serait dommage de ranger des ustensiles en cuivre au fond d'un placard ! Autant profiter non seulement de la traditionnelle batterie de casseroles, mais aussi des couvercles, poêles, louches…

TRADITION-HISTOIRE

L'évolution de la cafetière

Venu d'Arabie, le café arrive en Occident au XVIIe siècle. La décoction à la turque est alors règle courante : on fait bouillir le café moulu avec de l'eau dans un petit caquelon à grand manche et sans couvercle. Vient ensuite l'infusion de café dans une cafetière haute et couverte où l'eau a bouilli seule auparavant. Ce n'est qu'au début du XIXe siècle que le café filtré se généralise. C'est la grande vogue des cafetières en porcelaine, où l'on verse l'eau frémissante sur un bas suspendu contenant le café moulu. La cafetière de Balzac en porcelaine blanche est restée célèbre, avec ses deux compartiments séparables. Quand l'électricité investit le domaine des ustensiles de cuisine, la cafetière n'y échappe pas.

❁ **Couvercle récalcitrant.** Vous n'arrivez pas à ouvrir un bocal en verre ? Retournez-le et tapez très fort sur le fond. Si cela ne marche pas, entourez le couvercle d'un élastique pour le dévisser sans que votre main ne glisse.

❁ **Cocotte en fonte culottée.** Sachez qu'un fond de cocotte en fonte ne doit pas être décapé après chaque utilisation, au risque d'attacher ensuite. Passez la cocotte à l'eau très chaude, dans laquelle vous pouvez ajouter 1 cuillerée à thé de vinaigre pour désodoriser. Essuyez avec du papier absorbant puis huilez le fond au pinceau.

❁ **Casserole impeccable.** Le fond de la casserole a brûlé et vous n'arrivez pas à le récupérer ? Versez un mélange à parts égales d'eau et d'eau de Javel. Laissez chauffer dix minutes. Grattez avec un tampon et rincez.
• Autre solution : mettez à cuire à feu doux dans votre casserole à décaper quelques tiges de rhubarbe et un verre d'eau.

❁ **Entretenir une friteuse.** Que vous utilisiez une bassine à frites à l'ancienne ou une friteuse électrique, laissez toujours refroidir totalement le bain de friture. S'il s'agit de graisse concrète, décollez le bloc et jetez-le dans un sac en plastique. S'il s'agit d'huile, videz-la avec un entonnoir dans une bouteille en plastique (jamais dans l'évier) et bouchez la bouteille avant de la jeter. Ne lavez pas la bassine ou la cuve, contentez-vous de l'essuyer avec du papier absorbant, c'est suffisant.

❁ **Plus de tartre dans la bouilloire.** Placez une coquille d'huître ou d'escargot soigneusement lavée dans la bouilloire. Vous constaterez que le tartre se fixe davantage sur la coquille, qui l'attire grâce à sa composition calcaire. Mais il finit quand même par s'installer aussi sur les parois. Pour le décoller, faites bouillir 1/2 tasse de vinaigre blanc avec un peu d'eau. Faites ensuite bouillir trois fois de l'eau pure (minérale de préférence) pour un vrai rinçage.

❁ **Vaisselle sans odeur.** Ajoutez 1 à 2 cuillerées à soupe de vinaigre blanc dans le bac de rinçage d'une vaisselle ayant contenu du poisson ou des œufs ; cela éliminera l'odeur caractéristique que ces aliments communiquent aux ustensiles. Il y a un joli régionalisme pour cet effluve peu agréable : le fraîchin !

❁ **Aiguiser un couteau sans fusil.** Si vous n'avez pas de fusil à aiguiser sous la main, frottez la lame du couteau qui coupe mal sur la lame d'un autre couteau. En dépannage, c'est radical. Attention : n'aiguisez pas de lame dentelée de cette manière, vous risqueriez de casser les dents.

ATTENTION !

Un grille-pain dangereux pour la santé

L'amiante, qui peut être nocif, est parfois caché dans des objets anodins. Si vous êtes encore en possession du fameux carton d'amiante rond et grillagé qui a servi de grille-pain à deux ou trois générations, jetez-le immédiatement à la poubelle dans un sac en plastique bien fermé : il ne faut pas que l'amiante soit en contact avec la nourriture. Les gants de protection et les cartons isolants parfois installés derrière la cuisinière ou le poêle à bois, qui peuvent également contenir de l'amiante, ne sont pas dangereux.

Accrochés au mur, les ustensiles sont à portée de main.
Plus de temps perdu à les chercher dans le fouillis d'un tiroir.

❀ **Brosses et éponges irréprochables.** Faites tremper les brosses et éponges dans une eau fortement javellisée, c'est le seul moyen de les assainir parfaitement. Dans le cas de brosses à manche de bois, ne laissez que les poils tremper dans l'eau javellisée. Pour les éponges grattantes, seule la partie éponge doit baigner. Rincez bien à l'eau claire.

❀ **Collants et bas utiles.** Si vous n'avez pas de tête-de-loup pour déloger les toiles d'araignées au plafond, recouvrez la tête d'un balai ordinaire d'un vieux collant et nouez-en le bas sur le manche pour qu'il tienne bien.

Le matériel d'entretien

❀ **Rangement astucieux.** Rangez vos balais, balayettes, têtes-de-loup la tête en l'air. Mettez-les dans un porte-parapluie ou fabriquez une sorte de râtelier : cela tient moins de place, et vous évitez en plus aux poils de ramasser la poussière du placard.

❀ **Balai de paille plus solide.** Vous prolongerez la durée de vie de vos balais en paille de riz si de temps à autre vous faites tremper leurs poils dans une eau fortement salée au gros sel (comptez deux poignées de gros sel par seau). Laissez agir deux heures, passez sous l'eau et faites sécher à l'air libre. Si les poils ont noirci, ajoutez un jus de citron dans le seau.

❀ **Chiffon malin.** La poussière ne s'envolera pas pendant votre séance de ménage si vous versez quelques gouttes de glycérine sur votre chiffon.

• Gardez aussi vos bas de laine dépareillés, ils sont idéaux pour lustrer les meubles cirés.

❀ **Chiffon pour les vitres.** Pour ne pas encrasser votre chiffon, dépoussiérez d'abord vos vitres avec un tampon de papier absorbant. Puis faites les vitres avec un torchon de lin. Sa finesse vous garantit un essuyage rapide et parfait. Lavez ensuite sans attendre le torchon et réservez-le à cet usage.

❀ **Peau de chamois bien propre.** Lavez une peau de chamois en la trempant dans une eau tiède savonneuse additionnée de 1 cuillerée à thé de bicarbonate de soude. Rincez et faites sécher à l'ombre en étirant la peau de temps en temps pour qu'elle reste souple.

DES VADROUILLES IMMACULÉES

MODERNE ET PRATIQUE Après plusieurs usages, les vadrouilles traditionnelles adoptent vite triste mine et vous les jetez sans pitié. C'est fini ! Il existe sur le marché des vadrouilles amovibles en coton blanc lavables en machine à 60 °C. Épaisses et résistantes, elles retrouvent à chaque lavage une fraîcheur et une propreté très appréciables.

L'équipement de bricolage

❀ **Le matériel minimal.** Impossible de bien bricoler sans matériel, mais difficile de s'y retrouver devant la multiplicité des outils. Vous serez paré pour la plupart des travaux avec le matériel de base suivant: petit marteau, 2 tournevis (1 plat + 1 cruciforme), vrille ou chignole à main, pince universelle, pince coupante, clé à molette standard, papier de verre, laine d'acier, pointes fines, jeu de chevilles, boîte de vis de plusieurs diamètres, burette d'huile, gants de bricolage, pinceau large biseauté, pinceau plat fin, brosse ronde, ruban à mesurer, petite scie, petit rabot.

❀ **Un atelier ordonné.** Pour ranger tous vos outils de bricolage à portée de main dans votre atelier, placez-les les uns à côté des autres sur une planche. Dessinez au feutre noir le contour de chaque outil. Plantez des clous qui maintiendront chacun d'eux en place. Accrochez la planche au mur à proximité de votre établi. Avec un tel rangement, vous verrez tout de suite s'il vous manque un outil.

❀ **Manche branlant.** Le manche d'un outil, à plus forte raison celui d'un marteau, menace de se désolidariser ? N'attendez pas pour le réparer, cela peut être dangereux. Enlevez-le. Poncez-le à la laine d'acier très fine. Enduisez-le de colle à bois avant de le remettre en place. Au besoin, refixez-le avec une pointe. Ne laissez pas de jeu ; s'il reste un interstice, comblez-le avec de la pâte à bois.

❀ **Une vis qui ne bouge pas.** Pour qu'une vis tienne bien dans une cheville ou dans un mur, entourez-la de fil à coudre et plongez-la dans du vernis incolore avant de la fixer.

❀ **Une vis qui ne rouille pas.** Avant de mettre en place une vis à l'extérieur, plongez-la dans de la cire fondue. Elle sera protégée de la rouille.

❀ **Plus d'outils rouillés.** Passez un chiffon imbibé d'huile sur chacun de vos outils rouillés. Laissez bien sécher puis frottez longuement avec du papier de verre très fin. Polissez avec un chiffon sec.

❀ Transformer des outils anciens en objets de décoration. Vous avez acheté un lot de vieux outils dans une brocante ? Retapez-les avant de les exposer au mur. Pour les dérouiller, frottez-les d'abord au pétrole avec un tampon de ménage métallique ou une grosse laine d'acier. Si cela n'est pas suffisant, mettez dans un bac un fond de sable fin et versez dessus de l'huile de vidange de voiture. Recouvrez de sable. Plongez les lames dans votre bac à sable durant plusieurs jours. Renouvelez à sec le décapage à la laine d'acier et essuyez. Vernissez les outils pour leur donner de l'éclat et les protéger. Soyez sûr de vos fixations murales pour les outils lourds. L'effet spectaculaire de ces collections est étonnant dans une maison de campagne. Autre idée de décoration : installez votre collection sur un meuble ancien, une commode rustique ou une table de ferme.

❀ Conserver des pots de peinture. Pour garder des pots de peinture entamés, retournez-les après les avoir bien fermés et entreposez-les ainsi, tête en bas : s'il se forme une peau sur la peinture, vous pourrez l'éliminer facilement avec un morceau de bois à la prochaine utilisation.

❀ Ranger des pinceaux. Lorsque vous aurez nettoyé vos pinceaux avec le produit adapté (de l'eau si vous les avez trempés dans de la peinture acrylique, du diluant à peinture si vous avez utilisé de la peinture à l'alkyde), essuyez-les avec un chiffon ou du papier absorbant. Ne les laissez pas sécher à l'air, ils risquent de durcir irrémédiablement. Enveloppez les poils dans du film plastique de cuisine ou bien de l'aluminium ménager.

Pour ne pas égarer ni mélanger vis, clous, pointes, écrous, pitons, charnières, élastiques, punaises et autres petits accessoires de bricolage, fabriquez-vous une commode avec des grosses boîtes d'allumettes en guise de tiroirs.

LA LIBERTÉ DES SANS-FIL

MODERNE ET PRATIQUE Les outils électriques sont efficaces, puissants et rapides, mais vous ne pouvez vous éloigner beaucoup de la prise de courant. Si vous devez bricoler loin de toute source d'énergie, pensez aux appareils sans fil, qui se rechargent sur secteur et qui accumulent l'énergie dans des batteries intégrées. Leur autonomie est suffisante pour un bon travail. Le temps de charge des batteries varie de quelques heures à une nuit entière. Comparez les modèles.

Un vieux secrétaire peut se transformer en établi élégant : stockez-y tout votre bric-à-brac de bricolage et de décoration.

❀ Pinceaux neufs. Faites tremper vingt-quatre heures un pinceau neuf dans de l'eau avant de l'utiliser. Il ne perdra pas ses poils.

❀ Pinceaux durcis. Malgré vos précautions, les poils de votre pinceau ont durci ? Essayez de les récupérer en les laissant tremper pendant une heure au minimum dans un bain de vinaigre bouillant. Rincez à l'eau claire.

❀ Lame qui glisse mal. La lame de votre scie glisse mal ? Rendez-lui sa puissance de glisse sans entamer son mordant en appliquant sur le fil de la lame de la paraffine en pain.

❀ Rangement longue durée pour une scie. Quand vous rangez votre scie en la suspendant par le manche, pensez à protéger les dents de la lame pour éviter les accidents. Pour cela, coupez en deux dans le sens de la longueur un vieux tuyau d'arrosage et enfilez-le sur la lame. Ou alors, enroulez autour de la lame des bandelettes de chiffon.

DES SANITAIRES IRRÉPROCHABLES

Lieu de bien-être et d'hygiène, la salle de bains nécessite un entretien soigné pour que l'humidité ou le tartre ne viennent pas abîmer les équipements ni la robinetterie.

Une vasque coquillage et un robinet col-de-cygne sont d'une telle élégance qu'ils se suffisent à eux-mêmes. En revanche, un lavabo plus classique sera mis en valeur par des accessoires raffinés : panier, bouquet, flacons, brosses…

Les équipements de salle de bains

Choisir une peinture mate et d'une couleur discrète – comme ce joli gris – pour les boiseries d'une salle de bains, c'est assurément donner encore plus d'éclat à l'émail des lavabos et de la baignoire.

❀ **Grand nettoyage.** Diluez du bicarbonate de soude dans de l'eau chaude jusqu'à obtenir la consistance d'une pâte. Appliquez cette pâte à l'éponge sur les parois de la baignoire ou du lavabo à décaper. Au besoin, utilisez du bicarbonate de soude pur sur les traces récalcitrantes.

❀ **Émail terne.** Pour supprimer les marques laissées par l'eau savonneuse et le tartre, frottez la baignoire ou le lavabo avec un chiffon imprégné de diluant à peinture inodore, puis nettoyez avec votre détergent habituel.

❀ **Nouvelle couleur.** Pour rénover une baignoire ancienne très abîmée que vous n'arrivez pas à récupérer, vous pouvez envisager de repeindre l'intérieur avec une peinture spéciale sanitaires. Il existe de nombreux coloris parfaitement compatibles avec un style ancien, et ce procédé rallonge la vie de votre baignoire d'environ cinq ans. Nettoyez à fond les parois, passez la peinture en deux couches et respectez scrupuleusement le temps de séchage recommandé avant toute utilisation.

❀ **Belle baignoire au quotidien.** Tous les jours, après le bain ou la douche, rincez les parois avec la pomme de la douche, à l'eau le plus chaude possible, et séchez-les rapidement au chiffon. Le tartre s'installera moins vite.

❀ **Porte-serviettes échelle.** Une échelle en bois ou en bambou peut se transformer en porte-serviettes original. Mettez-la devant un radiateur : les serviettes sécheront plus vite et le radiateur sera masqué.

❀ **Raviver un porte-serviettes.** Un porte-serviettes de grand-mère en bois brut peut avoir eu quelques déboires à cause de l'humidité. Éliminez toutes les traces de moisi en lavant le bois à l'eau javellisée (comptez 3 cuillerées à soupe pour 2 litres d'eau). Rincez à grande eau froide et laissez sécher à l'air libre, en plein soleil pour assainir les barres en bois. Recouvrez-le pour finir d'une peinture-laque.

❀ **Une cuvette bien brillante.** Pour lutter contre l'encrassement des toilettes, versez dans la cuvette un mélange à parts égales de vinaigre, de bicarbonate de soude et d'eau bouillante salée. Cette préparation sera beaucoup moins polluante que celles du commerce.

❀ **Raviver un rideau de douche.** Votre rideau commence à grisailler ? Frottez toute trace de moisi avec une brosse imbibée de vinaigre blanc, puis passez-le en machine s'il est en tissu. Le lave-linge étant déconseillé pour un rideau en plastique, laissez celui-ci tremper dans la baignoire remplie d'eau additionnée de liquide à vaisselle. Frottez-le avec une grosse éponge, rincez-le et essuyez-le.

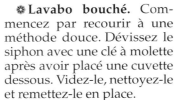

❀ **Le bon porte-savon.** Les coupelles à savon en porcelaine peuvent être très jolies, mais assurez-vous qu'elles sont percées de trous d'évacuation ou préférez des porte-savon en métal laqué ou chromé. Vous ferez des économies de savon et n'aurez pas à vous laver avec un morceau mou et informe. Une fois par semaine, faites tremper le porte-savon dans une eau chaude et claire. Frottez-le avec une brosse à ongles avant de le rincer et de l'essuyer.

Nos grands-mères avaient l'art du raffinement : retrouvez-le jusque dans le réduit des toilettes. Près du lave-mains, disposez un savon parfumé dans un joli porte-savon, une petite serviette de toilette, une éponge naturelle, et, pourquoi pas… quelques pots de fleurs pour le plaisir de chacun.

❀ **Décor naturel.** Si votre salle de bains ou vos toilettes disposent d'une fenêtre, placez-y quelques plantes vertes, que vous pouvez même suspendre, elles apporteront une note chaleureuse dans ces pièces carrelées un peu froides. Prenez des plantes robustes et offrez-leur une petite douche de temps à autre.

Observez la majesté de ce décor victorien qui repose sur le charme de la baignoire ancienne dont les pattes ont été dorées, l'ensemble étant encastré entre deux colonnes à la manière d'un lit à baldaquin. La patine des murs a été obtenue en mélangeant du plâtre de Paris avec de la peinture.

❀ **Lavabo bouché.** Commencez par recourir à une méthode douce. Dévissez le siphon avec une clé à molette après avoir placé une cuvette dessous. Videz-le, nettoyez-le et remettez-le en place.

• Si cela ne suffit pas, recourez à la traditionnelle ventouse. Enlevez la bonde, remplissez le lavabo d'eau, écrasez la ventouse et tirez le plus fort possible. Faites ce mouvement de va-et-vient en séquences.

• En dernier ressort, versez du liquide déboucheur à base d'hydroxyde de sodium, puis une casserole d'eau bouillante en prenant garde aux projections. Rincez à grande eau. (Autrefois, on débouchait avec de la soude caustique, mais les éclaboussures de ce produit sont très dangereuses et le produit lui-même est très polluant.)

La robinetterie

Pour conserver une robinetterie étincelante, entretenez-la régulièrement à l'eau et au savon et séchez-la avec une peau de chamois.

❀ **Robinet mitigeur à pression équilibrée.** La manette permet le contrôle de la température et du débit. On peut prendre de l'eau ailleurs dans la maison sans que la personne qui se douche ne se brûle.

❀ **Cuvette à eau tiède.** Un tel sanitaire est équipé d'une valve installée dans le mur avec deux entrées – eau chaude et eau froide – qui alimentent la cuvette en eau. L'eau tiède est anti-suintement.

❀ **Une chasse d'eau silencieuse.** Votre chasse d'eau à l'ancienne (avec réservoir en hauteur et chaîne pour actionner le mécanisme) est bruyante au remplissage ? Cela est dû à la projection de l'eau sur les parois en fonte du réservoir. Fixez au niveau de l'arrivée d'eau un petit tuyau, que vous maintiendrez avec un collet ou du fil de fer : l'eau tombera alors au fond du réservoir sans bruit.

❀ **Le tartre envahissant.** Le tartre a tendance à s'installer près des robinetteries, en particulier autour du robinet d'eau chaude. Pour le déloger, versez du vinaigre blanc chaud et grattez avec une brosse à dents ou une spatule en bois (n'utilisez pas d'objet métallique, qui laisserait des traces noires sur l'émail). Lorsque vous avez enlevé le plus gros, versez à nouveau du vinaigre et laissez agir quelques heures. Rincez à l'eau claire. Passez un demi-citron autour de la robinetterie pour retarder la nouvelle formation de tartre. Essuyez le robinet et l'émail avec un chiffon.

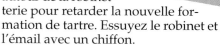

Si le tartre a envahi le nez du robinet, mettez de l'eau fortement vinaigrée dans un sac en plastique étanche. Nouez le sac autour du robinet afin qu'il trempe dans le liquide. Laissez agir une nuit puis frottez.

❀ **Une pomme de douche plus efficace.** Débouchez fréquemment votre pomme de douche, surtout si l'eau est très calcaire. Dévissez-la et laissez-la tremper dans de l'eau additionnée de vinaigre (comptez 1/2 tasse de vinaigre blanc pour 4 tasses d'eau). Si besoin, nettoyez chaque trou avec une épingle.

❀ **Plus de gouttes.** Un robinet qui fuit est une rude épreuve pour les nerfs. En attendant de changer le joint, enroulez une ficelle autour du robinet et laissez-la pendre jusqu'à la bonde. L'eau descendra le long de la ficelle, sans bruit.

LES ROBINETS THERMOSTATIQUES

MODERNE ET PRATIQUE Toujours la bonne température, sans douche écossaise ni risque de brûlure : c'est l'atout incroyable d'un robinet thermostatique. En effet, vous réglez une fois pour toutes la température de l'eau en actionnant une manette distincte du levier de débit d'eau : tant que vous n'aurez pas changé la position de la manette, la température sera maintenue. Ce dispositif est idéal pour baigner en toute sécurité de jeunes enfants.

Une maison
de charme

SENTEURS ET COULEURS

L'atmosphère et tout le charme d'une maison tiennent à quelques détails : un pot-pourri dans une soucoupe, un parfum d'ambiance délicat, un bouquet éclatant de fleurs fraîches, une gerbe rustique de céréales séchées, un motif naïf peint sur un petit meuble, du joli papier à lettres sur un bureau…

Un vieil escabeau reteint se transforme en présentoir pour mettre en valeur tout ce qui sent bon. Versez aussi de l'huile essentielle sur l'ampoule électrique de votre lampe.

Les parfums d'ambiance

❀ **Parfum et décor automnals naturels.** Laissez mûrir des pommes sur un rebord de cheminée ou sur une commode. Elles dégagent un arôme fruité, un peu ambré et doux, parfumant toute la pièce. C'est le temps de l'Halloween et des courges fantaisie : pensez à en décorer votre intérieur.

❀ **Séance de ménage parfumée.** Vaporisez quelques gouttes d'essence parfumée dans le tuyau de votre aspirateur. Ainsi, au lieu de souffler un air qui sent la poussière ou le renfermé, il répandra autour de lui une odeur agréable. Sachez qu'il existe aussi des poudres parfumées que l'on place dans l'aspirateur.

❀ **La lavande, parfumée et utile.** Parmi les plantes les plus utilisées dans la maison, on s'est beaucoup servi de la lavande pour faire fuir les indésirables mites, mouches et autres moustiques. Glissez les fleurs séchées dans de petits sacs en tissus assortis à votre intérieur, à votre armoire ou à votre linge (lin, mousseline, liberty, imprimés...), ou bien tressez les brins de lavande entiers en fuseaux avec des rubans.

❀ **Pastilles du sérail.** Avec un peu de chance, vous dénicherez peut-être dans un magasin d'aliments naturels ces pastilles odorantes à faire brûler. Elles sont composées de poudres de charbon, de salpêtre et de diverses essences comme le benjoin, la myrrhe et le santal et répandent une odeur d'encens.

❀ **Papier d'Arménie.** On vend encore aujourd'hui, dans les pharmacies et les magasins d'aliments naturels, du papier d'Arménie. Il s'agit de petites bandes étroites et détachables, imprégnées de diverses essences odorantes où l'on retrouve le parfum de la myrrhe et du benjoin, également employés pour les encens. Enflammez ces petites bandes détachables qui se consumeront lentement dans un cendrier, en laissant flotter dans la pièce une odeur orientale…

LA POMME D'AMBRE OU POMANDER

Cette réalisation ne présente aucune difficulté et ne requiert qu'un peu de patience. Une fois terminée, suspendez votre pomme d'ambre dans une armoire à linge ou dans la cuisine en l'entourant d'un ruban fin. En séchant, les clous de girofle momifient le fruit, tout en lui donnant un parfum ambré.

FOURNITURES

3 oranges (ou 3 citrons)
1 tasse de clous de girofle
15 g (2 c. à soupe) de clous de girofle en poudre
50 g (7 c. à soupe) de cannelle en poudre
15 g (2 c. à soupe) de poudre quatre-épices
15 g (2 c. à soupe) de poudre d'iris ou de benjoin

1 - Piquez les clous de girofle dans l'écorce de l'orange. Choisissez-les bien entiers, avec une tête qui ne soit pas brisée. Vous pouvez percer préalablement le trou avec une grosse aiguille.

2 - Veillez à tracer des lignes bien régulières et assez rapprochées les unes des autres. Si elles sont trop écartées, l'orange risque de pourrir... Mettez de côté l'orange déjà cloutée et préparez les autres.

3 - Versez le mélange de poudres d'épices dans un grand plat creux et roulez-y chacune des oranges, afin qu'elles soient totalement recouvertes de ce mélange odorant, qui fixe les parfums.

4 - Le mélange d'épices peut être conservé dans une boîte hermétique. Après plusieurs mois, lorsque le parfum de votre pomme d'ambre se sera estompé, vous pourrez la saupoudrer à nouveau avec ce mélange.

❀ **Parfum d'hiver.** Plutôt que d'utiliser des parfums de synthèse en bombe, mettez quelques gouttes d'huile essentielle dans les saturateurs des radiateurs ou dans le réservoir de votre humidificateur prévu à cette fin.

❀ **Raviver le parfum d'un sachet de senteurs.** Lorsque le parfum n'est plus perceptible, il suffit de presser le sachet entre vos doigts, ou de lui donner quelques coups d'épingle. Si vous n'obtenez pas mieux, ouvrez le sachet et ajoutez au mélange sec quelques gouttes d'huile essentielle ou d'essence parfumée.

Mais un sachet n'est pas éternel, et s'il ne sent vraiment plus rien, videz-le, lavez-le et remplissez-le à nouveau. Composez vos mélanges personnels : pétales d'œillet, de rose, fleurs d'oranger, jasmin, feuilles de menthe, de mélisse ou de verveine concassées…

❀ **Dans la cuisine.** Si vous avez une cuisinière à l'ancienne, faites sécher sur le dessus des pelures d'orange ou de mandarine, que vous pourrez ensuite utiliser pour vos recettes.

TRADITION-HISTOIRE

Les jonchées odorantes

Dans la Rome antique, pendant les banquets, on couvrait le sol de pétales de rose, tandis que d'énormes bouquets s'empilaient sur les tables, le parfum des roses étant réputé dissiper les vapeurs de l'alcool. On retrouve une tradition similaire au Moyen Âge en Europe : les sols des châteaux comme celui des chaumières étaient jonchés de végétaux parfumés. C'était, suivant les saisons, de la lavande, du buis ou des roseaux odorants (en particulier le calame). Ces herbes, que l'on renouvelait fréquemment, servaient aussi bien à parfumer l'atmosphère et à en chasser les miasmes qu'à apporter un peu de confort, en rendant le sol plus doux, moins humide et moins froid. Pourquoi ne pas renouer avec cette coutume parfumée en parsemant de plantes le sol de votre salon à l'occasion d'une fête, d'un mariage ou d'un baptême…

Les pots-pourris

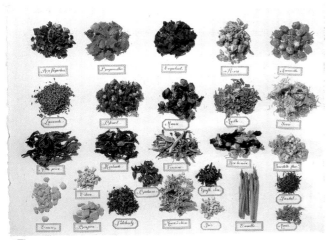

Pour faire un pot-pourri, le choix des ingrédients est large : fleurs, herbes aromatiques, épices, essences de bois.

❀ **Un classique : le pot-pourri à la rose.** Pour réussir votre pot-pourri à la rose, il faut choisir des roses anciennes très parfumées, comme la rose de Damas ou la centifolia, ou des boutons de rose au parfum très prononcé.

❀ **Faire durer le parfum.** Il est indispensable de fixer les arômes et les parfums d'un pot-pourri. On employait autrefois les mêmes éléments qu'en parfumerie, souvent d'origine animale, comme le musc, l'ambre gris ou la civette. Aujourd'hui, ils sont interdits à la vente car il fallait, pour les extraire, tuer (sauf pour le cas de l'ambre gris) des animaux qui sont désormais protégés. Utilisez donc des fixatifs végétaux comme le benjoin ou la racine d'iris de Florence, souvent réduite en poudre. Glissez aussi dans votre pot-pourri des petits supports en terre cuite sur lesquels vous aurez versé des huiles essentielles.

❀ **Le choix des ingrédients.** Sec ou humide, un pot-pourri n'est pas constitué que de fleurs. Pensez aussi aux feuilles de laurier, d'oranger ou de citronnier, de géranium odorant, d'eucalyptus, de baumier (un peuplier dont les feuilles sentent l'encens), de mélisse, de menthe, d'armoise, de citronnelle, de lavande ou de verveine. Parmi les épices, la vanille, la cannelle, la muscade et le clou de girofle ajoutent des notes agréables. Essayez de trouver chez un herboriste du bois de santal, du vétiver, du néroli ou même du patchouli.

Un pot-pourri humide

Pour fabriquer un pot-pourri sec, il suffit de marier des fleurs et des feuilles sèches avec des épices et des morceaux d'écorce ou de racine et de fixer leur parfum. Réussir un vrai pot-pourri humide comme autrefois demande plus de temps car les ingrédients doivent s'imprégner de gros sel pendant plusieurs semaines. Mais le parfum obtenu est beaucoup plus soutenu et plus durable.

FOURNITURES

1 kg des plantes suivantes en mélange : pétales de rose odorante, fleurs de lavande, œillet mignardise, feuilles de géranium odorant, feuilles de verveine, de mélisse, de romarin (selon votre goût, la rose, la lavande ou la verveine sera prédominante et représentera au moins un tiers du mélange). Les pétales et les feuilles doivent être secs mais encore souples sous les doigts.	10 g (1/3 oz) de cannelle en poudre
	10 g (1/3 oz) de muscade en poudre
	10 g (1/3 oz) de macis
	1 zeste de citron
	20 g (2/3 oz) de poudre de racine d'iris ou 15 g (1/2 oz) de benjoin en poudre
	350 g (1 1/3 tasse) de gros sel non iodé

1 - Déposez une première couche de pétales et de feuilles au fond d'un gros bocal en verre qui ferme et recouvrez-la d'une couche de gros sel. Continuez en alternant végétaux et sel jusqu'à ce que le récipient soit plein à ras bord. Terminez par une couche de sel.

2 - Remuez quotidiennement avec une cuillère en bois. S'il se forme un dépôt liquide, prélevez-le et conservez-le dans un flacon. Vous l'utiliserez plus tard pour rehausser le parfum de votre pot-pourri.

3 - Quand le mélange forme une masse sombre et compacte – au bout de 2 semaines environ –, sortez-le du pot, émiettez-le dans un grand bol et ajoutez-lui les épices et le zeste de citron. Mélangez bien avec une cuillère en bois. Ajoutez le fixatif (poudre d'iris ou benjoin). Remuez le tout et replacez votre pot pourri dans le bocal bien fermé.

4 - Rangez le bocal dans un endroit sombre et sec et laissez mûrir la préparation. Au bout de 6 semaines, votre pot-pourri est prêt. Pour profiter de son parfum, enfermez-le dans un pot spécial, percé de trous : à défaut de matières précieuses comme ce laque noir (ci-contre) ou cette porcelaine de Saxe (en haut) du XVIIIe siècle, on peut utiliser un pot à gingembre chinois, ou une petite corbeille en vannerie munie d'un couvercle. Si vous préférez le mettre dans une coupe, recouvrez-le de quelques fleurs séchées et de pétales colorés, car ce mélange brun et sombre n'est pas très décoratif.

Il y a sel et sel

Pour préparer un pot-pourri humide à l'ancienne, il vous faut du sel gemme, et non du sel marin, qui risque d'altérer les parfums du fait de sa teneur en iode et de faire moisir votre mélange de fleurs et de feuilles en dégageant trop d'humidité.

❀ **Pot-pourri trop discret.** Ajoutez à votre mélange quelques gouttes d'huile essentielle simple (rose, orange, lavande, patchouli, vétiver...) ou composée, ou versez quelques gouttes d'eau-de-vie, de cognac, d'armagnac ou même de vodka.

Rangés dans de jolis bocaux en verre ou disposés dans des coupelles ou des vanneries, les pots-pourris secs sont très décoratifs.

❀ **Raviver un pot-pourri.** Ne jetez pas automatiquement un pot-pourri devenu trop terne. Changez-le de récipient, en choisissant une jolie coupelle assortie aux fleurs et aux feuilles dominantes. Remplacez les fleurs ou les végétaux de surface, car ils ont pris la poussière. Ajoutez quelques pétales secs colorés et des épices décoratives (bâton de cannelle, noix de muscade, badiane...).

❀ **Entretien d'un pot-pourri sec.** Remuez de temps à autre votre pot-pourri avec une cuillère en bois. Les arômes se diffuseront mieux.

TRADITION-HISTOIRE

L'origine du pot-pourri

Dans l'Antiquité déjà, les Égyptiens tiraient parti du parfum de toutes sortes de végétaux : feuilles, fleurs, épices et bois odorants, qu'ils mêlaient à des résines. Mais le pot-pourri humide tel qu'on le connaît aujourd'hui date sans doute du Moyen Âge.
À cette époque, les maîtresses de maison mélangeaient des végétaux très parfumés et du sel. Lorsqu'au bout de quelques semaines, voire de plusieurs mois, le mélange se transformait en une matière extraordinairement odorante, elles l'enfermaient dans des pots de porcelaine au couvercle perforé ou dans des boules à claire-voie plus ou moins grosses. On pouvait porter sur soi les plus petites, afin de les humer lorsque le besoin s'en faisait sentir.

Les bouquets

❀ **Chez le fleuriste.** Veillez à ce que les fleurs ne soient pas trop ouvertes. S'il s'agit de roses, vérifiez que les sépales (la partie verte, à la base des pétales) ne sont pas écartés et recourbés vers le bas : cela voudrait dire que des pétales fanés ont déjà été supprimés.

Attention aux fleurs forcées à contre-saison, reconnaissables à des tiges un peu molles, au vert décoloré. Au contraire, des tiges rigides et d'un beau vert sont signe de bonne santé.

❀ **Au jardin.** Les bouquets de jardin ont un charme fou. Pour qu'ils tiennent long-temps, cueillez vos fleurs dans la matinée, quand le soleil n'est pas encore trop haut. Déposez-les au fur et à mesure dans un panier à fond plat, où elles ne s'abîme-ront pas.

❀ **Dans la nature.** Partez toujours avec un sécateur et n'arrachez jamais les fleurs. N'oubliez pas que dans les parcs naturels, certaines espèces sont protégées : il ne faut absolument pas les cueillir.

❀ **Les roses.** Si elles sont un peu fatiguées, recoupez les tiges, et plongez-les dans de l'eau chaude quelques minutes, puis dans de l'eau très fraîche. Vous pouvez aussi les enrouler bien serrées dans un cornet de papier journal et les immerger pendant toute une nuit dans un seau d'eau.

❀ **Eau propre.** Lorsque vous préparez votre bouquet, n'oubliez surtout pas de recouper les tiges et d'en effeuiller toute la partie qui sera immergée. Changez l'eau du vase tous les jours et ajoutez-lui quelques gouttes d'eau de Javel pour éviter la décomposition des tiges (celles des fleurs à tiges molles en particulier).

TRADITION-HISTOIRE

L'horloge florale de Linné

Carl von Linné, médecin et naturaliste suédois du XVIIIe siècle, est célèbre pour avoir établi une classification des plantes et une nomenclature des végétaux qui est encore appliquée aujourd'hui.

Ses travaux lui permirent de mettre au point une sorte d'horloge florale. Ayant observé que les fleurs s'ouvraient à différents moments du jour ou de la nuit, il pensa qu'elles pouvaient servir de repères pour savoir approximativement l'heure. Les volubilis bleus et les petits pavots éclosent entre 5 h et 6 h en été. Le pissenlit s'ouvre à 7 h et se referme à 15 h. À 9 h éclôt le souci orange ou jaune. L'odorante belle-de-nuit ne s'ouvre que vers 18 h. La nuit, les grands cierges – des cactus très hauts et étroits – ouvrent leurs immenses corolles parfumées, qui attirent les oiseaux-mouches et les insectes nocturnes.

❀ **Faire voyager des fleurs.** Enveloppez vos fleurs dans du papier journal humidifié, puis dans une autre feuille, roulée en cornet. Pour un colis, couchez vos fleurs bien à plat, tête-bêche, sur une feuille de papier journal mouillée, dans un grand carton humidifié avec un vaporisateur. Les fleurs doivent être serrées afin de ne pas bouger, mais pas tassées.

Ne les posez surtout pas sur la plage arrière de la voi-ture, là où il fait le plus chaud. À l'arrivée, laissez les fleurs respirer et se raffermir dans un grand seau d'eau fraîche avant de faire le bouquet.

❀ **La bonne température.** Évitez la proximité d'une fenêtre exposée au soleil : effet de serre garanti ! S'il fait chaud, une vaporisation quotidienne d'eau très fraîche sur votre bouquet le fera durer plus longtemps. Pensez à le mettre au frais pendant la nuit, dehors s'il ne gèle pas ou dans une pièce peu chauffée. Les petits bouquets peuvent même passer la nuit au réfrigérateur. C'est surprenant mais cela prolonge vraiment leur durée de vie.

❀ **Les fleurs à tiges ligneuses.** Les fleurs dont les tiges ont l'aspect du bois – lilas, forsythia, hydrangée, boule-de-neige... – absorbent mal l'eau. Aussi, écrasez la base des tiges avec un marteau. Un autre truc consiste à fendre l'extrémité des tiges en croix en utilisant un sécateur, un couteau bien aiguisé ou un greffoir, ou encore à retirer l'écorce sur quelques centimètres.

Rassemblez tout votre matériel de fleuriste, ustensiles, vases, paniers, etc. dans un atelier installé dans un coin de la cuisine ou dans une véranda. Choisissez un récipient dont la forme et la couleur s'harmonisent avec votre bouquet : corolle évasée sur pied pour mettre en valeur un arrondi parfait (1), ou potiche à anse pour une composition plus rustique (2).

❀**Les tulipes.** Comme pour la plupart des plantes à bulbe, il est déconseillé de leur donner trop d'eau. Ne remplissez le vase qu'à mi-hauteur ; elles s'ouvriront petit à petit et les tiges ne se tordront pas. Au contraire, si vous désirez que des tulipes encore en bouton s'ouvrent très vite, donnez-leur beaucoup d'eau et ouvrez les pétales à la main.

❀**Les amaryllis.** Leur grosse tige creuse ploie parfois sous le poids de la corolle, d'une taille disproportionnée. Pour éviter que la tige ne se courbe ou se casse, glissez à l'intérieur un mince tuteur ou une fine branche.

❀**Le mimosa.** S'il existe une fleur coupée qui ne dure que le temps d'un déjeuner de soleil, c'est bien le mimosa. Tentez quand même de le conserver quelques jours en le mettant dans de l'eau très chaude additionnée de quelques gouttes d'ammoniaque. Renouvelez l'opération tous les jours, en recoupant les tiges à chaque fois.

LES CONSERVATEURS

Pour conserver vos bouquets, vous avez peut-être essayé d'ajouter à l'eau du vase un morceau de sucre – nutritif – ou un cachet d'aspirine effervescent – bactéricide –, mais vous avez dû vous rendre compte que rien ne vaut actuellement les conservateurs du commerce, dont la recette est gardée secrète par les fabricants. Ils contiennent à la fois des substances qui nourrissent les fleurs et d'autres qui empêchent la décomposition des feuilles et des tiges.

On les trouve sous forme de poudre, de liquide, voire d'un petit carré de carton souple imprégné de produit. S'il s'agit d'une poudre ou d'un petit carton, remplissez votre vase d'eau tiède et attendez la dissolution complète de la poudre avant de plonger le bouquet.

Bien entendu, ne changez pas l'eau : contentez-vous de compléter le niveau chaque jour.

❀**Soliflores insolites.** Utilisez des flacons, de jolis pots en verre, des bouteilles aux formes originales ou même des coquetiers comme petits vases. Rassemblez-les sur une cheminée ou un meuble et composez un superbe parterre de soliflores en mettant une fleur par contenant. Vous pouvez utiliser la même variété de fleur ou alterner.

❀**Les violettes.** Une fois coupées, elles ne boivent plus, il faut donc leur apporter de l'humidité... par le haut. Vaporisez quotidiennement de l'eau fraîche sur les fleurs, ou trempez-les têtes en bas dans un verre d'eau et secouez-les délicatement pour les égoutter.

❀**Les narcisses.** Pour les conserver plus longtemps, essayez cette drôle de recette consistant à piquer régulièrement toute la longueur de la tige avec une épingle, pour qu'elle absorbe mieux l'eau.

❀**Les pavots.** Il faut savoir que leur tige sécrète une sève laiteuse et collante qui les empêche de bien boire l'eau. Si vous prenez la précaution de brûler l'extrémité de chaque tige avec une allumette, un briquet ou une bougie, vous pourrez profiter de vos fleurs bien plus longtemps.

❀**Faire attendre des fleurs en bouton.** Essayez cette recette insolite datant de 1930. Garnissez le fond d'une boîte métallique d'une couche de sel gemme fin et très sec. Posez dessus les fleurs en bouton (roses, pivoines, rhododendrons ou autres) les unes à côté des autres, sans qu'elles se touchent. Recouvrez d'une couche de sel, puis d'une autre couche de fleurs et terminez par une couche de sel. Fermez la boîte et placez-la dans un lieu non humide et bien aéré. Quand vous voudrez utiliser les fleurs, au bout de quelques jours, il suffira de recouper les tiges et de les plonger dans l'eau froide.

❀**Forçage hivernal.** À la fin de l'hiver, coupez dans votre jardin quelques branches de cerisier, de pommier, de prunus, de forsythia ou de boule-de-neige. Dénudez-en l'extrémité et mettez-les dans l'eau. Placez votre vase près d'une fenêtre. Au bout d'une dizaine de jours, vous aurez la surprise de découvrir sur les branches qui semblaient mortes des bourgeons, puis de minuscules fleurs. Cette éclosion rapide est due à la différence brutale de température, qui provoque un effet comparable à celui d'une serre.

❀ **Un centre de table original.** Évidez une courge, un poivron ou une calebasse (en haut), suivant la taille de vos fleurs, en prenant bien soin de ne pas percer votre récipient naturel. Retaillez le fond pour qu'il soit stable. Remplissez-le d'eau. Vous obtenez un vase unique !

❀ **Bouquet sans eau.** Vous voulez réaliser un bouquet dans un panier, une corbeille ou un récipient qui ne peut être rempli d'eau ? Procurez-vous de la mousse synthétique chez un fleuriste ou dans un magasin à rayons. Taillez cette mousse pour l'adapter à la forme de votre contenant. Piquez-y ensuite les tiges une à une en commençant par les plus grandes. N'oubliez pas de maintenir la mousse humide en permanence.

Un truc de décoration : disposez quelques feuilles au pied du vase.

❀ **Un pique-fleurs de fortune.** Procurez-vous du grillage métallique à grosses mailles, que l'on utilisait autrefois pour les clapiers à poules ou à lapins. (Vous le trouverez dans les magasins de bricolage.) Découpez-le à la dimension voulue et enfoncez-le à mi-hauteur dans le vase. Seule contrainte : ce pique-fleurs n'est pas très élégant, aussi est-il réservé aux vases opaques. Si vous voulez en utiliser un dans un vase transparent, essayez de camoufler le grillage avec de la mousse des bois.

❀ **Branchages élégants.** En hiver, partez dans les bois et faites provision de branches de pin ou de sapin, ou encore de branchages recouverts de lichens aux beaux tons grisés. En les mélangeant à des fleurs fraîches, vous composerez des bouquets stylisés.

UN BOUQUET ROND

Très frais et très champêtre, ce bouquet est composé de l'assemblage de plusieurs petites touffes de fleurs printanières. On peut le réaliser avec d'autres variétés des champs ou du jardin.

FOURNITURES

roses rose pâle
fil de fleuriste ou raphia
alchémille
alstrœmere
astilbe rose
astilbe rouge
campanules à grosses fleurs roses
pivoines
prêle du Japon
œillets de poète
fruits de millepertuis
ruban adhésif vert
1 pince coupante
1 sécateur

1 - Formez un premier petit bouquet avec les roses, et nouez-le avec du fil ou du raphia. Ajoutez une à une les autres fleurs de façon harmonieuse, en répartissant les couleurs par taches — rose, vert pâle, blanc, rouge...

2 - Lorsque le bouquet commence à être vraiment gros dans votre main, fixez-le avec de l'adhésif vert de fleuriste pour pouvoir le manier plus facilement, puis continuez à ajouter les tiges restantes.

3 - Pour donner une courbe ronde à votre bouquet, il faut disposer chaque tige inclinée en biais par rapport à l'axe central. Travaillez toujours dans le même sens : celui des aiguilles d'une montre.

4 - Lorsque le bouquet est fini, redonnez un tour de ruban adhésif, sans trop serrer pour ne pas l'étouffer. Recoupez les tiges à une longueur égale. Placez votre bouquet dans un vase rond, genre aquarium.

Les fleurs séchées

❉ Séchage naturel. Privées d'eau, les fleurs perdent peu à peu leur humidité et sèchent en quelques jours. Pour éviter que les tiges ne se déforment, nouez-les et suspendez-les la tête en bas. Comme les tiges se rétractent en séchant, préférez un élastique au nœud d'attache en ficelle ou en raphia.

Choisissez un lieu bien aéré pour éviter la formation de moisissure.

Une belle idée de composition décorative que cette boîte à épices ancienne remplie de minuscules roses.

❉ Tiger les fleurs. Enfoncez dans le cœur de la fleur du fil de fleuriste, à la fois fin et rigide, et coupez-le à la longueur voulue. Vous pourrez masquer le métal avec du ruban adhésif spécial, de couleur vert mat, vendu chez certains fleuristes ou dans les magasins spécialisés. Si vous ne disposez pas de fil de fleuriste, une épingle à chignon très fine, appelée aussi épingle-neige, vous rendra le même service.

❉ Séchage décoratif. Pour profiter des fleurs pendant qu'elles sèchent et les transformer en élément de décoration, suspendez-les par exemple aux poutres d'une pièce ou, plus joliment, sur l'armature en bois d'un paravent.

❉ Séchage au four. Pour activer le séchage, passez les fleurs au four, la porte ouverte. Réglez la température de celui-ci au niveau le plus bas et vérifiez avec le doigt le degré de séchage : arrêtez le four quand les pétales sont secs mais encore souples au toucher.

❉ Séchage dans le sable. Versez une couche de sable très fin (stérile et sec) au fond d'une boîte. Déposez-y les fleurs dont les pétales sont particulièrement fins et fragiles (passiflore, renoncule, nigelle, dahlia…), puis versez délicatement une seconde couche de sable, pour bien recouvrir les végétaux. Au bout d'une quinzaine de jours, le séchage est achevé.

❉ Dessiccatifs chimiques. Le gel de silice ou le borax sèchent parfaitement tous les types de végétaux. Utilisez-les comme le sable, en posant fleurs, feuilles ou fruits entre deux couches de produit de 3 à 5 cm d'épaisseur.

❉ Vapeur miracle. Lorsqu'un bouton de rose séché est trop fermé, placez-le une minute devant le filet de vapeur s'échappant d'une bouilloire. Décollez délicatement les pétales extérieurs avec un coton-tige, sans toucher à ceux du cœur, trop fragiles.

De nombreuses plantes se prêtent à des compositions décoratives. Ici, gerbe de seigle, panier aromatique, panier de fleurs du désert, delphiniums, obélisque de lauriers, gerbe de roses, bouquets de blé.

❀ **Feuillages d'automne.** Certains feuillages d'automne sont si beaux que l'on aimerait les conserver longtemps. Disposez-les dans un vase rempli d'eau et de glycérine – 2 volumes d'eau pour 1 volume de glycérine – jusqu'à ce que les feuilles soient devenues un peu cireuses au toucher.

Vous pouvez aussi repasser les feuilles une à une et très délicatement, pour ne pas les déchirer, avec un fer à repasser réglé sur la position laine ou synthétique (sans vapeur). Un procédé pratique lorsqu'on destine les feuilles à une composition décorative avec collage – abat-jour, paravent, boîte ou coffret, papier…

❀ **Meilleure conservation.** Un nuage de laque en aérosol sur vos fleurs sèches les protégera de la poussière et ralentira leur décoloration. Mais sachez qu'un bouquet sec n'est pas éternel et doit être renouvelé.

❀ **Dépoussiérer un bouquet.** Avec le temps, la poussière s'accumule et ternit les coloris des fleurs. Pensez à l'ôter régulièrement avec un pinceau souple ou encore à l'aide d'un sèche-cheveux, dont l'air pénètre partout, même au cœur des pétales.

UNE COURONNE DE BIENVENUE

S'i la couronne de fleurs fraîches, à signification religieuse, est une tradition fort ancienne qui remonte à l'Antiquité, la couronne de fleurs séchées est une mode qui nous vient des pays anglo-saxons, particulièrement de la coutume des couronnes des fêtes de fin d'année (l'Action de grâce, Noël). Symbole d'un accueil chaleureux, elle trouve sa place sur la porte, devant la fenêtre ou encore au-dessus de la cheminée.

SÉCHAGE AU MICRO-ONDES

MODERNE ET PRATIQUE Les fleurs, surtout les roses, sèchent parfaitement dans un four à micro-ondes. Disposez-les sur une feuille de papier ciré – autrement, les pétales colleraient au plateau et on ne pourrait plus les décoller sans les abîmer – et faites-les d'abord sécher pendant trente secondes.
Ouvrez le four et tâtez les pétales : s'ils présentent encore des traces d'humidité, maintenez-les au four. Attention, même secs, ils doivent rester un peu souples.

FOURNITURES

couronne en paille
3 bouquets d'oreilles-de-mouton *(Stachys byzantina)*
5 bouquets d'origan
4 bouquets de sauge officinale
3 bouquets de sauge rouge
3 têtes d'hydrangée
4 bouquets de grande camomille
6 bouquets de lavande
2 bottes de brindilles de bouleau liées par du raphia
5 roses rouges
18 bouquets de buis
9 bouquets d'alchémille
2 coques de sterculie
4 pivoines
4 capsules de têtes de lotus
fil à tiger les roses fin
tige métallique de moyen calibre

1 - Préparez les bouquets d'oreilles-de-mouton, d'origan, de sauge officinale et de sauge rouge, d'hydrangée, de camomille, de lavande, de brindilles de bouleau et de roses.

2 - Piquez les bouquets de buis par paires à intervalles réguliers tout autour de la couronne, les têtes orientées dans le même sens. Fixez-les en tordant la tige de métal.

3 - Dans le même sens que le buis, ajoutez les bouquets d'alchémille, puis les bouquets d'origan, de manière à recouvrir partiellement les bouquets de buis.

4 - Placez ensuite les bouquets de sauge officinale sur les bords de la couronne, tout contre les précédents, les têtes respectant l'orientation des bouquets de buis, de l'alchémille et de l'origan.

5 - Mettez les fleurons d'hydrangée, puis les bouquets d'oreilles-de-mouton et de lavande, dans le même sens que les têtes des fleurs précédentes, dont ils dissimuleront les fils et les tiges.

6 - Placez la grande camomille, la sauge rouge et les roses. Enfin, disposez les brindilles de bouleau et les coques de sterculie à contresens des autres têtes et collez les fleurs de pivoine et les têtes de lotus.

Le papier

❀ **Traitement antibavures.** Pour éviter que votre stylo ne laisse de vilaines bavures sur un papier qui boit, traitez celui-ci avant d'écrire : commencez par épandre de l'alun en poudre sur toute sa surface. Recouvrez-le d'une feuille que vous frotterez avec le dos de la lame d'un couteau. La poudre pénétrera dans le papier, qui n'absorbera plus l'encre en excès.

❀ **Encre invisible.** Son véritable nom est encre sympathique. Elle évoque les romans d'espionnage d'antan. Si vous ne l'employez pas vous-même, elle ravira vos enfants, qui pourront ainsi rédiger des messages ultra-secrets ! Il suffit de tremper une plume dans du jus de citron ou d'oignon, avant d'écrire sur n'importe quel papier où vous aurez eu la prudence de tracer des lignes au crayon, car il n'est pas facile d'écrire à l'aveuglette ! Le destinataire du message exposera celui-ci à la chaleur d'une flamme pour que les caractères apparaissent...

❀ **Enveloppes élégantes.** Donnez du cachet à vos enveloppes en les scellant à la cire, comme autrefois ! Une fois votre enveloppe fermée, faites chauffer un bâton de cire : la flamme d'un briquet est la plus pratique pour cet usage. Les gouttes de cire doivent tomber les unes à côté des autres pour ne former qu'une seule grosse goutte, que vous étalerez légèrement sur le papier avec le bâton de cire encore chaud. Enfoncez votre cachet dans la cire tiède. Pour bien s'imprimer dans la cire, il doit être obligatoirement mouillé ou graissé. Vous pouvez utiliser pour cela une encre grasse pour tampons, qui colorera votre cachet.

❀ **Du papier-calque maison.** Vous avez besoin de papier transparent pour décalquer ? Amusez-vous à le fabriquer vous-même en suivant les conseils d'un vieil ouvrage ménager daté des années 20.

Raclez des copeaux fins de cire blanche ou jaune et dissolvez-les à froid – et à l'abri de toute source de chaleur – dans de la térébenthine. Enduisez des feuilles de papier blanc sur les deux faces avec le mélange liquide, puis laissez dans un endroit chaud. En séchant, les feuilles vont devenir transparentes.

• Autre recette : mélangez 1 part d'huile de ricin pour 2 parts d'alcool à brûler et enduisez le papier avec ce mélange. Suspendez le papier : à l'air, l'alcool s'évaporera et l'huile séchera.

❀ **Papier parfumé.** Rangez les feuilles de papier dans une boîte au fond de laquelle vous aurez disposé un buvard ou un tissu imprégnés de parfum. Mais attention aux taches grasses : la première feuille se trouvant au contact du buvard risque d'être tachée.

Si vous fabriquez votre papier, ajoutez à la pâte quelques gouttes d'huile essentielle fleurie, fruitée ou épicée.

Personnalisez votre papier en le décorant de fleurs ou de feuilles séchées incrustées ou collées. Jouez les ton sur ton en privilégiant les matières.

TRADITION-HISTOIRE

Le papier mâché

L'art du papier mâché a été inventé par les Chinois au IIe siècle. Ils le fabriquaient avec toutes sortes de chiffons, pilés au mortier dans de l'eau. La pâte durcie et laquée était d'une incroyable solidité. Pour preuve, un casque de guerrier chinois en papier mâché datant de cette période est parvenu intact jusqu'à notre époque. Plus près de nous, cette technique a connu une grande vogue en Occident vers le milieu du XIXe siècle. On l'utilisait pour faire des coffrets, des boîtes, des plumiers. Le papier mâché était toujours laqué en noir, en rouge ou en brun foncé et décoré de petites étoiles, d'applications de nacre ou de chromos naïfs (fleurs...).

On peut trouver encore ce type d'objets décoratifs dans les brocantes, sur les marchés aux puces et chez les antiquaires.

DU BUREAU DE :
AGNÈS SAINT-LAURENT

Chère lectrice,
Cher lecteur,

C'est avec un immense plaisir que je vous écris pour vous féliciter d'avoir acheté le livre SECRETS & ASTUCES D'AUTREFOIS... un livre rempli de bonnes idées et de trucs infaillibles dont se servaient nos grand-mamans. En passant, j'espère que vous aurez autant de chance que les milliers de Canadiens qui ont déjà gagné au-delà de dix millions de dollars en prix. Nous vous préviendrons par courrier si vous vous qualifiez pour un prix.

Maintenant que vous avez reçu ce sensationnel ouvrage, qui porte le sceau de qualité de Sélection, je vous invite à prendre quelques minutes pour en découvrir les caractéristiques.

SECRETS & ASTUCES D'AUTREFOIS vous permet de profiter du meilleur savoir-faire d'antan. Vous y trouverez des saveurs oubliées, vous apprendrez des trucs pour embellir, entretenir, rénover et préserver les objets. Vous découvrirez comment conjuguer santé et beauté et comment tirer le meilleur parti de votre jardin.

Vous détestez la cohabitation avec les araignées ? Placez des feuilles de tomates aux angles des murs. Elles ne supportent pas cette odeur et meurent si elles en inhalent trop.

Voyez la page 45

Nettoyez vos objets en étain avec de la bière. Imbibez-en un chiffon et frottez !

Passez à la page 133

Vous avez le goût de manger du bon sucre à la crème ?

Lisez la page 163

Vous cherchez une idée de cadeau raffinée ? Faites de la confiture de roses !

Regardez à la page 172

Ce superbe ouvrage abondamment illustré vous propose des réponses à vos besoins de tous les jours. Savourez le plaisir de tout réaliser de vos mains. Découvrez comment faire aussi bien et aussi beau qu'hier avec les moyens et les outils d'aujourd'hui. Vous avez souvent tout ce qu'il faut sous la main, car nos grand-mères n'utilisaient que des produits simples et naturels.

Vous verrez, le savoir qui vous y est transmis est facile à mettre en pratique. Vous aurez envie de fabriquer vous-même vos produits de beauté. Une fois que vous aurez concocté un des délicieux petits plats et que les arômes auront embaumé toute la maison, et peut-être réveillé vos souvenirs, vous voudrez tous les essayer.

Ouvrez vite votre livre et vous aurez envie de...

Masquer les fortes odeurs de fromage en plaçant une branche de thym sous la cloche.

Tournez à la page 187

Donner des reflets dorés à votre chevelure en faisant bouillir des pelures d'oignons...

Sautez à la page 207

Confectionner un sachet pour le bain rempli d'herbes aromatiques !

Passez à la page 210

Essayer d'apaiser la sensation brûlante due aux coups de soleil en massant votre peau avec une pomme de terre crue coupée en deux.

Allez voir à la page 237

Vous trouverez des solutions à presque tout ! Vous vous surprendrez vite à les transmettre à votre entourage.

SECRETS & ASTUCES D'AUTREFOIS vous aidera à mieux apprécier le confort d'aujourd'hui grâce aux bons vieux trucs d'hier. Pourquoi vous priver de la sagesse de nos grand-mères qui savaient remédier à tout ?

Amicalement,

Agnès Saint-Laurent
Rédactrice en chef adjointe

DU BON USAGE DU MÉLANGEUR

MODERNE ET PRATIQUE Lorsqu'on fabrique du papier recyclé ou de la pâte à papier mâché, le papier est traditionnellement broyé au mortier, mais il est bien plus facile de se servir d'un mélangeur. Veillez simplement à ne pas surcharger votre appareil et surveillez l'opération. Ôtez le couvercle et examinez la pâte : si elle contient encore des morceaux de papier bien visibles, faites tourner votre mélangeur pendant quelques secondes supplémentaires – pas plus, car plus la pâte est broyée finement, plus elle est fragile.

❀ **Carnet maison.** Utilisez des feuilles de couleur, du papier artisanal ou, mieux encore, des feuilles de votre fabrication. Rassemblez-les en une liasse entre deux feuilles de papier fort ou deux morceaux de tissu, pour la couverture. À environ 5 mm du bord de chaque feuille, trouez des petits points tous les centimètres avec une pointe ou une alêne. Passez ensuite un ruban, du raphia ou une cordelette de soie au point dessus dessous comme une couture et faites un nœud.

• Une autre reliure originale consiste à plier les feuilles par doubles pages, et à coudre chaque double page séparément l'une à côté de l'autre au dos de la couverture. Livre de recettes familiales, livre d'or, album photos, almanach du jardinier, collection de faire-part ou de menus, journal intime, souvenirs de voyage…, toutes les utilisations sont possibles.

❀ **Papier de couleur.** Selon les matériaux utilisés pour fabriquer votre pâte à papier, celui-ci aura évidemment des teintes différentes. L'encre d'imprimerie du papier journal donne un papier sombre. Vous obtiendrez des nuances originales en utilisant les suppléments roses, jaunes ou verts de certains quotidiens.

LE PAPIER RECYCLÉ

Artisanal, écologique, économique, le papier recyclé est aussi raffiné, personnel et unique. Sa confection nécessite certes un matériel approprié et un peu de temps, mais le résultat en vaut la peine. Pensez à cette technique pour vos menus, vos marque-places, vos invitations, vos cartes de vœux, vos cadres, vos reliures…

FOURNITURES

10 doubles pages de journal ou 20 pages de papier de couleur
grande bassine
1 c. à soupe d'amidon
mélangeur
2 planches en bois ou en contreplaqué de 30 x 38 cm
bac de 60 x 40 cm et de 7 cm de haut
papier journal
cadre nu de 23 x 29 cm (la couverte)
châssis tendu d'un tamis métallique ou en nylon fort de 23 x 29 cm
5 morceaux de tissu (mousseline ou coton à fromage) de 24 x 32 cm

1 - Faites tremper le papier en menus morceaux toute une nuit ou faites-le bouillir pendant 30 min dans un faitout. Broyez-le au mélangeur. Versez cette bouillie dans la bassine, à moitié remplie d'eau. Ajoutez l'amidon.

2 - Placez une planche dans le bac. Pliez 3 feuilles de journal en rectangles de tailles croissantes que vous placerez les uns sur les autres sur la planche. Mouillez copieusement et recouvrez d'un tissu.

3 - Mélangez la bouillie de papier. Placez la couverte et le châssis l'un contre l'autre, le tamis vers vous. Raclez le fond de la bassine pour prendre un peu de pâte, que vous répartirez sur toute la surface du tamis.

4 - Ôtez le cadre nu, qui n'est là que pour retenir la pâte encore fluide. Retournez le châssis garni avec précaution, afin de déposer la couche de papier humide sur le tissu placé dans le bac.

5 - Placez un deuxième morceau de tissu sur la feuille de papier et répétez l'opération jusqu'à ce qu'il n'y ait plus de pâte. Vous pouvez ajouter fleurs, feuilles, plumes... sur les feuilles entre chaque couche de tissu.

6 - Quand vous avez terminé les 5 couches de papier, posez la seconde planche sur votre tas de feuilles de papier mouillé. Appuyez bien, pour comprimer le tas et faire sortir l'eau des feuilles.

7 - Ôtez les morceaux de tissu l'un après l'autre avec la feuille de papier collée dessus et mettez-les à sécher sur du papier journal, en plaçant la face tissu contre le journal. Laissez sécher une nuit.

8 - Lorsque les feuilles sont sèches, ôtez-les de leur support de tissu. Vous pouvez repasser les feuilles au fer tiède pour les lisser, mais ce n'est pas indispensable : l'effet irrégulier est décoratif.

Les meubles et objets peints

❀ Les bons pinceaux. Pour tracer les tiges et les filets, préférez un pinceau à poils longs ; en revanche, pour créer d'un seul geste des pétales à l'arrondi parfait, utilisez un pinceau à poils courts. En fait, plus la ligne à tracer est longue, plus longs doivent être les poils.

❀ Peinture à l'éponge. Choisissez une éponge naturelle ou synthétique. Appliquez la peinture sur un fond uni, clair et sec et, sans attendre qu'elle sèche, tamponnez-la avec l'éponge. En absorbant une partie de la peinture, l'éponge laisse un voile de couleur irrégulier très décoratif. Vous pouvez aussi vous servir d'un chiffon froissé et roulé en boule, à condition qu'il soit non pelucheux et sans brins de fil qui risqueraient de coller à la peinture.

❀ Accessoires détournés. Une boule à thé peut être utilisée pour incorporer des pigments à une peinture.
• Un simple fouet de cuisine est très pratique pour bien mélanger les couleurs entre elles.
• Servez-vous d'une assiette de cuisine en plastique (plus pratique que celles en carton) comme d'une palette, pour pratiquer des essais et appliquer des petites touches.

❀ Mouchetis parfaits. Utilisez une vieille brosse à dents pour réaliser des mouchetis. Passez-la légèrement dans la peinture et éclaboussez la surface à peindre en frottant l'index sur les poils. Avec la même technique, un vieux peigne un peu souple permet de projeter des petites taches irrégulières.

Un présentoir à lettres

Si vous ne maîtrisez pas la technique de la peinture sur bois, faites vos preuves sur un petit objet avant de vous lancer dans la décoration d'un meuble. Ce présentoir à lettres orné de volutes réalisées au pochoir est idéal pour débuter. Vous pouvez même réaliser, pour plus de raffinement, du papier à lettres et des enveloppes assorties.

FOURNITURES

présentoir en bois
peinture acrylique bleu pâle en pot
papier-calque
feuilles de papier
feutre
couteau exacto
plaque de découpe
ruban-cache
pinceau à pochoir
peintures acryliques terre de Sienne et rouge en tube
vernis acrylique incolore

1 - Peignez le présentoir en bleu (ou toute autre teinte de votre choix). Laissez sécher. Relevez sur 2 feuilles de papier-calque les formes du fond et du devant du présentoir. Découpez-les.

2 - Dessinez les volutes sur du papier en vous inspirant de la photo ci-dessus. Une fois que vous êtes satisfait du résultat, décalquez-les sur les 2 papiers-calques et évidez-les à l'exacto sur la plaque.

3 - Fixez avec le ruban-cache le pochoir du fond à sa place sur le présentoir. Tamponnez le motif de rouge au pinceau. Laissez sécher. Ombrez avec la peinture terre de Sienne. Laissez bien sécher avant de retirer le pochoir.

4 - Fixez le pochoir de la partie avant. Procédez de la même façon pour passez les peintures rouge, puis terre de Sienne au pinceau. Laissez sécher. Enlevez le calque. Vernissez l'ensemble du présentoir.

Un meuble prendra un aspect ancien par le travail des fonds. Poncez la couche de peinture du fond avant de peindre les motifs, et utilisez avec parcimonie le doré pour rehausser les tons pastel, comme pour cette horloge (en ht). En appliquant d'abord une première couche de couleur, puis une deuxième couche blanche, avant de poncer, vous obtiendrez un dégradé plus prononcé (à dr.).

Les petits meubles insolites comme ce meuble d'angle méritent des motifs plus travaillés, avec des palettes de nuances délicates.

❀ **La peinture au lait.** Autrefois très employée, la peinture au lait, appréciable pour la durabilité et l'intensité des couleurs, est très simple à confectionner. Laissez tourner du lait écrémé à température ambiante, puis filtrez-le dans une passoire afin d'éliminer le petit lait du caillé. Ajoutez un pigment au caillé et remuez avec soin pour le dissoudre. Votre peinture est prête! On trouve dans le commerce des peintures à la caséine (protéine du lait) de très bonne tenue. Attention, la peinture au lait s'applique exclusivement sur un fond mat.

❀ **Des motifs en guirlande.** Pour répéter le même motif sans le trahir, pensez à la technique du pochoir. Il existe des cartons prédécoupés de motifs traditionnels, et même des frises, mais vous pouvez faire vos propres cartons à pochoir. Découpez à l'exacto la forme de votre choix dans du carton huilé spécial. Fixez le carton à sa place sur le meuble ou l'objet à décorer avec du ruban-cache. Appliquez la peinture au pinceau ou à l'éponge. Pour éviter les coulures, enlevez le carton avec précaution uniquement lorsque la peinture est sèche.

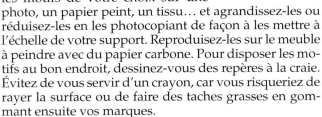

❀ **La patine d'antan.** Pour protéger votre œuvre et lui donner un lustre semblable à celui qu'offre l'âge, cirez-la deux semaines après l'application de la peinture. Utilisez soit de l'encaustique, soit une cire légèrement teintée qui foncera la couleur et lui donnera un air ancien.

❀ **Effet de marbrure.** Pour imiter le fin réseau de veines qui caractérise le marbre, utilisez une plume d'oie mouillée de térébenthine sur du vernis gras. Estompez les lignes avec un blaireau.

❀ **Des motifs lumineux.** Lorsque vous peignez des motifs sur un fond sombre, commencez par peindre les motifs à la peinture blanche et recouvrez-les une fois secs de la couleur de votre choix. Vous obtiendrez un joli effet de transparence.

❀ **Des motifs parfaitement tracés.** Nul besoin d'être un as du dessin pour décorer un meuble. Décalquez les motifs de votre choix sur une photo, un papier peint, un tissu… et agrandissez-les ou réduisez-les en les photocopiant de façon à les mettre à l'échelle de votre support. Reproduisez-les sur le meuble à peindre avec du papier carbone. Pour disposer les motifs au bon endroit, dessinez-vous des repères à la craie. Évitez de vous servir d'un crayon, car vous risqueriez de rayer la surface ou de faire des taches grasses en gommant ensuite vos marques.

❀ **Vieillir un meuble.** Il suffit de passer du papier sablé à grain moyen sur le fond de peinture que l'on a laissé sécher. Pour obtenir un effet crédible, commencez par les angles, les arêtes, les parties en saillie et les endroits en général les plus exposés à l'usure et aux chocs : environs des poignées, barreaux de chaise, accoudoirs de fauteuil… Procédez avec prudence et prenez du recul pour juger de l'effet produit. Si votre fond est constitué de couches de peinture de teintes différentes, vous ferez apparaître, en ponçant, la ou les sous-couches au lieu du bois lui-même.

LES PEINTURES ACRYLIQUES

MODERNE ET PRATIQUE Autrefois, seules les peintures à l'huile étaient jugées appropriées pour peindre des meubles et des objets. Elles nécessitaient l'utilisation d'un apprêt et d'une couche d'impression avant les couches de fond. Il fallait au moins deux semaines pour peindre un meuble. De plus, elles répandaient une odeur terrible et mettaient longtemps à sécher. Aujourd'hui, que ce soit pour les fonds ou les motifs, on peut utiliser des peintures à l'eau qui sèchent très rapidement, ne jaunissent pas et permettent d'obtenir un effet de patine plus réaliste que ne le font les produits à l'huile. Les acryliques en tube, vendues dans les magasins spécialisés, existent dans une très large gamme de couleurs mais il faut savoir que leur rendu est mat. Réservez-les aux motifs, étant donné leur prix.

LUMIÈRE ET CHALEUR

Scintillante, festive, magique est la lumière d'une bougie. Tamisé, doux, intime, l'éclairage d'un abat-jour. Mais rien ne remplace la lueur des braises ou la danse fascinante des flammes. Les charmes du feu tiennent aussi à la chaleur qu'il répand, au crépitement des bûches et à l'odeur si caractéristique du bois qui se consume.

Même sans être allumées, de simples bougies blanches sont décoratives nouées par un ruban.

Les bougies

❀ **Bougies bien rangées.** Stockez vos bougies à plat dans un tiroir à l'abri de la lumière, qui les décolore, et évidemment de la chaleur. Pour les protéger de la poussière, emballez-les par séries, dans du papier de soie blanc ; un papier de soie coloré risquerait de déteindre sur la cire. Vous voulez garder quelques bougies à portée de main ? Placez-les dans un joli panier, au fond duquel vous mettrez un torchon, une serviette ou un napperon, ou nouez-les en fagots avec un ruban.

❀ **Bougies brillantes.** Avec le temps, la bougie s'est ternie sur son chandelier ? Frottez-la délicatement avec un vieux collant en nylon. La cire retrouvera tout son éclat.

❀ **Bougie trop grosse.** Faites tremper la base de la bougie dans de l'eau très chaude avant de l'enfoncer dans le bougeoir. La cire, un peu ramollie, s'adaptera mieux. Vous pouvez aussi acheter dans un magasin spécialisé un taille-bougie qui fera moins de dégâts qu'un couteau, un peu trop prompt à couper la cire...

POURQUOI ÇA MARCHE

LE SEL ANTICOULURES

Peut-être vous a-t-on déjà conseillé de faire tremper une nuit vos bougies neuves dans de l'eau salée ou de déposer un peu de sel fin dans le creux autour de la mèche pour les empêcher de couler ? Ces deux techniques sont efficaces, car la cire fond mais se mélange au sel pour former une masse compacte qui ne devient jamais liquide. C'est bon à savoir lorsqu'on utilise des bougies colorées en décor de table sur une jolie nappe ou qu'on les pose sur un meuble précieux.

❀ **Le fer-blanc.** Pensez à récupérer toutes sortes d'objets en métal ou en fer-blanc, qui peuvent devenir de beaux bougeoirs, ou des lanternes originales. Idéales pour l'extérieur, car la flamme est protégée, les lampes-tempête d'antan sont très décoratives.

❀ **Photophore improvisé.** Un pot de confiture en verre dans lequel vous aurez versé de l'eau à mi-hauteur peut se transformer en photophore, si vous y déposez une petite bougie pour chauffe-plat ou une bougie flottante. Une idée à retenir pour illuminer la maison lors d'une fête : préparez un grand nombre de miniphotophores et déposez-en, ou même suspendez-les, dans toutes les pièces, voire à l'extérieur – dans le jardin le long des allées, sur le rebord des fenêtres... Prévoyez des arrosoirs remplis d'eau pour intervenir rapidement en cas d'accident.

❀ **La bobèche, jolie et pratique.** Posée sur le haut d'un bougeoir, la bobèche est un disque de verre évidé au centre qui empêche la cire de couler. Essayez d'en dénicher des modèles anciens en verre transparent ou coloré, en opaline ou en cristal, et faites-en provision car elles sont fragiles et se cassent facilement. On en trouve sur les marchés aux puces ou chez les brocanteurs.

❀ **Plus de fumée.** Se mouiller les doigts et pincer la mèche pour l'éteindre sans qu'elle fume est efficace mais pas très élégant. Procurez-vous un instrument spécial pour moucher les bougies. Il en existe deux sortes : les mouchettes – ciseaux à bouts plats et larges –, avec lesquelles on pince la mèche, et les éteignoirs – minuscules cônes pourvus d'un long manche –, que l'on pose sur la mèche.

Jouez sur les reflets de lumière en disposant vos bougies groupées, et en les plaçant devant un miroir. Les bougeoirs peuvent être ouvragés et de tailles différentes, mais on peut aussi préférer des bougies suspendues (1) ou encore des bougeoirs en applique (2).

❀ **Jolies bougies gravées.** Tracez le motif de votre choix – cœur, feuille, fleur, larme, étoile, croissant de lune, soleil... – sur la bougie. Gravez-le avec une petite gouge ou le bout d'un couteau économe. Procédez lentement, sans appuyer trop pour ne pas écailler la cire. Enlevez les miettes de cire avec un pinceau. Le résultat sera plus joli si vous utilisez des bougies blanches colorées en surface : le décor blanc se détachera sur fond coloré.

❀ **Bougies roulées.** On en trouve couramment dans le commerce, mais vous pouvez les faire vous-même avec des feuilles de cire d'abeille. Il suffit de rouler une feuille autour d'une mèche en veillant à ce que la mèche soit solidement maintenue dès le premier tour. Pour pouvoir rouler les feuilles de cire sans les fendre, chauffez-les avec un sèche-cheveux.

❀ **Bougie longue durée.** Vous trouvez que vos bougies maison brûlent trop vite ? Ajoutez à la paraffine de la cire d'abeille en paillettes ou en feuilles. Outre le fait qu'elle donne aux bougies un parfum incomparable, cette cire prolonge leur durée de combustion.

❀ **Bougies peintes au pochoir.** Il vous suffit d'une peinture en aérosol et de papier bristol pour donner un air de fête à des bougies toutes simples. Dessinez votre motif sur le bristol et découpez-le à l'exacto. Enroulez le papier sur la bougie et collez-le avec un ruban adhésif ou de la colle. Projetez la peinture à l'intérieur du motif évidé, à une distance de 10 cm pour que la peinture s'applique légèrement. Laissez sécher avant de retirer le papier. Les napperons en papier des gâteaux permettent d'obtenir des motifs très raffinés.

❀ **Bougie parfumée.** Utilisez pour parfumer vos bougies des produits conçus pour cet usage ou des huiles essentielles : rose, lavande, cannelle, oranger... Il n'en faut qu'une dizaine de gouttes pour 1 kg de paraffine. Ajoutez le parfum hors du feu à la paraffine fondue et mélangez avec une cuillère en bois.

❀ **Fruit de lumière.** Coupez une mandarine en deux dans le sens horizontal. Ôtez la pulpe des deux moitiés en laissant la petite tige blanche centrale attachée à l'écorce : elle fera office de mèche. Versez un peu d'huile alimentaire au fond. Découpez un petit rond au centre de la partie supérieure, et replacez ce chapeau sur le fond : vous obtenez une minuscule lanterne à huile.

Des bougies maison

À l'origine, les bougies étaient à base de suif, graisse animale nauséabonde qui brûle vite en dégageant une fumée noire. La cire d'abeille était un luxe. Depuis le XIXᵉ siècle, grâce à la stéarine et à la paraffine, les bougies sont devenues inodores et elles ne fument plus. Leur fabrication est élémentaire. Une fois maîtrisée la technique de base, les possibilités sont illimitées : couleurs, formes, décorations...

FOURNITURES

1 sachet de cire à bougie
2 casseroles de tailles différentes
colorant à bougie en bâton
1 râpe
1 spatule en bois à long manche
mèches
1 long thermomètre
petits moules à pâtisserie ou pots en verre assez épais

1 - Faites fondre la cire dans une casserole au bain-marie. Pendant qu'elle fond, râpez le colorant en bâton au-dessus de votre casserole. Mélangez avec la spatule pour homogénéiser la teinte.

2 - Coupez une mèche à la longueur voulue, en comptant au minimum 1 cm de plus que la hauteur de la bougie que vous voulez réaliser. Trempez-la dans la cire chaude, en la maintenant bien droite. Mettez-la de côté.

3 - Trempez le thermomètre dans la cire : lorsqu'elle atteint 80 °C (175 °F), versez-la dans le récipient choisi. Attendez que la bougie commence à figer pour y enfoncer la mèche, en faisant attention à bien la centrer.

Les abat-jour

✾ **Une multitude de points lumineux.** Dans les maisons d'autrefois, on n'hésitait pas à disséminer des lampes de toutes tailles et de toutes formes un peu partout dans les pièces. Cette multitude de points lumineux produit un effet beaucoup plus chaleureux qu'un éclairage unique au plafond.

✾ **Doublure astucieuse.** Le rouge est une couleur très chaude mais elle absorbe la lumière. Pour être plus lumineux, un abat-jour rouge doit donc être doublé de blanc.
 • Un abat-jour bleu paraît gris en transparence et sa lumière est un peu froide. Vous pouvez casser cet effet en le doublant de blanc ivoire ou bien de blanc cassé d'une touche de jaune.

✾ **Surprenant papier.** Certains papiers artisanaux, comme les papiers faits à la main, les papiers à la matière texturée, le papier de riz, produisent des effets de lumière originaux. Vous pouvez obtenir un bel effet de transparence en utilisant du papier-parchemin, du papier huilé ou du papier-calque. Attention : n'utilisez pas une ampoule trop puissante (40 W maximum).

✾ **Abat-jour du poète.** Réalisez un cône avec un morceau de papier fort. Fermez-le avec des attaches parisiennes (voir ci-contre). Coiffez-en une bougie à l'aide d'un accessoire métallique, que vous trouverez dans les magasins spécialisés. Attention : pour éviter tout accident, ne quittez pas la pièce quand la bougie est allumée.

✾ **Joli ensemble.** Si vous voulez coordonner un abat-jour à un pied de lampe, ornez-les tous deux d'un même motif que vous peindrez au pochoir. Vous pouvez choisir la même couleur ou peindre le motif du pied de lampe de la couleur de l'abat-jour et le motif de l'abat-jour de la couleur du pied de lampe.

✾ **Broderie ancienne.** Si vous possédez un drap chiffré ancien, trop abîmé pour être utilisé, récupérez la partie brodée et servez-vous-en pour réaliser un abat-jour, qui aura aussi bien sa place dans une chambre à coucher qu'au salon.

Animez un abat-jour en papier en y découpant au couteau exacto des motifs après les avoir tracés au crayon, mais sans les découper totalement. Une fois la lampe allumée, la lumière passera à travers les entailles et accentuera l'effet de relief.

✾ **Parure rétro.** Amusez-vous à transformer un abat-jour uni dont vous êtes lassé en y collant quelques fleurs soigneusement découpées dans un échantillon de papier peint à l'ancienne ou dans des chromos dénichés au marché aux puces (angelots, fleurs, papillons, pères Noël…).

❀ Des p'tits trous… Si vous réalisez vous-même votre abat-jour en papier ou en carton, il peut être très décoratif d'utiliser un emporte-pièce, un poinçon ou une grosse aiguille à canevas pour pratiquer des trous minuscules, laissant filtrer la lumière par endroits. Vous pouvez border de cette manière un abat-jour festonné, souligner des plis, dessiner des motifs ou tracer des lignes circulaires et régulières autour de l'abat-jour. Vous serez surpris par le résultat de cette technique on ne peut plus simple !

❀ Motifs à la machine à coudre. Avec l'aiguille de votre machine, vous pouvez faire des dessins composés de petits trous. Il vous suffit de tracer votre motif au crayon et de faire ensuite la couture à la machine, sans fil, en suivant ce tracé. Si vous ne souhaitez pas de motif ajouré, vous pouvez obtenir un joli effet de piqûre en employant un fil blanc ou de couleur.

❀ Remplacer un vieil abat-jour. Découpez soigneusement avec un couteau exacto l'ancien habit de votre abat-jour, et servez-vous-en comme patron. Placez-le sur la matière choisie : papier épais, carton, tissu… Commencez par vous exercer avec un modèle simple à exécuter, de petite taille, et préférez un matériau peu coûteux (il vaut mieux éviter le tissu au début…).

Taillez la forme avec l'exacto ou des ciseaux bien aiguisés, en laissant 1 cm en plus de chaque côté pour pouvoir coller. Placez-la sur la carcasse, que vous aurez pris soin de dépoussiérer, et collez les bords l'un sur l'autre avec de la colle blanche. Repliez ensuite les débords en haut et en bas et collez-les.

❀ Ménage facile. En tissu ou en papier, les abat-jour prennent facilement la poussière à cause de la chaleur dégagée par l'ampoule. Nettoyez-les régulièrement en utilisant une brosse à poils souples. Pour un abat-jour plissé ou froncé, servez-vous de votre sèche-cheveux, c'est très pratique.

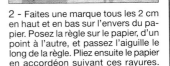

UN ABAT-JOUR PLISSÉ

Éternellement à la mode, l'abat-jour plissé est facile à réaliser et se prête à toutes sortes de décors, qu'ils soient citadins ou rustiques, naturels ou raffinés. Il suffit seulement de bien choisir le papier – uni, à rayures, fleuri – et le lien qui maintient le plissé – simple cordelette de coton ou précieux ruban de velours.

FOURNITURES

papier assez épais (papier peint, par exemple)
ruban à mesurer
ciseaux
règle
crayon
aiguille à tapisserie
perforatrice
ruban adhésif double face
ruban adhésif normal
1 lien de votre choix

1 - Coupez une bande de papier dont la largeur doit compter 5 cm de plus que la hauteur de la carcasse d'abat-jour, et dont la longueur doit être le double de la circonférence du bas de la carcasse.

2 - Faites une marque tous les 2 cm en haut et en bas sur l'envers du papier. Posez la règle sur le papier, d'un point à l'autre, et passez l'aiguille le long de la règle. Pliez ensuite le papier en accordéon suivant ces rayures.

3 - Tracez un trait horizontal à 1 cm environ du bord et faites des trous le long de cette ligne, au milieu de chaque pli. Fermez le cylindre en collant les bords l'un sur l'autre avec du ruban adhésif double face.

4 - Enroulez un peu de ruban adhésif normal au bout de la cordelette pour faciliter son passage dans les trous. Serrez la cordelette aux dimensions du haut de l'abat-jour et nouez-la. Enlevez le ruban adhésif.

Le feu de bois

❀ Leçon de patience. Autrefois, lorsqu'on coupait le bois à la campagne, on savait qu'il fallait au moins un an avant qu'il soit bon pour le feu. Le bois vert contient après abattage jusqu'à 48 % d'eau, alors qu'il n'en contient plus que 25 % au bout d'un an. Actuellement, lorsqu'on commande du bois de coupe, il est souvent encore vert et, comme il n'a pas assez séché, il brûle mal et dégage une fumée abondante et piquante. Attendez donc une année avant de faire feu de tout bois !

❀ Allumage. Certains possèdent l'art d'allumer un feu, d'autres non... Mettez toutes les chances de votre côté : pensez à ôter régulièrement les cendres de l'âtre. S'il y en a trop, elles asphyxient le feu, en empêchant l'air de circuler. Lorsque vous amorcez le feu avec du papier journal, roulez-le en boules mais ne les serrez pas trop. Procurez-vous également du petit bois (par exemple des croûtes de bois). Vous pouvez aussi penser à faire provision de brindilles et de pommes de pin. Mises à sécher dans un sac de jute ou une grosse corbeille ronde, près de la cheminée – à l'abri des flammèches –, elles vous seront d'un grand secours et donneront un air champêtre à votre feu de foyer. Laissez toujours de l'air entre les bûches pour attiser la combustion.

❀ Sarments de vigne. Si vous avez la chance d'habiter une région viticole, faites comme nos cousins français en recueillant les sarments à l'automne. Liez-les en fagotins et ajoutez-les à votre provision de bois. Ils vous serviront pour allumer le feu et pour vos grillades, auxquelles ils donneront une succulente saveur.

LES BÛCHES ARTIFICIELLES

MODERNE ET PRATIQUE Composées de sciure agglomérée et de produits permettant un allumage facile et une combustion lente (ces bûches brûlent pendant environ une heure et demie), les bûches artificielles sont vendues à l'unité dans les stations-service et dans les grandes surfaces de bricolage. Elles offrent l'avantage d'être légères et de brûler avec de belles flammes.
Elles constituent une solution bien pratique, surtout en ville, où le bois est difficile à stocker. À la campagne, il faut aussi en avoir une petite provision pour les flambées improvisées. Avec elles, plus de problèmes dus à un bois trop humide ou trop vert, qui refuse de prendre. Seul inconvénient : leur prix assez élevé.

Autrefois le foyer de la cheminée était la seule source de chauffage dans la maison. Très grandes, l'âtre à même le sol, ces cheminées gardent tout à fait leur utilité et leur esthétique dans les maisons rustiques.

Les accessoires de la cheminée sont aussi utiles que décoratifs : les chenets pour faire circuler l'air sous les bûches, la pince pour rassembler les braises, le soufflet pour activer le feu, la pelle pour ramasser les cendres.

TRADITION-HISTOIRE

Bois de pommier, bois de rentier

Autrefois, les paysans normands possédant des vergers de pommiers ne touchaient pas à ces arbres, qui pouvaient rapporter plus d'argent que le bois de chauffage par les fruits qu'ils produisaient et le cidre qu'on en tirait. Mais comme il fallait attendre un certain temps avant qu'un pommier ne fructifie, les propriétaires des arbres devaient avoir suffisamment d'argent de côté ou des rentes pour vivre – d'où l'expression...

❀ Bois dur et bois mou. Les conifères, ainsi que le tilleul, le tremble, le saule et le peuplier sont considérés comme étant des bois mous et sont utilisés pour faire une petite attisée afin de réchauffer la maison. Par contre, lorsque l'hiver sévit et que l'on doit chauffer davantage, il vaut mieux utiliser du bois dur – que l'on nomme également bois franc – qui se consume plus lentement et donne davantage de chaleur, tel l'érable, l'orme, la plaine, le chêne, le hêtre, le merisier et le bouleau jaune.

❀ Raviver le feu. Il vous suffit de lancer une poignée de gros sel sur un feu un peu languissant pour le voir repartir. Si vous souhaitez réduire des flammes un peu trop vives, pour un barbecue par exemple, le gros sel fait aussi l'affaire.

Dans un décor citadin, le feu de bois apporte un petit air de vacances à la campagne.

❉ Le bon vieux poêle. Dans un espace où il n'est pas possible ou trop coûteux d'installer une cheminée, les poêles à l'ancienne constituent une solution à la fois esthétique et pratique. Il faut seulement veiller à ce qu'il y ait une source d'approvisionnement en bois ni trop éloignée, ni trop coûteuse et pouvoir entreposer ce bois d'une manière rationnelle et pratique. Quitte à investir un certain prix, il vaut mieux rechercher les poêles de la nouvelle génération, à combustion lente, conçus pour procurer le maximum de chaleur avec le minimum de bois, grâce à une combustion presque intégrale des suies et des goudrons.

Repousse-braises en terre vernissée.

POURQUOI ÇA MARCHE

LA CENDRE DE BOIS UTILE AU JARDINIER

Si vous avez un jardin, on vous a sans doute conseillé de ne pas jeter les cendres de votre cheminée et d'en faire profiter vos plantes (en très petites quantités). La cendre est bénéfique au jardin car elle contient les sels minéraux accumulés par l'arbre au cours de sa croissance, principalement des carbonates de calcium, potassium (15% environ) et magnésium, ainsi que des phosphates (8% environ) et des oligoéléments. Sa composition est donc celle d'un véritable engrais (presque) complet doublé d'un amendement calcique.

❉ Quand le bois crée le décor. Pourquoi ne pas installer votre réserve de bois dans la maison, à côté de la cheminée? Pensez-y si vous faites réaliser une cheminée sur mesure: prévoyez un espace de rangement soit entre le sol et la cheminée, soit sur le côté de l'âtre, où vous entreposerez le bois. Vous pouvez aussi imaginer une sorte de bibliothèque à bois – un coffrage où les bûches, rangées régulièrement, apporteront une note chaude et naturelle dans la pièce. Seule contrainte: la réserve doit être constamment renouvelée et en ordre pour rester décorative.

❉ Feu odorant. Pour embaumer votre pièce de séjour, préférez les bois résineux, qui répandent une odeur épicée.
- Le bois flotté que l'on ramasse sur les rivages après les marées d'équinoxe brûle merveilleusement, en répandant autour de lui une odeur iodée, salée, qui évoque la mer d'où il vient.
- Faites-vous des guirlandes de laurier en enfilant les feuilles sur de la ficelle de cuisine. Attachez-les aux allume-feu pour remplacer leur odeur désagréable par un parfum naturel.
- Si vous avez du romarin, de la lavande et du thym dans votre jardin, au lieu de jeter les brindilles sèches, ramassez-les et mettez-les dans le feu.
- Versez quelques gouttes d'huile essentielle sur votre provision de pommes de pin.

Les dangers de l'âtre

Tous les ans, de très graves brûlures sont occasionnées par des imprudences commises au moment de l'allumage. On ne rappellera jamais assez qu'il est excessivement dangereux d'utiliser de l'alcool à brûler ou de l'essence pour allumer un feu. N'y recourez jamais et, si vous utilisez des allume-feu, rangez-les hors de la portée des enfants.

Il ne faut jamais – même pour quelques instants – laisser des enfants sans surveillance à côté d'un feu de cheminée, et il est important de leur apprendre très tôt à garder une certaine distance par rapport aux flammes, qui les fascinent.

TRADITION-HISTOIRE

Le métier de ramoneur

Sous le Régime français, la qualité première de celui qui exerçait ce métier était d'être petit puisque l'on chauffait et on cuisinait dans l'âtre. La pratique voulait donc que le ramoneur descende dans la grande cheminée pour décrasser les parois de la suie qui y adhérait. Pour terminer le nettoyage, il se servait d'une petite gratte et d'un balai de branchettes d'arbres. À cette époque, la plupart des ramoneurs de Québec et de Montréal venaient de la Savoie et débutaient à l'âge de treize, quatorze ans. On les dénommait Monsieur Suie.

Sous le Régime anglais, comme on ne pouvait plus faire venir de jeunes Savoyards, on commença à ramoner les cheminées à l'aide de poids et de grattes. À partir de la fin du XVIIIe siècle, lorsque le poêle remplaça l'âtre, la pratique du ramoneur fut modifiée puisque l'on construisait alors de plus petites cheminées. Le ramoneur ne pouvant plus y pénétrer, on utilisa la méthode de ramonage avec un sapin. Pour ce faire, un premier homme montait sur la toiture et se plaçait debout sur le chapeau de la cheminée tandis qu'un autre se tenait à la cave. On tirait alternativement sur les bouts d'une corde, promenant ainsi de haut en bas dans la cheminée un sapin introduit par la tête et lesté d'une pierre. Par la suite, le ramoneur prit l'habitude de nettoyer les cheminées en y faisant tournoyer une chaîne et en utilisant des brosses.

Roulez des feuilles de fougère en boules. Attachez-les avec de la ficelle. Laissez sécher. Vous obtenez des allume-feu naturels et originaux.

Aujourd'hui décorative, la crémaillère permettait de régler la hauteur de la marmite par rapport aux flammes.

❂ **Un pare-feu original.** Réalisez vous-même votre pare-feu. Achetez de la toile métallique perforée (couleur métal ou cuivre), au maillage suffisamment serré pour ne pas laisser passer de flammèches, et faites-la découper en trois rectangles de même dimension. Pour assembler les trois panneaux sans soudure, faites passer des anneaux métalliques brisés par les trous de la toile métallique. Les anneaux doivent être assez larges pour permettre l'articulation des panneaux.

La technologie moderne renoue avec la tradition, et l'on voit de plus en plus de poêles à l'ancienne, dont les lignes peuvent être massives ou très légères et élégantes.

MAGIE DES TRAVAUX D'AIGUILLE

C'est petites filles que nos grands-mères se sont initiées à la broderie et à la couture. Pas étonnant qu'elles aient acquis au fil du temps un savoir-faire incomparable. Bénéficiez des astuces qu'elles ont ainsi réunies pour décorer votre intérieur d'objets brodés main ou encore pour confectionner vos rideaux.

La broderie

❋ **Bon début.** Débutez toujours un ouvrage – spécialement s'il est au point de croix – par le milieu, afin que votre broderie soit parfaitement centrée.

❋ **Reproduire un motif.** Dessinez le motif de votre choix sur le tissu avec un feutre spécial tissu, qui s'efface ensuite à sec ou à l'eau. Si votre ouvrage est long à réaliser, choisissez un marqueur à encre soluble à l'eau : vous ne risquerez pas de voir votre dessin s'effacer en cours d'exécution.

Votre tissu est fragile et vous avez peur que le feutre ne laisse des traces ? Reportez votre dessin sur du papier de soie. Préférez un crayon de couleur (vert, rouge, bleu), plus visible qu'un crayon noir, pendant que vous brodez. Fixez le papier sur le tissu aux quatre coins, puis cousez le motif à petits points de bâti, en prenant soin de prendre les deux épaisseurs, étoffe et papier à la fois. Il vous suffira ensuite d'ôter le papier de soie pour avoir votre motif tracé sur le tissu.

❋ **Broder sur un tissu à tissage non régulier.** Difficile de broder sur une étoffe dont la trame n'est pas visible. Placez sur la zone à broder un morceau de tissu tire-fil ou de canevas et faufilez-le. Brodez votre motif en vous servant du canevas comme guide. Lorsque la broderie est terminée, tirez un à un les fils du canevas. Ils s'ôteront plus facilement si le canevas est légèrement humidifié.

La broderie a sa place partout : en tableau pour ce superbe abécédaire-bestiaire, en protège-livre et en applique sur un abat-jour (1), en porte-plateau de toile orné de motifs naïfs (2), en petites serviettes pour service à thé fleuri (3).

❋ **Regrouper tous les fils d'un ouvrage.** Chaque fois que vous commencez un ouvrage, fabriquez-vous un nuancier : découpez un rectangle dans du carton fort (type bristol). Perforez-le de petits trous à intervalles réguliers. Nouez-y tous les écheveaux. Pensez à noter, à côté de chaque fil, la référence de la couleur. Conservez tous vos nuanciers. Cela vous permettra de retrouver facilement le fil dont vous aurez éventuellement besoin pour réparer un ouvrage ancien.

Chauffe-théière au point de croix au motif très ouvragé.

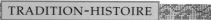

❀ **Des cœurs très utiles.** Si vous n'êtes pas encore spécialiste en la matière, essayez-vous en brodant un petit cœur rembourré qui sera à la fois décoratif et utile, puisqu'il servira à y piquer vos épingles. Ainsi vous les aurez toujours sous la main.

❀ **Pas d'aiguillées trop longues.** Ne coupez pas de très longues aiguillées en pensant gagner du temps. C'est la meilleure façon de faire des nœuds dans le fil et d'être malhabile à cause de l'amplitude du geste. Une quarantaine de centimètres est la meilleure longueur.

❀ **Broder avec un tambour.** Pour protéger les parties déjà brodées qui se trouvent coincées entre les deux cercles de bois du tambour, pensez à recouvrir votre étoffe d'une feuille de papier de soie. Déchirez le papier au centre du tambour pour broder.

Prenez également la précaution de détendre légèrement les cercles si vous laissez votre ouvrage de côté pendant plusieurs jours.

❀ **Passer en douceur d'un coloris à un autre.** Pour éviter une rupture trop brutale entre deux coloris très différents, mélangez les nuances comme le fait un peintre. Faites chevaucher chaque rangée en intégrant à chaque coloris quelques points du coloris voisin.

UN SAC FLEURI EN TAPISSERIE

Avec de la patience et du temps, vous broderez ce sac raffiné, dont le motif est photocopié sur un tissu imprimé. Vous pouvez bien sûr choisir le tissu de votre choix.

FOURNITURES

0,56 m de tissu (ici tissu Chantilly de Pierre Frey) : 1 bande de 45 x 68 cm pour la doublure du sac 2 bandes de 5,5 x 68 cm pour les anses
feuille de calque
ruban adhésif
règle plate
canevas de 45 x 68 cm
feutre noir
métier à broder rectangulaire
laines à tapisserie dans les coloris du tissu
aiguille à tapisserie à bout rond
des ciseaux pour la coupe et des ciseaux à broder
fil à coudre assorti

1 - Faites une photocopie en noir et blanc du tissu imprimé que vous avez choisi de reproduire. Ici, le motif a été agrandi à 125 % et centré dans la feuille, en tenant compte des dimensions finales du sac : 43 x 33 cm.

2 - Fixez le calque sur la photocopie avec du ruban adhésif et copiez le motif. Tracez les lignes droites du fond écossais à la règle. Noircissez les zones foncées pour rendre votre motif plus lisible.

3 - Avec l'adhésif, fixez le calque sur une vitre, puis fixez le canevas par-dessus. Reproduisez au feutre le dessin visible par transparence, deux fois tête-bêche l'une en-dessous de l'autre pour les deux côtés du sac.

4 - Fixez le canevas sur le métier à broder. Brodez au demi-point en commençant par le motif central. Inspirez-vous du tissu original pour le choix des couleurs, en utilisant deux tons pour faire les dégradés.

5 - Pour les anses, brodez des bandes rayées de 3,5 x 68 cm (laissez 1 cm de marge pour les coutures). Doublez chaque bande avec le tissu dont vous vous êtes inspiré en les cousant à petits points invisibles.

6 - Repassez la broderie sur l'envers. Cousez les deux côtés du sac brodé. Cousez les deux côtés de la doublure. Puis placez les anses et assemblez le sac et sa doublure en les cousant ensemble l'un dans l'autre.

❀ Remise en forme.
Votre ouvrage fini, vous vous apercevez que la broderie a déformé l'étoffe ? Humidifiez-la avec un vaporisateur, puis punaisez-la, broderie à l'envers, sur du contreplaqué léger, un peu plus grand que le tissu et recouvert d'une mousseline (pour que le bois ne déteigne pas). Vérifiez que l'étoffe est bien d'équerre. Laissez sécher : l'ouvrage redeviendra droit.

Brodez sur de la toile de jute : sa trame apparente facilite la réalisation de motifs bien réguliers.

❀ Ranger les fils à broder. Pour ne pas mélanger tous vos fils, optez pour un rangement adéquat :
• Fabriquez-vous une petite trousse en tissu, un peu comme celle pour les couverts (p. 130), en miniature, mais laissez les compartiments ouverts aux deux extrémités pour y glisser chaque écheveau.
• Comme le font parfois les stylistes de linge de maison, pensez à ranger vos fils par couleurs dominantes dans des bocaux transparents, posés sur des étagères.
• Procurez-vous un petit meuble à tiroirs en bois. Attribuez une couleur à chaque tiroir. Indiquez les teintes sur des étiquettes, ou nouez un brin de fil coloré à chaque poignée.

❀ Prévenir les accidents de lavage. Si vous n'avez pas envie de laver le tissu sur lequel vous allez broder, assurez-vous au moins qu'il ne rétrécit pas. Coupez-en un petit carré dont vous relèverez les contours sur du papier. Trempez-le dans l'eau chaude, puis repassez-le ; appliquez-le sur le papier, pour voir s'il a toujours les mêmes dimensions. Si elles ont variées, tenez-en compte pour calculer celles de l'étoffe.

❀ Laver une broderie. Lavez toujours une broderie à la main en utilisant une lessive spéciale pour textiles délicats. Ne tordez surtout pas le tissu pour l'essorer : roulez-le plutôt dans une serviette-éponge et pressez-le pour en faire sortir l'eau.

Ce magnifique panneau d'angle en broderie ton sur ton constitue un décor très raffiné. Si vous placez ainsi une broderie de grande superficie en tenture, doublez-la soigneusement avec une étoffe épaisse pour lui donner de la tenue.

Les rideaux

❋ **Brise-bise de campagne.** Pour une cuisine campagnarde, utilisez un tissu d'inspiration champêtre ou même carreauté pour la confection de vos rideaux. Lavez-le avant de le coudre afin d'éviter qu'il ne rétrécisse par la suite.

❋ **Effet froissé.** Certains textiles une fois lavés – c'est le cas en particulier du coton à fromage – présentent un aspect froissé très décoratif. Si vous choisissez ce type de voilage, prévoyez un métrage plus important que pour un tissu lisse, car les plis mangent non seulement de la largeur, mais aussi de la longueur.

❋ **Voilages colorés.** Vos voilages blancs sont devenus gris ? N'hésitez pas à les teindre. S'il s'agit de voilages en coton, vous pouvez leur donner une teinte ambrée en les trempant dans une décoction de thé, de café, de chicorée ou de tilleul. Une décoction au henné, habituellement employé pour teindre les cheveux, donne une teinte brun-rouge intéressante. S'il s'agit de voilage en textile artificiel, utilisez une teinture pour nylon.

❋ **Amidonnage à l'ancienne.** Nos grands-mères amidonnaient leurs beaux voilages ajourés et leurs doubles rideaux, à la fois pour leur donner de la tenue (voir ci-contre) et pour les protéger de la poussière. Restez dans la tradition en diluant de la poudre d'amidon dans l'eau du dernier rinçage. Autre solution plus économique : rincez vos rideaux dans l'eau de cuisson du riz.

❋ **Accrocher sans repasser.** Une fois votre voilage lavé et essoré, accrochez-le tout de suite à la fenêtre. Le poids du tissu mouillé le fera se tendre sans plis et il sera inutile de le repasser.

❋ **Les bons calculs.** Quel que soit le tissu choisi, le rideau une fois posé doit mesurer au moins une fois et demie la largeur de la fenêtre. Il vaut mieux choisir un tissu un peu moins coûteux et avoir suffisamment de largeur plutôt que d'avoir des rideaux ajustés un peu court sur les côtés.

• Pour créer l'illusion d'une fenêtre plus grande, faites déborder le rideau et sa tringle sur le mur de chaque côté de la fenêtre.

❋ **Des embrasses en ficelle.** Les embrasses permettent beaucoup de fantaisie dans le mouvement des rideaux. Vous pouvez les faire vous-même, par exemple en tressant de la ficelle, du raphia ou des rubans.

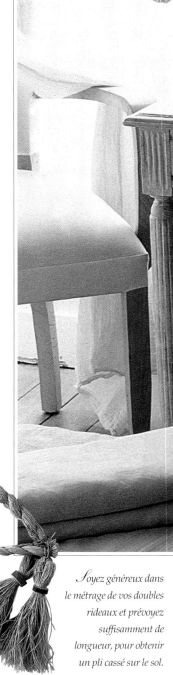

Soyez généreux dans le métrage de vos doubles rideaux et prévoyez suffisamment de longueur, pour obtenir un pli cassé sur le sol.

❋ Rideaux de fête. À l'occasion d'une fête familiale ou pour une réception, tressez des fleurs naturelles ou artificielles sur une embrasse de rideau. Les fleurs artificielles sont plus faciles à travailler grâce à leur longue tige flexible.

❋ Récupérer un drap brodé. Les draps en coton, en lin ou en métis de nos aïeuls font de très beaux rideaux. Découpez le monogramme ou la broderie. Retaillez le drap aux dimensions de votre fenêtre, en prévoyant plus large pour coudre des lanières de chaque côté, que vous nouerez en embrasses. Taillez dans les chutes de quoi coudre des pattes pour y glisser la tringle. Cousez le monogramme au centre.

LES ACCESSOIRES POUR TÊTES DE RIDEAUX

MODERNE ET PRATIQUE Comme nous disposons de moins en moins de temps pour les petits travaux de couture, les fabricants nous facilitent la vie en nous proposant toute une gamme d'accessoires. Les rubans fronceurs munis d'agrafes ont été des précurseurs. Mais connaissez-vous les nœuds qui permettent de fixer des anneaux sans un point de couture, par un système rappelant les attaches de porte-jarretelles de nos grands-mères ? Ou bien encore les anneaux munis d'une petite pince en métal, très pratiques pour attacher un tissu léger ? Faites le tour des merceries et des rayons spécialisés des grands magasins…

❋ Ôter facilement les anneaux. Attachez les anneaux sur le tissu à l'aide d'une patte fermée par un bouton, au lieu de les coudre directement sur le tissu. Au moment du lavage, il suffira de la déboutonner, sans avoir à découdre chaque anneau. Vous pouvez aussi coudre deux liens au milieu des plis et attacher les anneaux par un nœud.

La courtepointe est un travail de patchwork et de surpiqûres, traditionnel dans l'est de l'Amérique du Nord. Il existe de nombreux modèles aux noms tous plus évocateurs – fleur de givre, étoile de l'amitié, coquille. Ici, « Cabane de rodins » québécoise de Louise Fleury Bourassa.

Des doigts de fée

⚘ **Du quotidien au folklore.** L'industrialisation du Québec contemporain et l'ascension des femmes vers le marché du travail ont eu pour effet de reléguer au folklore les travaux manuels qui faisaient pourtant partie du quotidien de nos grands-mères. Ces dernières se devaient de contribuer, par leur savoir-faire, à garnir la maison et à habiller toute la marmaille à peu de frais, et ce, par souci d'économie. La connaissance de la couture, du tricot, du tissage et des fantaisies de la dentelle, lorsque le temps le permettait, faisait partie des atouts de ces femmes qui, pour plusieurs, avaient littéralement des doigts de fée.

⚘ **Les Cercles de fermières : lieux de transmission.** Les Cercles de fermières sont des associations locales qui, avec plus de quatre-vingts ans d'expérience, offrent des ateliers et des conférences pour l'acquisition de techniques manuelles relatives, entre autres, aux arts domestiques. Ils contribuent toujours à transmettre et à renouveler le savoir-faire des artisanes québécoises grâce à des rencontres mensuelles et à la *Revue des Fermières* qui présente des patrons et leurs techniques.

Utilisé en jeté de lit, ce somptueux quilt (piqué) traditionnel blanc sur blanc rappelle ceux que l'on offrait autrefois en cadeau de mariage.

⚘ **Récupérer pour se garder bien au chaud.** Dans le Québec rural, jusqu'au milieu du XXe siècle, les femmes confectionnaient des couvertures en récupérant des retailles de tissus. La catalogne (métier, ci-contre) est une étoffe que l'on fabrique au métier en assemblant une trame de tissus aux couleurs variées sur une chaîne de coton.

On retrouvait cette technique en particulier sur la Côte-de-Beaupré et à l'île d'Orléans. La courtepointe, pour sa part, est fabriquée grâce à l'assemblage de morceaux de tissus de différentes couleurs. On retrouvait cette technique dans les régions densément peuplées d'immigrants irlandais.

⚘ **La dentelle : un luxe agréable.** La dentelle est l'art de créer un tissu ajouré, destiné à l'ornementation, avec des fils fins tels la soie, le lin ou le coton. Plusieurs outils peuvent être employés : l'aiguille, les fuseaux, le crochet, la navette pour la frivolité ; la broche pour les tricots ; le métier pour le canevas ; et les doigts pour le macramé. Ce savoir-faire venu des vieux pays s'est quelque peu perdu de nos jours. Seules quelques habiles artisanes savent encore fabriquer de fines dentelles. Mais ne désespérez pas d'apprendre car certains centres de loisirs offrent cette activité à leur programme. Vous pourrez ainsi mettre une touche de finesse à votre décor !

TRADITION-HISTOIRE

La dentellière

L'art de la dentelle s'est transmis au Québec grâce aux communautés religieuses, entre autres celle des Ursulines qui enseignait aux jeunes filles de la classe aisée. On y apprenait la dentelle aux fuseaux au même titre que la broderie et le tricot. Le musée des Ursulines de Québec en conserve de précieux témoins. Les religieuses de l'Hôtel-Dieu, de même que les Sœurs de la Charité, ont également conservé de magnifiques pièces. Ici, une artisane de la forteresse de Louisbourg en train de faire une démonstration de dentelle aux fuseaux.

CES OBJETS QUI ONT UNE ÂME

Ce sont souvent des souvenirs de famille, des objets anciens dénichés aux Puces ou ailleurs, que l'on aime parce qu'ils portent en eux le souvenir des années. Que ce soient la vaisselle et l'argenterie des grands jours, la bassine en cuivre pour les confitures ou la vieille théière en étain, ou bien encore cette bague reçue d'une aïeule, ce portrait un peu abîmé ou ce livre à la couverture patinée : ils méritent nos soins et notre attention.

L'argenterie

❀ Faire briller des objets en argent. Nos grands-mères se servaient du blanc d'Espagne, ou blanc de Meudon (c'est le même produit, sous deux appellations différentes), délayé dans quelques cuillerées d'eau ou d'alcool à brûler.

Utilisez une brosse souple pour les motifs ciselés. Laissez sécher et faites briller avec une peau de chamois. S'il subsiste du blanc dans les parties ciselées, frottez-les avec une brosse trempée dans de l'alcool.

❀ Le lait et l'argent. Une très vieille recette qui a fait ses preuves : trempez vos objets en argent dans du lait aigre (lait caillé). Laissez sécher sans rincer et faites ensuite briller en frottant avec un chiffon.

❀ Une trousse pour les couverts. L'air est l'ennemi des objets en argent. Fabriquez-vous une jolie housse pour garder vos couverts brillants. Coupez deux rectangles de tissu de 35 x 70 cm, et un rectangle de feutrine antioxydante de 17 x 72 cm. Posez la feutrine sur le premier rectangle de tissu, et cousez des lignes verticales tous les 6 cm, de façon à former les poches. Appliquez les deux rectangles envers contre envers, et cousez un biais à cheval sur tout le tour. Cousez une fine cordelière à chaque côté de la trousse, pour la fermer.

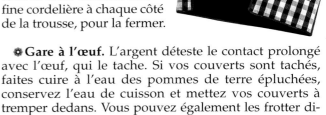

❀ Gare à l'œuf. L'argent déteste le contact prolongé avec l'œuf, qui le tache. Si vos couverts sont tachés, faites cuire à l'eau des pommes de terre épluchées, conservez l'eau de cuisson et mettez vos couverts à tremper dedans. Vous pouvez également les frotter directement avec la pulpe de pomme de terre cuite mélangée à du liquide à vaisselle. Rincez bien.

❀ Des gants pour l'argent. Pour faire briller l'argent, rien de plus pratique que des gants imprégnés de produit à brillanter. On en trouve dans le commerce mais vous pouvez les fabriquer vous-même. Faites tremper des gants en coton blanc dans un mélange de vaseline (1 part) et d'essence minérale (5 parts). Laissez-les sécher.

ATTENTION ! *Réargenter du métal argenté*

N'employez les produits pour réargenter que sur des objets décoratifs et surtout pas sur des couverts. La couche de réargenture est en effet si mince qu'un usage alimentaire risque d'entraîner une disparition progressive des particules chimiques dans l'organisme. Si vous voulez réargenter des couverts ou tout autre objet à usage alimentaire, confiez-les à un spécialiste, qui vous rendra votre métal argenté comme neuf et sans danger pour votre santé.

Le cuivre et le laiton

❀ **Une pâte nettoyante.** Préparez une pâte un peu crémeuse en mélangeant 3 cuillerées à soupe de cendre de bois et 2 cuillerées de jus de citron. Frottez l'objet avec une éponge trempée dans ce mélange. Laissez sécher. Rincez, laissez sécher et faites briller avec votre produit habituel.

❀ **Vin chaud pour cuivres dorés.** Certains objets anciens en cuivre doré, à la belle patine sourde, doivent être entretenus avec précaution pour les lustrer sans les faire trop briller. Faites-les tremper dans du vin chaud (préférez le bordeaux car il est très riche en tanins, bons pour l'éclat du cuivre). Frottez-les avec une brosse douce pour éliminer la saleté. Rincez à l'eau claire.

❀ **Cuivres ciselés.** Préparez une pâte à base de blanc d'Espagne (15 g ou 1/2 oz), de cristaux de soude (5 g ou 1/5 oz), d'alcool à brûler (40 g ou 1 1/2 oz) et d'eau (125 ml ou 1/2 tasse). Passez cette pâte sur l'objet avec un pinceau souple, pour bien pénétrer dans les ciselures. Laissez sécher. Faites disparaître les dernières traces blanches en passant du jus de citron pur sur les ciselures, puis rincez à l'eau tiède.

❀ **Décapants peu ordinaires.** Les boissons gazeuses à base de cola et le vermouth blanc peuvent être utilisés comme décapants pour des cuivres très oxydés.

❀ **Bain de soleil.** À la belle saison, une fois que vous aurez nettoyé et bien fait briller tous vos cuivres, installez-les sur une table en plein soleil, pendant toute une journée. Ils prendront un bel éclat chaud et doré.

Une fois votre objet en cuivre bien poli, passez dessus une fine couche d'encaustique claire, à base de cire d'abeille et d'huile de térébenthine. Laissez sécher toute une nuit, puis lustrez au chiffon de laine. Le brillant sera plus durable.

❀ **Joli brillant.** Si vous frottez votre objet en cuivre ou en laiton avec du papier journal, vous obtiendrez un brillant incomparable. C'est le pétrole contenu dans l'encre d'imprimerie qui nettoie le métal et le fait briller en même temps.

• Pendant la saison de l'oseille (du printemps jusqu'à l'automne), utilisez quelques feuilles d'oseille fraîches que vous roulerez en boule afin de frotter votre objet en cuivre pour le faire briller.

Une patine irisée

INGRÉDIENTS

2 g de crème de tartre

5 g d'hyposulfite de soude

7 g de sulfate de cuivre

100 ml d'eau

1 - Mélangez tous les ingrédients avec soin, dans un local aéré.

2 - Trempez l'objet en cuivre ou en laiton dans le mélange et attendez quelques minutes. Le métal prend très vite une patine dont les teintes passent du gris au rose, puis au blanchâtre et au vert. Sortez l'objet dès qu'il a pris la couleur désirée.

3 - Laissez-le sécher et faites-le briller avec un chiffon.

❀ **Nettoyage du bronze doré.** Certains ornements anciens en bronze doré doivent être nettoyés avec précaution pour ne pas altérer la dorure.

Mélangez dans un bol du blanc d'Espagne délayé avec deux cuillerées d'eau et deux cuillerées d'alcool à brûler, jusqu'à l'obtention d'une pâte onctueuse. Avec un pinceau ou une brosse souple, frottez-en délicatement les incrustations en bronze doré des meubles anciens. Laissez sécher. Brossez puis ôtez ce qui reste de blanc avec une brosse trempée dans de l'alcool à brûler.

❀ **Bronze sali.** S'il s'agit d'un objet composé de plusieurs éléments, mieux vaut le démonter, en conservant soigneusement les vis et les écrous.

Nettoyez les différentes parties à l'eau savonneuse, additionnée éventuellement d'une poignée de cristaux de soude ou de deux cuillerées à café d'ammoniaque, si le bronze est vraiment très sale ou oxydé.

Rincez et séchez, puis frottez avec un chiffon de laine. Polissez les parties ciselées avec une brosse à poil souple. Remontez l'objet et redonnez un dernier coup de chiffon.

❀ **Brillant plus durable.** Comme le cuivre et le laiton, le bronze, une fois poli, peut être passé à l'encaustique incolore pour lui conserver plus longtemps son brillant et son éclat. Cela vaut la peine pour des objets anciens ayant de la valeur, comme cette paire de bougeoirs en bronze doré de style Louis XV, datant du XIXᵉ siècle.

❀ **Le vert-de-gris.** Il est indispensable d'ôter le vert-de-gris, même s'il donne une belle patine à votre objet en bronze, car il attaque le métal en profondeur.

Brossez la tache avec une brosse très dure trempée dans de l'eau de Javel ou bien du vinaigre, additionnés d'une cuillerée à thé de sel.

Le bronze

❀ **Vieillissement naturel.** Si un objet en bronze moderne vous paraît trop brillant ou si vous préférez lui donner l'aspect d'un bronze ancien, voire antique, oubliez-le pendant quelques semaines ou même quelques mois dans la terre. Vérifiez de temps à autre la teinte qu'il prend. Lorsqu'il a la patine désirée, frottez-le délicatement avec une brosse souple pour éliminer la terre. Lustrez avec un chiffon.

❀ **Faux bronze.** Il peut être amusant de donner l'aspect du bronze à un objet en plâtre blanc, buste, statuette ou autre. L'objet doit être nettoyé et parfaitement sec. Enduisez-le d'une bonne couche d'huile de lin. Laissez sécher toute une nuit et recommencez le lendemain.

Avant que l'huile ne soit complètement sèche, passez sur votre objet de la poudre de bronze ou du bisulfure d'étain (en vente dans les magasins spécialisés) avec un chiffon. Recommencez l'opération plusieurs fois si nécessaire, jusqu'à l'obtention de la teinte voulue.

Patiné ou flambant neuf comme cette lampe, le bronze prend maintes nuances.

L'étain

❋ **Nettoyage à la bière.** Imbibez un chiffon de bière chaude et frottez l'objet en étain. Laissez sécher sans rincer et lustrez ensuite au chiffon doux.

❋ **Cristaux de soude pour étain très sale.** Décrassez un objet très sale en le plongeant dans un bain d'eau chaude, additionnée d'une poignée de cristaux de soude. Rincez, séchez et lustrez.

❋ **Patine au bouchon.** Une fois votre objet nettoyé et poli, frottez-le avec un bouchon de liège. Votre mouvement doit toujours être circulaire et régulier pour ne pas faire de rayures sur le métal.

Des verres en étain donneront à votre table un charme médiéval.

Lampe à huile du XIXe siècle en étain et en verre, avec une graduation horaire.

❋ **Gommage au sable.** Faites une pâte en délayant une poignée de sable très fin (bien sec et stérile) avec de l'eau et quelques gouttes d'ammoniaque : le mélange ne doit être ni trop épais ni trop liquide. Ajoutez l'eau progressivement. Frottez l'objet avec cette pâte en utilisant un chiffon. Rincez à l'eau savonneuse, puis à l'eau claire. Lustrez au chiffon.

❋ **Des légumes aux pouvoirs lustrants.** Lustrez vos étains anciens avec des feuilles de chou ou les feuilles vertes d'un poireau, dont le suc nettoie et polit le métal.

❋ **Taches d'oxyde.** Certains étains fortement oxydés présentent des taches en relief. Voici une recette pour les traiter, que les anciens appliquaient dans les campagnes. Remplissez de foin une large bassine en métal. Posez l'objet attaqué sur le foin et recouvrez-le d'eau. Placez le récipient sur feu doux et faites tiédir l'eau. Au bout d'une heure de trempage dans l'eau de foin, retirez l'objet et frottez délicatement les taches avec un tampon de laine d'acier très fine.

❋ **Brillant comme de l'argent.** Le diluant à peinture inodore fait briller l'étain et lui donne un éclat très vif. Frottez votre objet au chiffon, ou avec une brosse douce s'il comporte des parties ciselées. Laissez sécher et lustrez.

L'étain est frileux

Le froid altère l'étain et le décompose. Le métal est envahi de taches sombres, qui finissent par s'effriter. On a donné à cette sorte de rouille noire, qu'il est impossible de traiter, le nom de peste de l'étain. Si vous possédez des étains dans votre résidence secondaire – où vous n'allez probablement pas l'hiver –, protégez-les en les emmaillotant dans d'épaisses couvertures de laine, elles-mêmes recouvertes de plusieurs couches de papier journal.

❀ **Eau de mer pour perles.** Si vos perles manquent d'éclat, baignez-vous dans la mer avec votre collier ou trempez-le dans de l'eau salée au sel marin (7 g de sel pour 1 litre d'eau). Ce traitement est également bénéfique pour le corail, autre matière d'origine marine.

❀ **Corail rutilant.** Portez vos bijoux en corail le plus souvent possible pour leur conserver leur éclat. S'ils sont un peu ternes, faites-leur prendre un petit bain d'eau tiède, additionnée d'une cuillerée à thé de bicarbonate de soude. Rincez, séchez et terminez par un lustrage au chiffon, enduit d'huile d'olive, additionnée de deux ou trois gouttes de térébenthine.

❀ **Pour que l'argent ne noircisse pas la peau.** Frottez tout votre bijou au jus de citron. Laissez sécher et lustrez au chiffon. Passez une couche de vernis à ongles incolore sur la partie en contact avec la peau.

Ce conseil est également valable pour les bijoux fantaisie en métal, qui peuvent causer des allergies.

Exposez quelques jolis colliers sur une commode : c'est une seconde façon de les porter...

Les bijoux

❀ **Du lait pour l'or.** Les bijoux en or apprécient d'être trempés de temps en temps dans un bol rempli de lait tiède. Rincez à l'eau chaude et polissez avec un linge très fin ou une peau de chamois.

❀ **Patiner l'ivoire.** Faites prendre à votre bijou en ivoire un bain de thé très fort pendant quelques heures. Sortez-le quand il a atteint la teinte voulue et rincez-le soigneusement, avant de le lustrer au chiffon.

❀ **Alcool pour bague.** Les pierres précieuses de votre bague de fiançailles sont ternies ? Nettoyez votre bague en la trempant dans de l'alcool. Frottez-la doucement avec une brosse à dents. Séchez-la en la secouant dans un sachet rempli de sciure de bois ultrafine, pour ne pas laisser la moindre trace.

❀ **Écaille tordue.** Si votre peigne (ou votre bracelet) en écaille est déformé, plongez-le rapidement dans de l'eau chaude, puis tordez-le un peu pour lui redonner le bon mouvement. Procédez avec précaution car l'écaille se casse très facilement !

ATTENTION !

Fragiles opales

Les opales se cassent facilement, ce qui leur a valu une solide réputation de porte-malheur. Ces pierres semi-précieuses supportent mal les changements d'atmosphère et redoutent en particulier les ambiances sèches. Aussi, il ne faut jamais ranger une opale dans du coton, qui absorberait son humidité et la ferait mourir.

Les épingles à chapeaux ne sont plus guère utilisées, mais elles sont tellement décoratives ! Portez-les en broches, par exemple.

La porcelaine, la faïence et la terre cuite

❋ **Ranger la porcelaine.**
Si vous possédez des assiettes en porcelaine de prix, n'hésitez pas à intercaler des feuilles de papier de soie entre chaque pièce pour éviter qu'elles ne s'ébrèchent.

❋ **Masquer un cheveu.**
Frottez vigoureusement toute la longueur de la fêlure très fine avec une amande sèche, coupée en deux. Son suc forme une sorte de colle, qui va ressouder l'objet.

❋ **Faïence moins fragile.**
Avant d'utiliser de la vaisselle en faïence toute neuve, mettez-la dans une bassine pouvant aller sur le feu. Remplissez celle-ci d'eau froide additionnée d'une bonne poignée de cristaux de soude. Mettez la bassine sur le feu et laissez bouillir une demi-heure. Laissez refroidir la vaisselle dans cette eau. Rincez les pièces une à une et essuyez-les avec un chiffon fin.

❋ **Vaisselle en terre émaillée imperméable.**
Pour que la vaisselle en terre émaillée reste bien imperméable, on a coutume en Alsace, d'où nous vient ce truc, de laisser les objets qui en sont faits remplis de lait bouillant jusqu'à ras bord pendant une nuit. Il faut ensuite les rincer à l'eau froide.

❋ **Vaisselle fêlée.** Si vous avez un objet fêlé, lavez-le soigneusement à l'eau savonneuse, séchez-le et trempez-le ensuite dans du lait bouillant. Laissez sécher sans rincer, et attendez quelques heures, avant de laver l'objet, le temps que le lait recolle la fêlure. Ce procédé n'est valable que pour un objet décoratif qui n'est pas destiné à un usage alimentaire.

La faïence capte bien la lumière ; pensez-y avant d'installer vos étagères.

Saladier en faïence de Rouen.

Légumier en porcelaine de Paris.

Rangez la belle faïence sur d'élégants supports. Plantez des crochets pour suspendre les tasses une à une.

✤ **Faïence ébréchée.** Il manque un petit morceau à votre plat? Fabriquez une pâte pour boucher le trou. Incorporez un peu de colle forte à un mélange par moitié de blanc d'Espagne et de blanc de titane pour obtenir une pâte très épaisse. Collez un morceau de ruban adhésif sous la partie manquante afin d'éviter des coulures et comblez avec votre pâte. Laissez sécher puis poncez au papier de verre moyen. Pour lisser, trempez votre doigt dans la pâte allongée d'alcool. S'il le faut, masquez votre réparation avec une peinture spéciale pour céramique.

La poterie du Cap-Rouge

Dès 1688, sur la rive gauche de la Saint-Charles, des artisans fabriquent des «vaisseaux de terre cuite, terrines et plats». Mais l'ère industrielle de la céramique dans la région de Québec ne débute qu'au milieu du XIXᵉ siècle, alors que s'établit à l'embouchure de la rivière du Cap-Rouge, en 1860, une importante manufacture de vaisselle de terre cuite qui offre une production variée sur le marché local. On retrouve aussi la manufacture de Bell établie tout près du cimetière Saint-Charles dès 1851.

À la fabrique de Cap-Rouge, le travail de la terre cuite sert principalement à faire des objets en poterie et même en faïence. En 1870, la fabrique emploie une vingtaine de personnes. La grande majorité des pièces sorties de l'usine de Cap-Rouge – bols, jarres et plats – est façonnée au tour mais pas entièrement à la main puisque l'on utilise un gabarit mobile et un moule sous-jacent; alors que les pichets, les pots à eau, les crachoirs, les théières et certains plats à desservir sont façonnés au moule.

LES COLLES À PRISE RAPIDE

MODERNE ET PRATIQUE Désormais, recoller une pièce de vaisselle n'est plus un problème. Les colles extrafortes à base de cyanoacrylate (Crazy Glue) sont vraiment magiques car elles prennent instantanément. Il suffit d'assembler les deux parties cassées et de les serrer. Seul défaut, elles collent également la peau et il faut donc les manipuler avec précaution. Contrairement à ce que l'on croit trop souvent, elles ne sont pas ultrarésistantes, en particulier à l'eau chaude. Vous ne pouvez donc pas vous en servir pour des objets destinés à l'alimentation. Les colles à base de résine se présentent sous la forme de deux produits à mélanger juste avant l'utilisation. Elles sèchent plus lentement mais vous pouvez leur faire confiance en toute occasion, même sous l'eau chaude.

✤ **Protection contre la chaleur.** Dans certaines régions où l'on se servait beaucoup de vaisselle en terre cuite, on frottait avec de l'ail cru plats et daubières avant de les mettre au feu pour la première fois. Essayez, cela empêche la terre de se fendre à la chaleur. Coupez une gousse d'ail en deux et frottez toute la surface interne et externe de la partie de l'objet en contact avec le feu. Laissez bien sécher et passez ensuite à l'intérieur un pinceau trempé dans de l'huile d'olive.

RÉPARER UNE ASSIETTE CASSÉE

Lancez-vous dans la réparation de votre assiette, à condition d'avoir tous les morceaux et qu'il ne s'agisse pas d'une pièce de prix, à remettre entre les mains d'un spécialiste.

FOURNITURES

colle à prise rapide à base de résine

couteau

ruban adhésif

coton-tige

alcool à brûler

soucoupe remplie de sable

1 - Reconstituez l'assiette en remettant en place tous les morceaux du casse-tête. Préparez votre colle sur un bout de carton en mélangeant les deux composants à l'aide d'un couteau.

2 - Commencez par coller les deux morceaux les plus gros. Déposez une mince couche de colle sur chacun des bords avec le couteau. Appuyez fermement et fixez les morceaux avec du ruban adhésif.

3 - Nettoyez les débords de colle avec un coton-tige trempé dans l'alcool. Calez les deux parties déjà collées dans la soucoupe de sable. Laissez sécher, puis continuez à reconstituer peu à peu votre faïence.

Le verre et le cristal

❀ **Des carafes nettes.** Pilez des coquilles d'œufs et introduisez-les dans la carafe ou la bouteille que vous voulez nettoyer. Remplissez la carafe de vinaigre blanc. Laissez agir toute une nuit. Le lendemain, agitez bien. Videz le vinaigre et les coquilles. Au besoin, ôtez les dernières traces de saleté avec un goupillon, puis rincez à l'eau bien chaude. Essuyez.

Vaisselier vitré garni d'articles de verre, vers 1900. À partir de 1880, le marché du meuble au Québec offre de véritables vitrines domestiques permettant d'exposer dans la maison les beaux objets produits par l'industrie du verre et du plaqué argent à prix abordables.

Les verres dépareillés ne sont pas à proscrire d'une jolie table, surtout s'ils sont anciens, pourvu qu'ils aient à peu près la même hauteur. Cette vaisselle en verre ouvragé contraste ici très joliment avec la table en bois brut.

❀ **Taches de calcaire.** Rincez votre objet avec du vinaigre blanc chaud ou du jus de citron. Pour rendre l'opération plus efficace, vous pouvez ajouter du gros sel. Agitez en tous sens et laissez agir une nuit. Au besoin, aidez-vous d'un goupillon.

❀ **Un bain pour le verre très sale.** Jetez une poignée de cristaux de soude dans de l'eau très chaude. Laissez tremper les objets en verre. S'il le faut, utilisez un goupillon pour décrasser les parties les plus difficiles à atteindre. Rincez chaque objet, un à un, à l'eau bien chaude et essuyez avec un linge fin.

TRADITION-HISTOIRE

Lorsque miroite le verre

Verrerie cristalline, surtouts de table extravagants, vases et flacons aux formes surprenantes... tous ajoutent par leur luminosité une touche de raffinement. Importés de France et d'Angleterre (XVIIe et XIXe siècles), ces objets de verre investissent notre quotidien : pharmacie, table de toilette, service du dimanche.
Au XIXe siècle, la rapide transformation des techniques industrielles permet le coup d'envoi à l'art du verre. La technique du verre pressé, imitant le verre taillé, connaît un grand succès. Dès lors, le verre revêt une riche palette de couleurs et arbore une variété de motifs, dont le fameux motif de diamants, encore produit de nos jours.
Au XXe siècle, deux styles façonnent cet art gracile : le verre Carnaval, dont le reflet chatoie de teintes iridescentes où domine l'orangé, et le verre Dépression, privilégiant les tons pastels de vert, bleu, jaune et rose. Ce dernier avait l'heureuse destinée d'ajouter de la couleur en ces grises années de crise économique.
Le cristal (verre au plomb) est plus lourd et plus transparent que le verre ordinaire. La densité des parois permet de l'ornementer de motifs obtenus par des roues abrasives, avec des effets picturaux d'une grande complexité.

❀ **Papier nettoyant.** Réduisez du papier journal en menus morceaux et mettez-les dans l'objet en verre. Remplissez d'eau chaude et laissez tremper toute une nuit : le papier doit être transformé en pâte. Agitez bien, rincez à l'eau chaude et essuyez avec un linge fin.

❀ **Petites rayures.** De très fines rayures ternissent votre coupe à fruits ancienne en cristal ? Frottez celle-ci longuement avec une peau de chamois, toujours dans le même sens.

❀ **Ôter l'humidité.** Une fois que l'on a nettoyé et rincé un objet au col étroit, il est souvent difficile d'ôter les petites gouttes de condensation. Vous les ferez disparaître en versant de l'alcool à brûler à l'intérieur de l'objet. Agitez en tout sens, videz et laissez sécher à l'envers.

❀ **Nettoyer du verre gravé.** Lorsque la saleté s'incruste dans les motifs gravés, elle est très difficile à ôter. Trempez une petite brosse (à défaut une vieille brosse à dents fera l'affaire) dans de l'alcool à brûler et frottez jusqu'à ce que la grisaille disparaisse.

LA GRAVURE SUR VERRE

TRADITION-HISTOIRE

Le verre mercurisé

Le verre étant beaucoup moins coûteux que l'argent, deux Britanniques, F. Hale Thomson et Edward Varnish, eurent l'idée en 1849 de couler du mercure à l'intérieur d'objets en verre à double paroi pour leur donner l'apparence de l'argent.
Le mercure étant fortement toxique, il fut ensuite remplacé par du nitrate d'argent.

Très appréciés car très décoratifs, les vases, statuettes, salières ou bougeoirs en verre mercurisé étaient souvent ornés de motifs très simples : guirlandes de fleurs, feuilles stylisées… Comme les anciens miroirs au mercure, ces objets sont, aujourd'hui, souvent abîmés par le temps, le verre étant redevenu transparent par endroits. Mais cela n'ôte rien à leur charme désuet et ils font la joie des brocanteurs.

❀ **Nettoyage en douceur.** Si vous devez laver des pièces anciennes en cristal (verres, éléments de lustre, bibelots…), prenez la précaution de recouvrir le fond et les bords de l'évier avec un grand torchon. Immergez les objets un par un, pour ne pas les heurter, et rincez-les un par un.

Personnalisez vos verres en les gravant de vos initiales. Pour reprendre la tradition des verres souvenirs du XIXe siècle, vous pouvez aussi imaginer un décor simple et une petite phrase à l'occasion d'une fête, d'un anniversaire ou d'une naissance.

FOURNITURES

feuille de papier-calque
alcool à brûler
ruban adhésif
ouate
porte-outil pour graver le verre avec 2 fraises diamantées de diamètres différents : 1 mm et 1,6 mm
chiffon sombre
meule pour limer et lisser le verre ou minigraveuse électrique

1 - Décalquez un motif adapté à la taille de l'objet. Nettoyez le verre à l'alcool à brûler. Fixez le calque à l'intérieur du verre par du ruban adhésif. Il faut que le motif soit bien au centre et d'équerre.

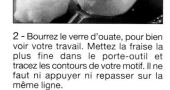

2 - Bourrez le verre d'ouate, pour bien voir votre travail. Mettez la fraise la plus fine dans le porte-outil et tracez les contours de votre motif. Il ne faut ni appuyer ni repasser sur la même ligne.

3 - Remplacez le coton par un tissu sombre : les lignes d'ébauches apparaissent en clair. Creusez avec la fraise plus épaisse sur les lignes du dessin et complétez par de fines hachures à l'intérieur des motifs pleins.

4 - Lorsque la gravure apparaît nettement, ôtez le chiffon sombre et servez-vous de la meule pour remplir les motifs hachurés. Appuyez plus ou moins avec votre outil pour créer des ombres et des reliefs.

Sur le modèle de ces magnifiques bougeoirs en cristal, simples ou ornés de pendeloques, transformez un beau verre à pied dépareillé en bougeoir.

Les cadres et les tableaux

Faites vous-même vos cadres en carton peint de motifs fleuris.

❋ **Patiner un cadre trop neuf.** Certains bois, en particulier le chêne, peuvent, une fois assombris, prendre un très joli aspect ancien.

Pour patiner un cadre, mouillez-le avec une éponge trempée dans de l'ammoniaque.

Dès que le bois aura la teinte voulue, rincez le cadre avec de l'eau additionnée d'une cuillerée de vinaigre. Laissez sécher, puis cirez ou vernissez le bois à votre gré.

❋ **Nettoyer un cadre doré.** Dépoussiérez régulièrement un beau cadre ancien en bois doré avec un chiffon. S'il est taché, ne le frottez surtout pas avec une éponge savonneuse. Employez plutôt cette méthode traditionnelle.

Battez deux blancs d'œufs en neige et ajoutez deux cuillerées à soupe d'eau de Javel. Passez au pinceau ce mélange sur toute la surface du cadre à l'aide d'un pinceau. Rincez aussitôt à l'eau claire : le produit ne doit pas rester longtemps au contact de la dorure. Lustrez ensuite avec un chiffon doux.

❋ **Comme de la céruse.** Pour donner un aspect cérusé à un cadre en bois, frottez-le dans le sens du bois avec une brosse métallique, pour faire apparaître les veines. Essuyez la poussière, puis passez un pinceau trempé dans de la peinture acrylique blanche très diluée : juste de quoi faire entrer un peu de blanc dans les veines.

Brossez et recommencez l'opération. Poncez le bois avec du papier de verre fin, essuyez et cirez ensuite avec de la cire incolore, ou laissez tel pour obtenir un aspect mat, un peu brut.

RESTAURER UN CADRE DORÉ

Le vieux cadre doré à l'or fin que vous venez de dénicher dans une brocante est abîmé ? Faites vous-même une pâte de doreur, appelée gros blanc, pour restaurer les parties manquantes. Un peu de doigté et votre cadre aura bientôt belle allure.

FOURNITURES

blanc de Meudon

grand bol

colle de peau de lapin en granulés
(en vente dans les magasins spécialisés)

morceau de bois

papier de verre très fin

cire à dorer

1 - Versez une mesure de blanc de Meudon dans le bol et faites un puits. Chauffez la colle au bain-marie et ajoutez-la dans le bol. Mélangez avec le morceau de bois.

3 - Passez un doigt mouillé sur la pâte pour l'étirer afin qu'elle prenne la forme voulue. Laissez sécher 24 h. Poncez au papier de verre en ôtant la poussière au fur et à mesure.

2 - Vous obtenez une boule semblable à du mastic de vitrier. Prélevez un petit morceau de pâte et appliquez-le sur l'éclat ou la partie manquante.

4 - L'enduit doit être parfaitement lisse. Appliquez la cire à dorer avec vos doigts, le plus régulièrement possible. Laissez sécher et lustrez au chiffon doux.

❋ **Éloigner les mouches.** Très nombreuses dès qu'il fait chaud, les mouches déposent de vilaines taches noires sur les cadres dorés. Passez du jus d'oignon frais au pinceau sur vos cadres. L'odeur désagréable s'évanouit vite mais gênera longtemps les insectes indésirables.

❋ **Petit accroc.** Vous pouvez colmater un accroc dans une toile, si elle n'est pas d'une grande valeur. Découpez une compresse médicale et mélangez à de la colle pour tissu. Appliquez cette charpie sur la partie abîmée mais sur l'envers du tableau.

✱ Déjaunir une toile vernie. Le vernis de votre tableau ancien a pris un aspect jauni, un peu sale ? Préparez un mélange à parts égales d'huile de lin et de térébenthine. Trempez un tampon d'ouate dans ce mélange. Frottez doucement le vernis en procédant par petites étapes et changez d'ouate au fur et à mesure. Séchez en frottant doucement toute la surface du tableau avec un linge fin.

✱ Rafraîchir une peinture non vernie. Nettoyez la toile avec un morceau d'ouate humidifié d'alcool à brûler. Procédez par petites touches successives, puis séchez avec un chiffon fin.

✱ Toile craquelée. Votre toile vous paraît bosselée ou fendillée par les ans ? Retournez le tableau et repassez l'envers de la toile : réglez le fer sur thermostat laine ou synthétique, pour ne pas risquer de brûler la toile.

Mettez en valeur vos tableaux en prévoyant de grands cadres. Cela permet de mettre côte à côte des tableaux de dimensions différentes tout en formant un ensemble régulier, qui fait bel effet au-dessus d'un joli meuble bas.

ATTENTION !

Pas de méthodes fantaisistes pour les tableaux

On affirme souvent que l'on peut nettoyer une peinture à l'huile en la frottant avec une pomme de terre ou un oignon coupés en deux. Selon les spécialistes de la restauration, cette méthode est néfaste, car si dans un premier temps elle semble redonner de la luminosité à la toile, elle dépose également une couche d'amidon ou de suc, qui ensuite retiendra encore plus la poussière et contribuera à encrasser le tableau.

Pour un nettoyage courant et sans danger d'une toile, contentez-vous donc de passer une éponge humide et légèrement savonneuse. Rincez à l'eau claire et séchez ensuite avec un linge fin.

Les livres et reliures

❀ **Un vieil escabeau en bois** vous rendra bien des services si votre bibliothèque est très haute. Décapé et ciré, il s'intégrera de plus parfaitement dans une pièce meublée à l'ancienne.

❀ **Chasse à la poussière.** Prenez le temps de dépoussiérer les livres de votre bibliothèque un à un, en les secouant. N'utilisez pas de chiffon pour nettoyer la tranche, la poussière pénétrerait entre les pages, mais essuyez-la avec un gros pinceau plat et souple.

❀ **Accroc sur le cuir.** Une petite languette de cuir s'est décollée sur un de vos vieux livres ? Saisissez-la avec une pince (pince à épiler, à échardes ou brucelles à timbres) et passez de la colle à papier peint avec un pinceau fin sur les deux parties à encoller. Appuyez pour faire adhérer et laissez sécher. Éliminez les éventuelles traces de colle avec un coton-tige mouillé.

❀ **Traces de doigts.** Les pages de votre livre sont marquées de traces de doigts ? Gommez-les avec une boulette de mie de pain.

Si vous n'en avez pas besoin pour accéder aux livres, utilisez votre escabeau en petite bibliothèque d'appoint ou de chevet. Rangez les volumes sur chaque marche.

❀ **Tache de moisissure.** Trempez un coton-tige dans un mélange d'eau et d'eau de Javel (5 volumes d'eau pour 1 volume d'eau de Javel) et tamponnez délicatement la tache jusqu'à sa disparition. Laissez sécher la page.

❀ **Tache de vieillesse.** Mélangez 3/4 d'eau (dans un compte-gouttes) pour 1/4 de peroxyde à 30 volumes, et 6 gouttes d'ammoniaque. Tamponnez la tache avec un coton-tige. Rincez, faites sécher la feuille mouillée entre deux buvards blancs et mettez sous presse.

❀ **Page cornée.** Posez un buvard sur la feuille cornée et repassez avec un fer tiède.

RESTAURER UNE COUVERTURE ÉCORNÉE

Les coins des couvertures en carton s'abîment facilement. Les livres prennent alors un aspect pitoyable. Ces accidents ne demandent pourtant qu'un peu de minutie pour être réparés… Il suffit de faire de la colle de pâte à l'ancienne.

FOURNITURES

farine

passoire

spatule en bois

couteau exacto

seringue jetable

éponge

pinceau fin

gouache
dans les tons
de la reliure

cire incolore

chiffon

1 - Dans une casserole, mélangez 1 volume de farine tamisée dans 5 volumes d'eau. Faites chauffer doucement jusqu'à ébullition sans cesser de remuer avec la spatule. Faites bouillir 5 min, puis laissez refroidir.

2 - Après refroidissement, ajoutez de l'eau à la pâte si elle est trop épaisse. Séparez minutieusement les différentes couches de la couverture du livre abîmé à l'aide de l'exacto. Retirez les saletés qui auraient pu s'y glisser.

3 - Introduisez de la colle entre chaque couche avec la seringue. Pressez l'ensemble, puis essuyez les débords de colle avec une éponge humide. Faites sécher le livre sous presse pendant 2 ou 3 heures.

4 - Retouchez les parties abîmées de la reliure à la gouache avec le pinceau fin en procédant par petites touches délicates. Laissez sécher et cirez avec une bonne cire incolore. Lustrez au chiffon.

Ces objets qui ont une âme

❀ **Tache d'encre.** Trempez un coton-tige dans du peroxyde à 10 volumes et tamponnez la tache jusqu'à ce qu'elle disparaisse. Laissez sécher la feuille entre deux buvards blancs, sous un poids.

❀ **Tache grasse sur le papier.** Saupoudrez la tache de terre de Sommières ou de bicarbonate de soude. Laissez agir toute une nuit et brossez doucement le papier pour ôter la poudre, qui aura absorbé le gras.

❀ **Livre humide.** Saupoudrez du talc entre chaque page d'un livre humide. Si les feuilles ont commencé à se gondoler, procédez en plusieurs étapes. Talquez chaque page. Laissez agir toute une nuit. Époussetez, puis talquez à nouveau. Époussetez encore, puis mettez le livre sous presse (encyclopédie ou tout autre gros livre) quelques jours.

Une bibliothèque bien rangée est tellement agréable à regarder ! Disposez soigneusement vos livres sur les étagères pour les mettre en valeur. Mettez les plus grands derrière pour pouvoir mettre les petits devant. Et enfin, n'hésitez pas à exposer les plus belles reliures sur le devant du rayonnage.

UNE CIRE POUR LES RELIURES EN CUIR

Cette cire à l'ancienne, facile à réaliser, nettoie et fait briller tous les cuirs délicats qui ont besoin d'être nourris. Appliquez-la avec une éponge humide. Frottez toujours dans le même sens. Laissez sécher et lustrez au chiffon de laine.

INGRÉDIENTS

100 g (3 1/2 oz) de cire d'abeille pure
600 ml de térébenthine
600 ml d'eau
25 g (1 oz) de savon de Marseille râpé

1 - Raclez la cire en fins copeaux et faites-la dissoudre à froid dans l'essence de térébenthine. Si vous n'avez pas le temps, faites-la fondre au bain-marie, mais réglez la flamme le plus bas possible et surveillez sans cesse car l'essence de térébenthine est très inflammable.

2 - Faites chauffer l'eau et ajoutez le savon râpé dès qu'elle bout. Éteignez le feu et mélangez jusqu'à dissolution parfaite. Laissez refroidir.

3 - Ajoutez l'eau savonneuse à la cire fondue et mélangez au fouet pour émulsionner. Versez dans un pot fermant hermétiquement ou une bouteille avec un bouchon. Étiquetez.

LA MAISON EN FÊTE

L a maison en fête, c'est préparer un décor original et unique pour souhaiter la bienvenue à ceux que l'on aime. C'est se rassembler en famille au moment de Noël, dans une profusion de boules brillantes, de guirlandes multicolores et de bougies. C'est réinventer Pâques et ses œufs traditionnels.

Dans une grange restaurée, le mélange de l'ultraraffiné et du rustique fait le charme de cette table d'apparat à la campagne. Ultime délicatesse : les services à café et à tisanes attendent à l'écart sur un guéridon recouvert d'une nappe.

Les réceptions

❀ **Invitations à l'ancienne.** Personnalisez vos invitations et donnez-leur un petit air rétro en photocopiant des cartes postales anciennes, des photos de famille.

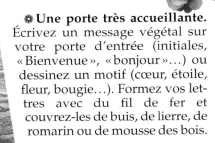

❀ **Une porte très accueillante.** Écrivez un message végétal sur votre porte d'entrée (initiales, « Bienvenue », « bonjour »…) ou dessinez un motif (cœur, étoile, fleur, bougie…). Formez vos lettres avec du fil de fer et couvrez-les de buis, de lierre, de romarin ou de mousse des bois.

❀ **Le comble du raffinement.** Dans la salle de bains, prévoyez une jolie serviette pour les mains, des petits savons disposés dans une coupe, et placez une coupelle remplie d'un pot-pourri.
● Laissez brûler une bougie parfumée dans les toilettes quelques heures avant l'arrivée de vos invités.

❀ **Pour l'après-dîner.** L'art de recevoir ne s'arrête pas au dessert : pensez à préparez à l'avance un grand plateau avec les tasses, les verres à digestifs, le sucre (un assortiment de sucre blanc, roux et de sucre de canne), un pot d'eau bouillante, un thermos de café, les alcools et les liqueurs. Proposez aussi un choix d'infusions originales : thym, romarin, menthe fraîche, oranger, anis étoilé, qui facilitent la digestion.

❀ **Centre de table.** Évitez les grands bouquets hauts qui gênent la conversation. Coupez très court les tiges de vos fleurs et placez-les dans un plat creux avec de l'eau. De même, si vous mettez des bougeoirs, préférez les bougies basses et non parfumées, pour ne pas risquer d'incommoder les convives.

❀ **Table fleurie.** Parsemez votre table de petits bouquets présentés dans des verres, des timbales, des petits flacons, des saucières, des coupelles, des coquillages, des coquetiers ou même dans un demi-citron ou une orange évidés.

❀ **Verres habillés pour bouquets individuels.** Transformez des verres ordinaires en vases originaux et ravissants en les recouvrant de feuilles de lierre, de chêne ou de magnolia, que vous fixerez avec de la colle en aérosol repositionnable.
● Vous pouvez aussi les masquer avec des morceaux de mousse des bois, vendue en plaque chez les fleuristes. Attachez la mousse avec un lien de raphia.

Pour un buffet de fête, réalisez un porte-couverts original en sucre. Pour coller les morceaux de sucre, faites bouillir du sucre avec de l'eau sans aller jusqu'au caramel, et versez-en quelques gouttes sur chaque morceau. Remplissez le porte-couverts de sucre en poudre afin de pouvoir y planter vos couverts.

❋ **Marque-places marins.** Peignez à la gouache le nom de chacun de vos convives sur un petit galet que vous aurez soigneusement lavé et essuyé.

❋ **Serviette surprise.** Glissez dans la serviette de vos invités un petit présent (confiserie, photo, bibelot…) et nouez un ruban à chaque extrémité de la serviette pour former une papillote. Posez-en une sur chaque assiette.

❋ **Nœud papillon.** Le pliage des serviettes n'est pas toujours compliqué. Pincez la serviette pliée au milieu et nouez autour au centre un morceau de foulard, de tulle ou de papier crépon.

❋ **Rond de serviette élégant.** Confectionnez un rond de serviette avec un rectangle de bristol fort (5 x 20 cm) que vous collerez avec de l'adhésif. Recouvrez-le de ruban gros-grain ivoire pour le fond, puis collez par-dessus des motifs argentés découpés dans des napperons en papier dentelle.

❋ **Chandelier décoré.** Vous êtes un peu lassé de votre chandelier, que vous avez trop vu, alors habillez-le. Les tenues de fête sont multiples. Laissez libre court à votre imagination. Recouvrez-le, selon la saison, de légumes et de petits fruits (les raisins ou les gadelles en grappes font beaucoup d'effet), de fruits confits collés au caramel. Gainez-le de rubans satinés, accrochez à ses branches des boules de Noël, des glands de satin, fixez-y à la colle repositionnable des plumes, des fleurs, des feuilles…

❋ **Glaçons fleuris.** Pour agrémenter l'apéritif, apportez une touche de raffinement et de charme à vos glaçons en emprisonnant dans l'eau des petites fleurs ou des pétales. Violettes, pétales de géranium ou de rose, pâquerettes, menthe, verveine… donnent un joli résultat.

❋ **Un seau à glace en glace.** Très original pour servir une bouteille de vin frais ou juste des glaçons. Placez une grosse bouteille vide en plastique dans un seau lui aussi en plastique (plus facile à démouler) et disposez des feuilles et des fleurs dans le seau. Remplissez-le d'eau et placez-le ainsi quelques heures au congélateur.

Démoulez en passant le seau sous l'eau tiède, et placez-y la bouteille de vin préalablement rafraîchie au réfrigérateur. Posez-le sur un plat creux dans lequel le seau va fondre peu à peu.

• C'est aussi une excellente idée pour présenter des fruits de mer, en utilisant deux saladiers, l'un plus petit que l'autre.

À l'extérieur aussi, la table peut être raffinée. À l'ombre d'un arbre ou sous une tonnelle, faites-vous plaisir en offrant à vos convives un décor de grand jour.

Noël

❀ **Panne de papier cadeau.** Vous pouvez improviser un joli paquet original avec des feuilles de papier d'emballage ou du papier de couleur.

• Superposez sur une feuille de papier de couleur une feuille de papier brun que vous aurez découpée en la pliant en seize pour que les motifs géométriques des jours se répètent.

• Découpez des fentes à intervalles réguliers dans une feuille de papier ordinaire et glissez-y des rubans dessus dessous.

• Écrivez sur une feuille unie un message stylisé en peignant de grosses lettres au pinceau, et ajoutez un nœud de bolduc.

TRADITION-HISTOIRE

La naissance du sapin de Noël

La coutume du sapin de Noël remonte au XVIᵉ siècle. Elle est née à Sélestat, en Alsace. À l'origine, le sapin était orné de petites pommes rouges et figurait l'arbre de la Création. Puis vinrent s'ajouter des hosties, représentant la Rédemption, et des roses blanches, symboles de l'amour de Dieu et de la Vierge. Les hosties furent remplacées par des friandises (les *bredle*, gâteaux à l'anis) et le sapin se para de fleurs en papier. Au XVIIIᵉ siècle apparurent les bougies et au XIXᵉ siècle les boules en verre. Le premier arbre de Noël illuminé en Amérique du Nord fut érigé à Sorel, en 1781.

Ornez vos fenêtres de dentelles, avec des napperons en papier doré de forme rectangulaire. Évidez le centre avec un couteau exacto pour ne conserver que les motifs de dentelle des bords. Fixez-les sur les vitres avec de la colle en aérosol repositionnable. Une fois la fête terminée, vous décollerez les napperons et enlèverez les traces de colle à l'eau bouillante.

❀ **Boules insolites.** Procurez-vous de très grosses coquilles d'escargots. Percez-les d'un petit trou avec une aiguille. Peignez-les avec une peinture en aérosol couleur or ou argent. Glissez dans le trou un fil ou un ruban fin, nouez-le et suspendez vos escargots dans le sapin. Les coquillages seront également très jolis.

LA PÂTE À SEL

Un grand classique qui permet d'inventer toutes sortes de décors : sujets pour le sapin, santons pour la crèche, appliques murales, centre de table, couronnes, corbeilles… La pâte à sel se peint facilement et il suffit ensuite de la vernir pour qu'elle soit pratiquement éternelle. Si vous voulez que vos modelages tiennent mieux, incorporez une cuillerée à soupe de colle à papier peint.

FOURNITURES

1 tasse d'eau

2 tasses de farine

1 tasse de sel fin

pellicule cellophane

pinceaux

gouache et vernis

1 - Mélangez l'eau, la farine et le sel de manière à obtenir une pâte souple. Laissez reposer 10 min en recouvrant de pellicule cellophane.

2 - Étalez la pâte si vous voulez y découper des motifs à l'emporte-pièce ou bien sculptez-la comme s'il s'agissait d'argile.

3 - Faites cuire vos motifs ou personnages à four très doux (75 °C/170 °F) pendant 2 h.

4 - Lorsqu'ils ont refroidi, peignez-les. Laissez-les sécher, puis vernissez-les.

❀ **Des décorations savoureuses.** Réservez-vous un après-midi pour préparer avec des enfants des sujets en pâte sablée que vous accrocherez par un petit ruban au sapin de Noël. Confectionnez une pâte sablée avec 250 g (1 2/3 tasse) de farine, 125 g (1/2 tasse) de beurre ramolli, 125 g (1/2 tasse) de sucre et 1 œuf. Abaissez-la au rouleau et découpez-y des formes à l'aide d'emporte-pièces : petit bonhomme, cœur, étoile, lune, angelot… Percez le trou avant la cuisson, puis laissez cuire à four modéré (170 °C/325 °F) pendant quinze minutes.

❀ **Miroir-message.** Vous avez un grand miroir dans le salon ? Écrivez dessus au blanc de Meudon un petit texte célébrant Noël. Pour écrire droit, tirez des lignes à la règle et au crayon gras. Une fois votre message bien sec, effacez les lignes avec de l'alcool à brûler.

Ornez un vieux miroir d'une parure étincelante faite de pommes de pin, de fruits et de fleurs séchés, de feuilles. Faites sécher celles-ci sous une presse et peignez-les à l'aérosol doré. Assemblez-les en une guirlande que vous collerez sur le cadre du miroir.

❀ **Vitres de fête.** Pour dessiner de gros flocons ou des étoiles de neige sur une vitre, utilisez du blanc de Meudon. Diluez-en une petite quantité dans de l'eau, de façon à obtenir une crème assez épaisse, comme de la peinture en tube : il ne faut pas que ça coule. Vous pouvez aussi dessiner avec de la gouache blanche pas trop diluée. Au mois de janvier, utilisez une brosse et de l'eau très chaude pour effacer votre dessin.

❀ **Carte de vœux brodée.** Au lieu d'envoyer une carte de vœux du commerce, fabriquez-en une en brodant un motif au point de croix sur du canevas rigide et épais. Collez le canevas sur une carte en bristol.

❀ **Guirlande de canneberges.** La combinaison de la couleur si chaleureuse des canneberges mêlée aux tonalités naturelles des fruits secs et des kumquats ne manquera pas de faire effet auprès de vos invités. Enfilez sur un fil de fer des canneberges fraîches intercalées avec des kumquats dans lesquels vous aurez piqué des clous de girofle. Vous pouvez aussi alterner avec des cerises séchées, des abricots secs, des figues et des guimauves.

❀ **Couronne de sapinage.** Achetez une couronne de paille (en vente chez tous les fleuristes à Noël) et fixez-y des branches d'épinette ou de sapin avec du fil de fer de fleuriste. Enroulez du ruban satiné vert pâle, que vous nouerez par endroits, en laissant retomber des pans flottants. Avec de la ficelle, accrochez quelques boules argentées tout autour de votre couronne. Nouez quatre longues ficelles robustes dans votre couronne de façon à la suspendre au plafond. Ne laissez pas votre décor trop longtemps car le sapinage perd ses aiguilles en séchant.

❀ Boules de patchwork. Originales et faciles à faire pour les enfants, ces boules sont sans coutures. Faites des fentes au couteau exacto dans des boules de polystyrène. Taillez des morceaux de tissu légèrement plus grands que les pans à recouvrir. Introduisez-les dans les fentes à l'aide du dos de la lame d'un couteau. Collez un nœud de ruban sur la boule terminée.

❀ Un ballon de roses à suspendre. Cette décoration est du meilleur effet au-dessus d'une table de fête. Achetez une boule en mousse synthétique, du fil de fer de fleuriste et une grosse botte de roses.

Coupez les tiges au ras de chaque rose et piquez dans leur cœur un morceau de fil de fer de 10 cm. Fixez vos fleurs dans la mousse les unes contre les autres. Pulvérisez un peu d'eau sur les roses.

Sous le signe du cadeau, nouez un gros ruban autour de votre table de fête.

❀ Une touche de naturel pour vos paquets. Ajoutez quelques feuilles de houx, une branchette de sapin, quelques petites pommes de pin sur vos paquets cadeaux. Ils seront raffinés et originaux. Accrochez vos décors avec le ruban du paquet ou fixez-les avec une pointe de colle.

❀ Guirlandes d'or. Commandez de grandes branches de lierre grimpant à un fleuriste. Passez-les à la peinture aérosol or ou argent.

Vous vous en servirez pour habiller votre cheminée, décorer un grand miroir ou les faire serpenter sur la table de fête. Vous pourrez aussi les tresser en couronnes.

ATTENTION !

Le sapin sous surveillance

Chaque année, en décembre, on déplore de nombreux accidents dus aux décors du sapin. Vérifiez votre installation électrique avant de brancher une guirlande et assurez-vous que celle-ci porte le label de l'Acnor. Méfiez-vous des guirlandes à très bas prix importées d'Asie, qui ne respectent pas toujours les normes de sécurité. Ne laissez pas un jeune enfant seul dans la pièce où vous avez placé le sapin si celui-ci est orné d'une guirlande électrique. Même si vous adorez les bougies, ne les accrochez pas dans le sapin, vous risquez de mettre le feu.

Pâques

❀ **Bouquets de Pâques.** Après avoir mangé des œufs à la coque en ayant pris soin de ne pas abîmer les coquilles, nettoyez celles-ci à grande eau et laissez-les sécher. Disposez-les dans de jolis coquetiers en porcelaine, garnissez-les de quelques fleurs printanières (jonquilles, tulipes…) et remplissez-les d'eau. Vous obtenez de jolis petits vases individuels pour décorer votre table.

❀ **Un nid en centre de table.** Pour présenter vos œufs teints et ornés de motifs sur la table de Pâques, tapissez une jolie corbeille ou un petit panier d'osier avec de la mousse des bois ou bien cachez vos œufs dans de l'herbe à chats. À moins que vous ne préfériez de la paille, dans laquelle vous piquerez des plumes naturelles ou, mieux encore, colorées.

❀ **Œufs durs colorés.** Faites cuire vos œufs en ajoutant à l'eau de cuisson différents ingrédients selon la couleur désirée.
• Avec des épluchures de betterave, vous obtiendrez un beau rose.
• Les pelures d'oignon donnent des tons roux. Il en faut beaucoup pour obtenir une couleur soutenue, aussi pensez à les garder longtemps à l'avance.
• Les épinards teintent en vert.
• Le thé et le café colorent en brun et donnent au jaune d'œuf une délicieuse saveur insolite.
• Vous obtiendrez des œufs bleus avec du bleu de méthylène (en vente en pharmacie ou en quincaillerie), mais attention, ils ne seront pas consommables.

❀ **Un socle utile pour peindre.** Difficile de décorer un œuf sans qu'il ne se renverse et sans se mettre de la peinture sur les doigts. Fabriquez-vous un support avec une bande de carton fort, fermée en rond par de l'adhésif, ou calez l'œuf sur un anneau de rideau.

❀ **Vider les œufs sans les casser.** Si vous voulez conserver longtemps vos œufs décorés, il est indispensable de les vider. Pour cela, trouez la coquille à chaque extrémité avec une grosse aiguille à canevas à bout pointu, un poinçon ou un lardoir.
Au-dessus d'un bol, soufflez très fort dans l'un des trous pour faire sortir le contenu de l'œuf. Si vous n'y arrivez pas, aspirez-le avec une seringue jetable. Ensuite, rincez l'œuf vide en le passant sous l'eau froide, égouttez-le et laissez-le bien sécher.

LES ŒUFS MARBRÉS

Cette recette serait d'origine tsigane. Ce qui est certain, c'est que le résultat est aussi beau à voir que bon à goûter.

INGRÉDIENTS
6 œufs
2 poignées de pelures d'oignon
1 tasse de marc de café

1 - Faites cuire les œufs dans l'eau pendant 10 min. Puis passez-les sous l'eau froide et laissez-les refroidir.
2 - Roulez-les délicatement sous la paume de la main, sur une surface dure, de façon à casser la coquille en fragments qui restent collés à l'œuf.
3 - Dans une casserole d'eau, versez les pelures d'oignon et le marc de café, remuez, puis ajoutez les œufs. Il faut qu'ils soient entièrement recouverts de liquide. Laissez chauffer à feu très doux pendant au moins 3 h (autrefois, on laissait les œufs sur le coin de la cuisinière pendant toute la nuit).

4 - Détachez les fragments de coquille, le blanc de l'œuf apparaîtra parcouru d'élégantes marbrures marron. Et, lorsque vous mangerez ces œufs marbrés, vous découvrirez que le jaune de l'œuf est devenu brun.

❀ **Des œufs fleuris.** Prenez des petites feuilles et des petites fleurs : trèfle, cerfeuil, lierre, pâquerettes, violettes, boutons d'or… Collez-les délicatement sur la coquille de l'œuf en les trempant dans du blanc d'œuf. Laissez sécher, puis enfilez doucement votre œuf dans un morceau de collant fin, en faisant attention à ne pas déplacer les végétaux collés. Nouez le collant.

Faites ensuite cuire votre œuf dans le colorant naturel de votre choix. La cuisson terminée, ôtez le collant et détachez les feuilles et les fleurs. Leur dessin ressortira en clair sur le fond coloré de la coquille.

❀ **Mobile parfumé.** Videz des œufs, laissez-les sécher et enduisez-les de colle. Roulez-les délicatement dans une assiette pleine de fleurs de lavande. Veillez à ce que toute la surface des œufs soit recouverte.
Pour suspendre chaque œuf, attachez un ruban autour d'une demi-allumette. Introduisez complètement celle-ci dans la coquille. Tirez délicatement sur le ruban pour que l'allumette se place à l'horizontale dans la coquille. Attachez les rubans à de fines baguettes de bois pour obtenir un mobile décoratif et parfumé.

❀De beaux œufs en chocolat factices. Pourquoi ne pas réaliser vous-même avec vos enfants des œufs en chocolat factices, en fil de fer et papier journal, par exemple ?

Donnez à du fil de fer de fleuriste la forme d'un demi-œuf en le laçant en maillage relativement dense sur un saladier rond retourné. Faites la même chose pour la deuxième moitié de l'œuf. Vous aurez ainsi une sphère, à laquelle vous donnerez la forme d'un ovale en l'ajustant par pression des mains. Réunissez les deux moitiés de l'œuf et fixez-les avec de l'adhésif.

Découpez des lanières de papier journal, enduisez-les de colle à papier peint et disposez-le tout autour en plusieurs couches pour recouvrir toute la surface de l'œuf de façon uniforme.

Laissez sécher. Peignez une première couche en noir, puis en marron foncé, et vernissez. Entourez votre œuf d'un large ruban satiné noué sur le dessus.

Les œufs de Pâques en chocolat sont tellement décoratifs, avec leur belle teinte luisante et leur joli nœud de ruban, que l'on a peine à les entamer.

❀Faire briller la coquille. Vous n'avez plus de vernis ou vous n'auriez pas le temps de le laisser sécher ? Passez sur toute la surface de vos œufs peints un morceau de lard gras ou un coton légèrement huilé.

❀Séchage parfait. Vous venez de peindre ou de vernir un œuf et souhaitez qu'il sèche uniformément ? Piquez-le sur un cure-dents ou une pique que vous planterez dans un bloc de polystyrène ou de mousse synthétique de fleuriste.

TRADITION-HISTOIRE

Les œufs de Pâques

On rattache l'origine de la coutume des œufs de Pâques au carême. Au IVe siècle, l'Église interdit la consommation des œufs pendant les quarante jours qui précèdent Pâques. Cette pénitence était très suivie, aussi les œufs s'entassaient-ils dans les provisions de chaque famille. Le jour de Pâques, on prit donc l'habitude de les donner en cadeau aux enfants après les avoir teints ou décorés. On leur racontait que les œufs étaient apportés par les cloches revenant de Rome ou par le lièvre de Pâques.

On prêtait aux œufs pondus le Vendredi saint des pouvoirs magiques si on les mangeait le jour de Pâques. Suivant les régions, ils protégeaient des fièvres, des coliques ou de la mort subite ; ils préservaient des piqûres de serpent ou des chutes lors de la cueillette des fruits ; ils avaient aussi le pouvoir d'arrêter les incendies ou de conjurer le mauvais sort.

trésors et

Dans la cuisine...

tours de main

DES INGRÉDIENTS NATURELS

Le rôle du sel comme exhausteur de goût n'est plus à démontrer ; sans lui les plats sont fades et tristes. Mais le sel a bien d'autres usages en cuisine, tout comme deux éléments naturels et économiques auxquels on pense rarement : l'air et l'eau.

Le sel

❀ **Préparer un poisson.**
Pour pouvoir tenir facilement un poisson glissant, comme l'anguille, la truite ou le saumon, afin de l'écailler ou de le couper en morceaux, saupoudrez-le de gros sel. Formant buvard, celui-ci boit l'humidité de la peau et adhère aux écailles.

POURQUOI ÇA MARCHE

LE FROID QUI VIENT DU SEL

On le dit, on le sait : le mélange de glace pilée et de sel a un effet réfrigérant rapide. Il fut longtemps exploité, jusqu'à l'avènement des glacières et des réfrigérateurs, pour rafraîchir les aliments et les boissons et confectionner facilement les glaces et les sorbets (ceux-ci étaient déjà en vogue chez les Chinois bien avant l'ère chrétienne).
On l'utilise encore de nos jours, dans les seaux à rafraîchir et pour faire fonctionner les sorbetières manuelles.
Il s'agit là d'un phénomène physique : le sel, en faisant fondre la glace, absorbe de la chaleur et fait donc descendre la température, qui peut baisser jusqu'à –17 °C (1 °F).

Cuit dans une croûte de gros sel, ce carré de porc aura un fondant inégalable.

Déposez un lit de gros sel dans les assiettes et les plats pour présenter moules, huîtres et autres coquillages. Bien calés, ils ne chavireront pas. Pensez également au gros sel pour maintenir dans le plat ou la lèchefrite du four lors de leur cuisson les escargots, moules, palourdes ou coquilles Saint-Jacques.

❁ **Une poudre oléagineuse sèche.** Lorsque vous devez broyer un fruit oléagineux (amande, noix, noisette, arachide, etc.) au robot ménager avant de l'incorporer à une préparation salée, ajoutez une pincée de gros sel. Cela empêchera la graisse contenue dans ce fruit de suinter. Mettez une pincée de sucre granulé pour les préparations sucrées.

❁ **Contre le grésillement du beurre.** Lorsque le beurre chaud grésille et saute dans une poêle ou une sauteuse, ajoutez vite une pincée de gros sel, qui saura le calmer.

❁ **Test de fraîcheur pour les œufs.** Préparez un récipient d'eau salée à raison de 1/2 tasse de sel par litre d'eau. Plongez les œufs dans cette solution : les œufs extrafrais tombent au fond, les œufs qui flottent carrément à la surface ne sont bons qu'à être jetés, les autres flottent plus ou moins haut selon leur degré de fraîcheur.

❁ **Légumes sans amertume.** Lorsque vous laissez dégorger dans une passoire épinards, feuilles de bette, concombre, aubergines, oignons, poudrez-les de sel. L'eau, chassée par le sel, entraînera l'amertume. Pressez les légumes entre vos mains pour bien en extraire l'eau – sauf pour les aubergines, qu'il faut laisser dégorger pendant une heure (elles absorberont moins de graisse à la cuisson).

❁ **Délicieuses pommes de terre au four.** Piquez vos pommes de terre en robe des champs avec une fourchette et faites-les cuire au four sur un lit de gros sel ou, mieux, entre deux couches de gros sel – ce qui leur donnera une saveur particulière.

❁ **Amandes maison pour l'apéritif.** Mettez dans un bol des amandes non mondées ; couvrez-les d'eau tiède et d'une bonne cuillerée à thé de sel ; remuez et laissez tremper 15 minutes. Égouttez-les, étalez-les dans un plat et glissez-les sous le gril quelques minutes jusqu'à ce qu'elles commencent à brunir, en les surveillant attentivement et en secouant le plat à plusieurs reprises.

SAUMON EN CROÛTE DE SEL

Vous pouvez faire cuire au sel un bar, un poulet, une côte de bœuf ou un carré de porc.

Pour 4 personnes
Préparation : 15 min
Cuisson : 30 min

INGRÉDIENTS

1 saumon vidé de 1 kg (2 lb), non écaillé
2 kg (4 lb) de gros sel
4 blancs d'œufs
1 bouquet de persil

1 - Faites chauffer le four à 225 °C (450 °F).
2 - Rincez le poisson et essuyez-le avec du papier absorbant. Rincez le persil et essorez-le bien. Mélangez le sel et les blancs d'œufs battus avec une fourchette.
3 - Déposez une couche de sel d'environ 1 cm (1/2 po) d'épaisseur dans un plat allant au four. Posez le poisson dessus. Bourrez la cavité ventrale avec le persil. Recouvrez entièrement le poisson avec le reste du sel.
4 - Mettez le plat dans le four et laissez cuire 30 min.
5 - Cassez la croûte de sel avec un marteau. Ôtez délicatement la peau du poisson et déposez-le sur un plat de service. Vous pourrez l'accompagner d'une sauce à la crème aromatisée à l'estragon.

Dans la cuisine : trésors et tours de main

L'air

❀ Cuisson immédiate. Autant une pâte à tarte gagne à reposer au froid avant d'être mise à cuire, autant une préparation contenant de l'air ne saurait attendre. Ne faites donc jamais languir ni pâte à choux, ni gougère, ni génoise, encore moins un soufflé. Faites chauffer le four avant de battre la pâte ou les blancs d'œufs et enfournez sitôt vos préparatifs terminés.

❀ Crème fouettée parfaite. Les bulles d'air qui permettent à la crème de doubler de volume et la rendent mousseuse doivent être petites pour rester plus facilement emprisonnées dans la crème et la maintenir ferme. Pour cela, utilisez un fouet à main plutôt qu'un batteur électrique et ne craignez pas de battre longuement.

Plus la crème est froide, moins vous risquez la formation de beurre : mettez-la au congélateur trente minutes avant de la battre, avec le récipient dans lequel vous la battrez. Si elle est épaisse, ajoutez un peu de lait glacé. Battez jusqu'à ce que la crème forme des pics entre les branches du fouet.

❀ Réussir les œufs à la neige. Pour obtenir des œufs à la neige (ou une île flottante) bien gonflés, utilisez des œufs pondus depuis quelques jours : ils absorbent plus d'air lorsqu'on les fouette, et montent plus et plus facilement que des œufs pondus du jour.

LA PÂTE À CHOUX

L a pâte à choux sera la base de vos éclairs, vos choux et autres profiteroles, savoureux rappels de votre enfance. Laissez refroidir les choux au sortir du four, avant de les fourrer de crème pâtissière parfumée. Et pourquoi ne pas élaborer aussi des religieuses, un saint-honoré ou encore une prestigieuse pièce montée ? Pour des mets salés, supprimez simplement le sucre et doublez la proportion de sel.

Pour 24 à 30 petits choux (ou 14 à 20 gros choux) Préparation et cuisson : 20 min

INGRÉDIENTS

5 c. à soupe de beurre
1 tasse d'eau
2 pincées de sel
1 c. à thé de sucre
1 tasse de farine
4 œufs

1 - Utilisez une casserole assez grande, car le mélange monte en bouillant. Munissez-vous d'un fouet ou, mieux, d'une spatule. Si vous n'avez pas de poche à douille, vous utiliserez deux cuillères pour faire glisser la pâte.

2 - Mettez dans la casserole le beurre en morceaux, l'eau, le sel et le sucre. Portez doucement à ébullition et laissez bouillir quelques secondes, jusqu'à ce que le beurre soit totalement fondu.

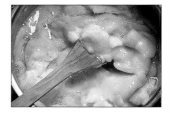

3 - Retirez la casserole du feu et versez-y d'un seul coup toute la farine tamisée. Remettez sur feu moyen et mélangez vigoureusement avec une spatule en bois, jusqu'à ce que la pâte forme une boule et se détache de la casserole.

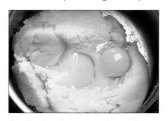

4 - Retirez la casserole du feu et incorporez un œuf en mélangeant rapidement jusqu'à ce qu'il soit totalement intégré à la pâte. Ajoutez les deux autres un à un en procédant de la même façon.

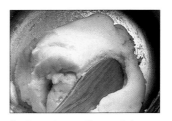

5 - Battez le quatrième œuf dans un bol, et ajoutez un peu de cet œuf si la pâte est encore trop sèche. La pâte doit être souple et molle, ni coulante ni trop ferme. Mettez-la dans une poche à douille large et lisse.

6 - Disposez de petits tas de pâte sur une tôle à pâtisserie beurrée. Aplatissez légèrement le haut des choux avec une fourchette mouillée. Faites cuire au four préchauffé à 200 °C (400 °F).

POURQUOI ÇA MARCHE

L'IMPORTANCE DU FOUET

Mousses, crèmes fouet-tées, œufs en neige, soufflés, sabayons, pâte à choux, génoises, glaces… Mille et une délices qui réclament d'être fouettées sans relâche et sans craindre d'avoir mal au bras, pour être réussies. Pourquoi ? Parce qu'en fouettant vous introduisez le maximum d'air dans les préparations et en augmentez le volume. C'est cet air emprisonné sous forme de bulles qui va provoquer le gonflement et apporter le moelleux souhaité. Pour ne pas risquer de faire éclater ces précieuses et indispensables bulles, il faut ensuite procéder délicatement pour incorporer les ingrédients fouettés au reste de la recette.

L'OMELETTE DU MONT-ST-MICHEL

*L'emploi de produits de qualité
et la vigueur du cuisinier à
fouetter les œufs assurent le
succès de cette célèbre recette
originaire de France.*

*Pour 2 personnes
Préparation et cuisson : 15 min*

INGRÉDIENTS

5 œufs

2 c. à soupe de beurre

sel, poivre

1 c. à soupe
de crème fraîche épaisse

1 - Cassez les œufs en séparant les blancs des jaunes, en prenant soin de ne laisser aucune trace de jaune. Battez très longuement les jaunes avec un fouet. Ajoutez 1 pincée de sel aux blancs et battez-les en neige molle.
2 - Mélangez délicatement les jaunes avec les blancs.

3 - Faites fondre le beurre dans une poêle. Lorsqu'il commence à crépiter, versez-y les œufs, salez et poivrez, ajoutez la crème en mélangeant délicatement. Laissez cuire à feu vif en secouant la poêle très souvent pour que l'omelette ne colle pas, jusqu'à ce qu'elle soit prise mais encore moelleuse. Servez aussitôt.

❁ **Vinaigrette digeste.** N'hésitez pas à battre longuement une vinaigrette au fouet ou à la fourchette, ou même au malaxeur, pour y incorporer le plus d'air possible : plus elle est légère, plus elle est digeste.

❁ **Agir contre le dessèchement.** L'air, indispensable dans certains cas, est parfois néfaste par ses propriétés desséchantes : protégez les pâtes contenant de la levure active en couvrant le récipient avec un linge humide pour qu'elles lèvent facilement sans former une croûte.

Isolez les pâtes brisées ou sablées en les poudrant de farine ou en les enveloppant dans un linge pour les laisser reposer au frais avant leur utilisation.

L'eau

❄ Eau froide pour pâtisseries. Vous allégerez une pâte à crêpes ou à gaufres en lui ajoutant un peu d'eau froide avant la cuisson. (C'est vrai aussi pour l'omelette.)

• Si l'eau que vous incorporez à votre pâte à tarte est glacée et non à température ambiante, la pâte est moins collante à travailler : c'est le cas pour la pâte brisée, par exemple.

TRADITION-HISTOIRE

Les porteurs d'eau

Sous le Régime français, le porteur d'eau (peint ici par Cornelius Krieghoff) parcourait les rues principales des villes afin de vendre de l'eau potable. Comme il n'y avait que peu de puits à Ville-Marie (Montréal), chaque famille possédait une tonne pour emmagasiner la provision d'eau d'une journée. Au XVIIIᵉ siècle, il en coûtait deux sous pour obtenir deux seaux d'eau. L'installation du système d'aqueduc, au mi-lieu du XIXᵉ siècle à Montréal et un peu plus tard à Québec, a relégué au second plan le métier de porteur d'eau. De nos jours, ce métier reprend de la popularité grâce à ceux qui font commerce d'eau de source embouteillée. Bien que l'on nous assure de la bonne qualité de l'eau qui passe par nos usines de filtration, nombreux sont ceux qui ont recours aux services de ces porteurs d'un nouveau genre.

❄ Conserver la couleur vive des légumes verts. Lorsque vous faites bouillir des haricots verts, des haricots mange-tout ou des petits pois, ne couvrez pas la casserole. Une fois la cuisson de ces légumes terminée, versez-les dans une passoire et plongez-les immédiatement dans de l'eau très froide. Le choc thermique leur évite une décoloration peu esthétique dans l'assiette.

❄ Jus d'agrumes. Laissez tremper les citrons, les pamplemousses et les oranges cinq minutes dans un récipient rempli d'eau bien chaude avant de les presser. Cela permet de les exprimer beaucoup plus facilement et d'en extraire le maximum de jus.

❄ Plus de larmes sur les oignons. Vous ne pleurerez plus en épluchant les oignons si vous les plongez au préalable dans de l'eau bouillante et que vous les y laissiez pendant cinq minutes pour les petits et au moins dix minutes pour les gros. Vous pouvez aussi les éplucher directement sous l'eau froide.

❄ Des crustacés bien fermes. Ne laissez pas refroidir crabes, homards, gambas et langoustines dans leur court-bouillon. Égouttez-les dès que la cuisson est terminée et plongez-les dans de l'eau glacée. Le froid intense va raffermir les chairs.

❄ Le bon démoulage. À l'eau chaude ou froide ? En trempant le moule ou en l'entourant d'un linge à vaisselle mouillé ? Tout dépend du plat :

• Posez sur le moule retourné d'un gâteau rebelle un linge à vaisselle trempé dans de l'eau froide.

• Entourez le moule d'un soufflé glacé d'un torchon trempé dans l'eau bien chaude.

• Trempez dans l'eau froide un pudding ou un entremets chaud.

• Trempez dans l'eau chaude un pudding froid, un entremets froid cuit dans un moule beurré ou caramélisé, une terrine, un aspic, une charlotte.

Attention, le temps de trempage dans l'eau chaude varie en fonction de la nature du récipient. Pour un mets en gelée, par exemple, comptez seulement dix secondes de trempage si le moule est métallique ; s'il est en porcelaine à feu ou en terre, allez jusqu'à vingt-cinq secondes.

POURQUOI ÇA MARCHE

LE BAIN-MARIE

Une flamme vive ou une plaque électrique émettent une chaleur allant de 800 °C à 1 500 °C (1 400 à 2 700 °F). Par ailleurs, l'eau ne peut pas dépasser le point d'ébullition (100 °C/212 °F). Si, au lieu de placer un récipient en contact direct avec le feu, on le met au-dessus d'une casserole d'eau, il restera à une température relativement basse.

Il en va de même pour les cuissons au bain-marie au four, mais le flux calorifique émis par la résistance se répand dans toute l'enceinte ; il est donc important que l'eau du bain-marie arrive aux deux tiers du récipient. Pour les longues cuissons, il faut remettre de l'eau au fur et à mesure qu'elle s'évapore.

Pour peler les fruits vite et bien, trempez-les trente secondes dans de l'eau bouillante. Ce bain suffit à décoller la peau de la chair. Cette méthode marche aussi bien pour les fruits (pêches, tomates, abricots, prunes), que pour les graines (amandes, pistaches), et même pour les gousses d'ail.

✿ **Légumes décor.** Si vous taillez vos radis en forme de fleurs, coupez leur extrémité en quatre ou en huit, sans séparer les morceaux, et plongez-les dans de l'eau glacée. Laissez-les tremper trente minutes : vous les verrez s'épanouir.

✿ **Nettoyer un bain de friture.** Lorsque la graisse végétale est refroidie, mais encore liquide, ajoutez-y deux verres d'eau chaude. L'eau, d'une densité supérieure à celle de l'huile, tombera au fond de la bassine en entraînant les déchets et les impuretés.

Puis, lorsque la graisse se sera solidifiée en un bloc, vous pourrez détacher celui-ci de la bassine et vider l'eau et les saletés.

Avant l'apparition des eaux gazeuses en bouteilles, on servait l'eau sous pression dans de jolis siphons.

La crème brûlée à la vanille

Très simple à faire, la crème brûlée a le bon goût des plats qui prennent le temps de cuire lentement. La cuisson au bain-marie lui assure son moelleux et sa douceur.
Si vous manquez de temps, vous pouvez la faire cuire, toujours au bain-marie, en autocuiseur.

Pour 4 personnes
Préparation : 20 min
Cuisson : 1 h
Réfrigération : 2 h

INGRÉDIENTS

1 gousse de vanille
1 3/4 tasse de crème fraîche à 15 % ou à 35 %
4 jaunes d'œufs
1/3 tasse de sucre
3 c. à soupe de cassonade

1 - Fendez la gousse de vanille en deux, grattez-la avec un couteau au-dessus d'une casserole pour y faire tomber les graines. Mettez-y la gousse entière et la crème et portez à ébullition en remuant. Retirez du feu.

2 - Mettez les jaunes d'œufs dans un bol avec le sucre et battez au fouet jusqu'à ce que le mélange blanchisse. Ajoutez la crème en remuant doucement. Versez dans des moules en filtrant dans une passoire fine.

3 - Placez les moules dans un plat allant au four. Versez de l'eau chaude jusqu'aux deux tiers de la hauteur. Couvrez d'aluminium. Faites cuire 1 h à 110 °C (230 °F). Laissez refroidir, puis gardez au réfrigérateur 2 h.

4 - Quelques minutes avant de servir, poudrez le dessus des crèmes avec la cassonade, glissez-les dans le four sous le gril très chaud, et laissez caraméliser 1 min, en surveillant pour que le sucre ne brûle pas.

PIERROT
GOURMAND

+35%
de VANILLE

Sucre
des
AU SUCRE D

AU ROYAUME DES DOUCEURS

Sucre blanc, raffiné, ou sucre de canne, brun, sont les alliés des meilleures confiseries. Avec leur petit air rétro, pâtes de fruits (1), berlingots (2) et sucettes (3) font la joie des petits et des grands.

Difficile de résister au sucre et à son cortège de confiseries. Image parfaite de la gourmandise, il évoque pour beaucoup l'enfance. Loin de le réserver aux desserts, nos grands-mères savaient exploiter ses propriétés subtiles, ainsi que celles du miel. Quant au chocolat, il est la source de multiples délices et de décorations inépuisables.

Le sucre

❈ **Des crudités qui ont du goût.** Tomates et concombres seront bien meilleurs si, lorsque vous les poudrez de sel pour les faire dégorger, vous ajoutez 1 pincée de sucre par tomate et 1 cuillerée à thé de sucre par concombre.

❈ **Soupes de légumes secs.** Donnez un agréable moelleux et plus de goût à votre soupe de pois cassés ou de haricots blancs en y ajoutant 1 cuillerée à thé de sucre en fin de cuisson.

❈ **Petits légumes glacés.** Habillez petits oignons, carottes et navets d'une pellicule brillante très appétissante en les faisant cuire dans un mélange d'eau, de beurre et de sucre. Portez à ébullition, puis laissez frémir. Lorsque le liquide de cuisson se transforme en un jus sirupeux, remuez la casserole pour faire rouler les légumes. Pour 250 g (1/2 lb) de légumes, comptez 2 cuillerées à thé de sucre et 1 cuillerée à soupe de beurre. Salez et poivrez.

❈ **Herbes aromatiques plus parfumées.** Poudrez d'un soupçon de sucre granulé le persil, la ciboulette ou le cerfeuil, juste avant de les hacher.

❈ **Un riz au lait bien cuit.** Le sucre empêche le riz de cuire. Aussi, ne sucrez pas le lait et n'ajoutez le sucre qu'à la fin de la cuisson, lorsque tout le lait a été absorbé.

❈ **Des fleurs cristallisées.** Mélangez un blanc d'œuf avec 2 cuillerées à soupe d'eau et une demi-cuillerée à thé d'huile. Badigeonnez au pinceau fin les pétales des fleurs avec cette préparation. Saupoudrez les fleurs de sucre. Secouez pour enlever l'excédent. Laissez-les sécher sur une grille. Vous obtenez un décor somptueux pour un dessert de fête.

❈ **Crème dessert sans peau.** Poudrez de sucre la surface d'une crème anglaise ou d'une crème pâtissière chaudes pour éviter la formation d'une peau à la surface.

Habillé de caramel, de sucre granulé ou de chocolat, un grain de raisin devient irrésistible.

Donnez un air de fête à une tarte aux fraises en la décorant de fils de caramel.

Les produits de l'érable

Ce sont les Amérindiens qui apprirent aux premiers colons canadiens-français l'art de récolter l'eau d'érable puis de la faire réduire. Les techniques de production et de transformation ont beaucoup évolué au fil des ans. Au XVIIIe siècle, les colons récoltaient l'eau d'érable à l'aide de goudrelles de cèdre (pièces insérées dans l'arbre pour en recueillir la sève) et de récipients en bois et la faisaient bouillir dans un chaudron de fonte. Dès 1850, on opta pour des outils et des récipients en métal. Puis, à partir de 1980, un grand nombre d'acériculteurs ont adopté le système de tubulures reliant les érables au réservoir central de la cabane, réduisant ainsi les problèmes de main-d'œuvre et de coûts de production. Même si le type de cueillette et de transformation du produit a changé, il reste que les produits de l'érable sont la résultante de l'ébullition plus ou moins longue de la sève d'érable. En effet, l'eau bout à 100 °C (212 °F), le sirop, pour sa part, doit monter à 104 °C (219 °F). La tire demande 114 °C (237 °F) et le sucre 116 °C (240 °F).

❋ **Jolis dessins de sucre.** Décorez vos gâteaux d'un motif réalisé au pochoir. Découpez votre cache dans du papier fort. Posez-le sur le gâteau complètement refroidi et mouillé d'un peu d'eau au pinceau pour que le sucre adhère. Saupoudrez largement de sucre. Soulevez le cache avec précaution. Vous pouvez colorer préalablement le sucre avec des colorants alimentaires.

❋ **Des coupes ouvragées.** Faites couler en minces filets le caramel sur le dos d'une louche mouillée, et vous réaliserez de délicieuses coupes pour vos salades de fruits. Ajoutez-en une en guise de couvercle.

LA NOUGATINE

Ce délicieux mélange de caramel et d'amandes est la base de nombreux desserts.

Pour 300 g (10 oz) de nougatine

Préparation : 30 min

INGRÉDIENTS

1/2 tasse (100 g) d'amandes
1 tasse de sucre fondu avec 2 c. à soupe de jus de citron
1 c. à thé de beurre demi-sel

1 - Étalez les amandes hachées sur une plaque, faites-les dorer légèrement au four à 180 °C (350 °F) de 12 à 15 min. Versez le sucre et le citron dans une casserole et faites fondre à feu doux.
2 - Quand le sucre arrive à la limite du grand cassé et du caramel, entre 155 °C et 160 °C (310-320 °F), ajoutez les amandes dorées encore chaudes et le beurre, et mélangez-les bien avec une spatule en bois.
3 - Versez la nougatine sur une plaque huilée, laissez-la un peu tiédir, puis étalez-la en une fine couche avec un rouleau métallique. Si elle est trop cassante, faites-la ramollir dans le four. Coupez-la avec un grand couteau.

SUCRE À LA CRÈME

Cette recette très simple a des variantes dans chaque famille du Québec. Elle se prépare avec du sucre d'érable râpé ou, par souci d'économie, avec un mélange de cassonade et de sucre. La crème à 15 % peut être remplacée par de la crème à 35 %.

Préparation : 35 min
Cuisson : 10 min environ

INGRÉDIENTS

3 tasses de sucre d'érable râpé
2 tasses de crème à 15 %
1 c. à soupe de beurre

1 - Dans une casserole, mélangez tous les ingrédients et cuisez en remuant jusqu'à ce qu'une goutte du mélange forme une boule quand on la plonge dans de l'eau froide, ou que le thermomètre à bonbons indique 114 °C (238 °F).
2 - Laissez refroidir sans remuer pendant 20 à 25 min, puis travaillez le sucre à la spatule jusqu'à ce qu'il perde son lustre.
3 - Versez dans un plat carré beurré de 22 cm (9 po). Attendez que la préparation durcisse et coupez ensuite en carrés.

Le miel

❀ **Coulis pour fruits cuits.** Faites bouillir 2 cuillerées à soupe de miel dans une petite casserole ; laissez-le caraméliser deux minutes, puis ajoutez 1 cuillerée à thé de beurre et 1 grosse cuillerée à soupe de crème fraîche ; remuez et laissez bouillir quelques secondes avant d'en habiller pommes ou poires cuites.

❀ **Fanes au miel.** Si elles sont très fraîches, les fanes des carottes, des navets et des radis méritent d'être traitées comme un légume à part entière. Faites-les cuire pour confectionner potages ou purées en les assaisonnant de sel et de miel (1 cuillerée à thé par botte).

❀ **Rôtis croustillants et parfumés.** Transformez porc, jambon, agneau, canard, pintade rôtis au four en les badigeonnant quinze minutes avant la fin de la cuisson d'une épaisse couche de miel.

N'hésitez pas à y mêler de la moutarde ou des épices – écrasées mais pas réduites en poudre – dont le parfum se mariera avec la viande (poivre concassé, girofle, graines de coriandre ou de carvi).

Plus ou moins forts, les miels sont très variés. Vous pouvez vous en servir comme du sucre, dans les yogourts, le fromage blanc, les boissons.

LES CARAMELS AU MIEL

Pour une trentaine de caramels
Préparation et cuisson : 25 min
Refroidissement : 2-3 h

INGRÉDIENTS

1 c. à soupe d'huile
10 c. à soupe de beurre
2/3 tasse de sucre
2/3 tasse de miel
1/2 tasse de noisettes

1 - À l'aide d'un pinceau, huilez un moule plat rectangulaire.

2 - Mettez le beurre, le sucre et le miel dans une casserole à fond épais. Faites fondre à feu doux en remuant avec une cuillère en bois. Lorsque le sucre et le miel sont fondus, augmentez le feu et laissez bouillir au moins 10 min, en remuant.

3 - Testez le degré de cuisson : prélevez un peu du mélange avec une cuillère à thé, plongez-le dans de l'eau froide, il doit alors former une boule plus ou moins molle. Prolongez ou non la cuisson selon que vous désirez des caramels durs ou mous. La bonne température est 120 °C (250 °F) pour des caramels mous et 142 °C (288 °F) pour des caramels durs.

4 - Lorsque la température désirée est atteinte, ajoutez les noisettes, puis versez le contenu de la casserole dans le moule huilé et étalez avec une spatule sur environ 2 cm (3/4 po) d'épaisseur.

5 - Couvrez de papier ciré. Laissez refroidir de 2 à 3 h pour des caramels mous. Faites seulement durcir la pâte pour obtenir des caramels durs, sans laisser refroidir totalement.

6 - Retournez le moule sur une planche et soulevez la pâte avec une spatule métallique. Coupez-la en carrés de 2,5 cm (1 po) de côté avec un couteau légèrement huilé. Enveloppez les caramels dans des petits carrés de cellophane ou posez-les dans des caissettes en papier. Conservez-les dans une boîte hermétique.

Le chocolat

❀ **Pour récupérer un gâteau brûlé.** Commencez par retirer la pellicule de brûlé en la coupant si elle est un peu épaisse ou en la grattant si le mal n'est pas trop grand. Préparez un glaçage en faisant fondre 100 g (3 1/2 oz) de chocolat noir avec 4 cuillerées à thé de beurre dans un bain-marie, mélangez, versez sur le gâteau et étalez avec une spatule métallique. Ou bien recouvrez-le d'une bonne couche de cacao non sucré en le tamisant dans une passoire fine.

❀ **Chocolat tempéré.** Pour bien réussir vos décors en chocolat : copeaux, cigarettes, écorces, feuilles, galets, etc., le chocolat tempéré est indispensable. Cassez les 9/10 du chocolat destiné à être utilisé et faites-le fondre dans un bain-marie. Dès qu'il est fondu, retirez le chocolat du bain-marie, ajoutez-y le 1/10 restant et mélangez jusqu'à ce que le chocolat atteigne 30-32 °C (86-89 °F) : si, à ce point, une partie de la dernière fraction n'a pas fondu, retirez-la.

Versez les 2/3 du chocolat sur un marbre ou un plan de travail bien sec et travaillez-le pendant au moins trois minutes avec une spatule métallique en l'étalant à plusieurs reprises, jusqu'à ce qu'il épaississe et soit sur le point de prendre. Réincorporez alors le 1/3 mis de côté au chocolat travaillé, réchauffez le tout au bain-marie, en remuant jusqu'à la température de 30-32 °C (86-89 °F). Votre chocolat va ainsi pouvoir se prêter à toutes les utilisations.

❀ **Cigarettes en chocolat.** Étalez délicatement le chocolat tempéré à 30-32 °C (86-89 °F) sur un marbre avec une spatule métallique, sur 3 mm (1/8 po) d'épaisseur. Lorsque le chocolat commence à prendre, tracez des bandes de la largeur d'un couteau triangulaire.

Poussez lentement la spatule sur le chocolat, en l'inclinant à 45°, en progressant de vous vers l'extérieur et en appuyant contre le marbre. Le chocolat s'enroulera tout seul en cylindre.

❀ **Copeaux en chocolat.** Pour obtenir de petits copeaux, raclez la tranche d'une plaque de chocolat avec un couteau économe. Pour des copeaux plus longs, étalez du chocolat tempéré avec une spatule métallique sur un marbre ou une surface froide ; laissez-le refroidir et découpez vos copeaux avec un couteau triangulaire.

En pâtisserie, utilisez toujours du chocolat riche en cacao (52 % minimum). À lui seul il a un parfum délicieux, mais cela n'empêche pas de l'aromatiser avec des saveurs qui le rehaussent, le café, l'orange, l'amande, la vanille, sous forme d'arômes alimentaires. Il se marie bien également avec le rhum, le kirsch ou le Cointreau.

❊ Feuilles en chocolat. Procurez-vous des feuilles fraîches et rigides, non toxiques, possédant des nervures saillantes sur l'endroit (vigne, citronnier par exemple), avec leur tige. Lavez et essuyez les feuilles, étalez du chocolat tempéré sur la partie brillante à l'aide d'un pinceau, en tenant la feuille par la tige. Essuyez le dessous de la feuille pour retirer toute trace de chocolat qui aurait pu couler. Laissez refroidir et sécher sur un plateau. Lorsque le chocolat est parfaitement dur, décollez délicatement la feuille végétale de la feuille de chocolat.

❊ Petit plus dans les sauces. Dans les sauces au vin rouge, le chocolat apporte douceur et parfum délicat. Ajoutez 10 g (1/3 oz) de chocolat noir dans les sauces de civet et autres sauces brunes juste à la fin de la cuisson pour leur donner de la brillance. Vous pouvez remplacer le chocolat par 1 cuillerée à thé de cacao non sucré.

SOUFFLÉS CHAUDS AU CHOCOLAT

Pour 6 personnes
Préparation :
20 min
Cuisson : 15 min

INGRÉDIENTS

90 g (3 oz) de chocolat de couverture
4 c. à soupe de beurre
2 c. à soupe de farine
1/2 tasse de sucre granulé plus 1 c. à soupe pour les moules
6 œufs
2 c. à soupe de cacao en poudre
Quelques gouttes d'essence de vanille
1 pincée de sel
2 c. à soupe de sucre glace

1 - Faites fondre le chocolat cassé en morceaux dans un bol au bain-marie.

2 - Faites fondre 2 c. à soupe de beurre dans une petite casserole, ajoutez la farine, mélangez pendant 1 min avec une cuillère en bois, puis laissez refroidir.

3 - Faites chauffer le four à 200 °C (400 °F). Beurrez soigneusement 6 ramequins individuels en porcelaine avec 1 c. à soupe de beurre. Poudrez-les de 1 c. à soupe de sucre granulé, puis retournez-les pour en faire tomber l'excédent.

4 - Cassez les œufs en séparant les blancs des jaunes. Battez les jaunes avec les deux tiers du sucre jusqu'à ce que le mélange soit lisse et mousseux.

5 - Ajoutez le mélange de beurre et de farine, le cacao et la vanille. Incorporez le tout au chocolat fondu.

6 - Ajoutez 1 pincée de sel aux blancs d'œufs, battez-les en neige ferme, puis versez en pluie, en continuant de battre, le reste du sucre granulé.

7 - Incorporez le quart des blancs en neige à la préparation précédente en mélangeant vivement pour la liquéfier un peu, puis ajoutez le reste délicatement, sans battre pour ne pas faire retomber les blancs.

8 - Répartissez la préparation entre les ramequins, sans dépasser les trois quarts de chaque récipient.

9 - Mettez au four et laissez cuire 15 min, sans ouvrir la porte du four. Poudrez les soufflés de sucre glace et servez aussitôt.

❊ Des œufs à la mousse. Faites un trou à chaque extrémité des œufs (un gros trou du côté le plus large, un petit trou à l'autre extrémité), évidez les coquilles en soufflant au-dessus d'un récipient pour récupérer leur contenu. Lavez les coquilles et égouttez-les. Bouchez le plus petit trou avec une pastille autocollante. Emplissez délicatement chaque coquille avec de la mousse au chocolat encore liquide à l'aide d'une seringue ou d'une poche à douille. Laissez prendre six heures au moins au réfrigérateur. Présentez votre dessert dans des coquetiers et savourez vos œufs en les ouvrant comme des œufs à la coque.

Avant d'être un délice pour le palais, ce millefeuille aux deux chocolats est un régal pour les yeux.

COULEURS ET SAVEURS

Gorgés de soleil, riches en vitamines, éclatants de couleurs, les légumes et les fruits permettent une infinie variété de recettes délicieuses. Et ils ont parfois des propriétés méconnues. Plus inattendu encore, osez mettre les fleurs et les feuillages non plus seulement sur votre table, mais aussi dans votre assiette. Régalez-vous de salades fleuries, de condiments insolites…

Le topinambour (en ht) a la saveur de l'artichaut.

Les légumes d'autrefois reviennent à l'honneur (à dr.). Redécouvrez le radis blanc, les courges d'hiver, le topinambour, le panais…

Les légumes

❀ **Croustilles de légumes.** Vous possédez certainement cet ustensile (voir ci-contre) qui date de nos grands-mères, mais avez-vous déjà remarqué la fente rectiligne entre la râpe fine et la grosse râpe ? Cette fente, dont l'un des bords est légèrement aiguisé, permet de couper les pommes de terre en rondelles très fines ou en pétales. Pensez également à cette râpe pour couper finement tous les autres légumes : carottes, navets, courgettes, céleri-rave, etc.

❀ **Panne de pinceau.** Vous avez besoin d'un pinceau pour badigeonner de marinade, d'huile ou de beurre fondu un poisson, une viande ou des légumes en train de cuire sous un gril, à la rôtissoire ou au barbecue ? Improvisez-en un en taillant en lanières fines les feuilles vertes d'un poireau, à partir du blanc, qui fera office de manche. Lavez-le très soigneusement pour ôter toute trace de terre et essuyez-le avant de vous en servir.

❀ **Légumes-récipients.** Évidez une citrouille en décalottant largement le haut et conservez l'écorce intacte au réfrigérateur. Elle fera une très belle soupière pour y présenter la soupe préparée avec sa chair.

• Pelez partiellement les courgettes ou les concombres avec un couteau canneleur pour obtenir des rayures blanches et vertes. Coupez-les en tronçons d'environ 5 cm (2 po) et évidez-les avec une petite cuillère ou un vide-pomme sans percer le fond, pour obtenir des puits que vous garnirez de préparations à base de fromage blanc, de crevettes, de riz, etc.

• Coupez les concombres et les courgettes en deux dans le sens de la longueur, puis en deux dans le sens de la largeur. Évidez les morceaux avec une petite cuillère en laissant tout autour 5 mm (1/4 po) de pulpe pour obtenir des barquettes à garnir. On peut faire aussi ce genre de récipient avec des aubergines et des poivrons.

❀ **Presse-pâte.** Au lieu de piquer à la fourchette votre fond de pâte sablée, brisée ou feuilletée pour l'empêcher de monter pendant une cuisson à blanc, couvrez-le de papier ciré ou de papier d'aluminium et parsemez-le de légumes secs (haricots ou pois chiches). Récupérez ces légumes, rangez-les dans une boîte et réservez-les exclusivement à cet usage.

❀ **Trop de sel.** Si en cours de cuisson vous vous apercevez que votre soupe ou votre plat mijoté est trop salé, ajoutez-y une pomme de terre, laissez bouillir, puis retirez la pomme de terre, qui aura absorbé l'excédent de sel.

PLUS D'ODEUR POUR LE CHOU-FLEUR

MODERNE ET PRATIQUE Le four à micro-ondes a des atouts majeurs pour qui sait découvrir ses ressources. Ainsi pouvez-vous cuire en un temps record un beau chou-fleur sans que l'odeur alerte le voisinage : choisissez-le très blanc, retirez la couronne de feuilles vertes, lavez-le, enveloppez-le hermétiquement dans une double épaisseur de film alimentaire et posez-le au centre du four. Faites fonctionner l'appareil à pleine puissance pendant douze minutes (pour une puissance restituée d'environ 800 W). Laissez reposer quelques minutes, puis entaillez le film avec des ciseaux en prenant garde à la vapeur brûlante. Votre chou-fleur est parfaitement cuit et vous pouvez le présenter entier sur un plat avec une petite sauce sympathique. La même technique vaut pour l'artichaut. Faites-le cuire de huit à dix minutes selon sa grosseur.

❀ **Colorants naturels.** Passez des betteraves rouges à la centrifugeuse. Vous obtiendrez un jus parfait pour colorer en rose la pâte à nouilles (tagliatelles roses). Vous obtiendrez un beau jus vert en pressant des épinards ébouillantés. Pour colorer en orange utilisez du concentré de tomates. Ajoutez vos colorants par très petites quantités à la fois à la fin de la confection des pâtes. Les proportions diffèrent selon la nuance souhaitée.

❀ **Légumes-décor.** Taillez en rondelles très fines un demi-concombre coupé dans la longueur et rangez-les sur un poisson cuit, en partant de la queue et en les faisant chevaucher légèrement jusqu'à la tête pour figurer les écailles.

• Découpez des carottes en longues lanières avec un couteau économe. Faites cuire ces rubans quelques minutes à l'eau bouillante salée avant d'en garnir un plat.

❀ **Riz-buvard.** Lorsque vous farcissez des tomates ou des courgettes, n'oubliez pas de mettre au fond des légumes quelques grains de riz. Au cours de la cuisson, ils empêcheront la farce d'être détrempée par l'eau contenue dans les légumes.

Faites des terrines raffinées et rafraîchissantes avec les légumes.

❀ **Cuisiner les fanes.** Ne jetez plus les fanes bien vertes des radis ou des navets primeurs. Elles se préparent comme des épinards, en potage ou encore en purée (ajoutez un soupçon de sucre ou de miel), tandis que les petites feuilles vertes des bulbes de fenouil remplacent avantageusement l'aneth frais dans une salade ou une sauce.

❀ **Légumes-enveloppes.** Utilisez des feuilles d'épinard, des feuilles de chou frisé, des courgettes taillées en lamelles minces et larges avec un couteau économe pour chemiser moules à charlottes, darioles et ramequins. Ébouillantez le légume choisi, passez-le sous l'eau froide, étalez-le sur un linge pour le sécher, puis tapissez-en le ou les moules bien beurrés en faisant chevaucher les feuilles ou les lamelles. Garnissez avec la préparation, puis rabattez dessus la partie des feuilles qui dépasse.

LE CHOU FARCI

Le chou, grand classique de la cuisine de nos grands-mères, est un des légumes les plus couramment employés pour recevoir une farce. Toutes les variétés de chou peuvent se farcir, mais privilégiez le chou vert frisé pour sa belle couleur.

Pour 6-8 personnes
Préparation : 30 min
Cuisson : 1 h 15

INGRÉDIENTS

1 chou frisé
1/2 tasse de mie de pain
2 c. à soupe de crème à 15 %
2 carottes
1 navet
1 oignon
1 c. à thé d'huile
250 g (1/2 lb) de chair à saucisse
2 gousses d'ail
2 blancs de poulet
1 œuf
1 bouquet de persil
1 branche de thym
1 feuille de laurier
gros sel et sel fin
poivre

1 - Retirez les premières feuilles du chou. Plongez-le dans l'eau bouillante salée et laissez-le cuire 15 min à partir de la reprise de l'ébullition. Égouttez-le. Ôtez le trognon. Arrosez la mie de pain avec la crème.

2 - Coupez les carottes et le navet en tout petits dés. Plongez-les 2 min dans l'eau bouillante, égouttez-les. Faites fondre avec l'huile dans une petite poêle l'oignon haché, la chair à saucisse et l'ail haché, mélangez bien.

3 - Passez les blancs de poulet crus au mélangeur, ajoutez l'œuf, la mie de pain, 2 c. à soupe de persil haché. Versez cet apprêt dans un bol et ajoutez-y la chair à saucisse, les carottes et le navet. Salez et poivrez.

4 - Écartez délicatement les feuilles du chou, retirez le cœur, hachez-le finement et incorporez-le au mélange précédent. Garnissez le centre du chou avec cette farce en refermant les feuilles dessus.

5 - Étalez en croix deux longs morceaux de ficelle de cuisine sur le plan de travail et posez-y un linge humide. Placez le chou au centre, enveloppez-le avec le linge et nouez les ficelles très serrées.

6 - Plongez le chou dans un grand faitout rempli d'eau. Ajoutez le reste du persil, le thym, le laurier et une poignée de gros sel. Portez à ébullition, couvrez, puis laissez frémir pendant 1 h à feu doux. Sortez le chou du linge.

Les fruits

❀ **Le rôle antioxydant des agrumes.** Vous arrosez déjà de jus de citron les carottes râpées, poires coupées, bananes, avocats, champignons, pour éviter qu'ils ne s'oxydent au contact de l'air. Pour la même raison, faites cuire fonds d'artichauts, salsifis, céleri-rave et cardons dans un blanc de cuisson composé de 4 tasses d'eau salée additionnée, lorsqu'elle est bouillante, de 2 cuillerées à soupe de jus de citron et de 1 cuillerée à soupe de farine délayée avec 3 cuillerées à soupe d'eau. Si ces légumes doivent attendre avant la cuisson, plongez-les dans de l'eau citronnée à raison de 4 à 5 cuillerées à soupe de jus de citron pour 4 tasses d'eau.

• Le riz sera bien blanc et ne collera pas si vous ajoutez 2 cuillerées à soupe de jus de citron dans l'eau de cuisson.

• Une volaille pochée sera bien blanche si vous la frottez avant la cuisson avec un demi-citron.

❀ **Pour corriger des erreurs.** Rattrapez des confitures cristallisées en les faisant recuire cinq minutes avec quelques cuillerées de jus de citron. Pour prévenir la cristallisation, ajoutez toujours 1 cuillerée à soupe de jus de citron par kilo de préparation avant la cuisson.

• Réveillez une sauce trop fade, chaude ou froide, avec quelques gouttes de jus de citron.

• Rattrapez une sauce hollandaise tournée en la versant en filet sur 1 cuillerée à soupe de jus de citron, en fouettant sans arrêt.

❀ **Mûrissement rapide.** Enfermez une pomme dans un sac en papier avec des poires, des avocats ou des bananes que vous souhaitez voir mûrir rapidement: la pomme dégage un gaz – l'éthylène – qui accélère le mûrissement de ces fruits.

LA CENTRIFUGEUSE

MODERNE ET PRATIQUE Plus de corvée d'épluchage! Autrefois la presse à jus de fruits (ci-contre) permettait déjà de savourer des cocktails naturels de fruits, sans sucre ni conservateurs, mais il fallait éplucher les fruits et tourner la manivelle. Aujourd'hui la centrifugeuse permet d'extraire le jus des fruits, par rotation rapide, sans exiger aucun effort puisqu'elle est équipée d'un tamis qui retient pulpe, peau et pépins.
Les jus obtenus sont à préparer au dernier moment, car il faut les consommer sans attendre pour ne pas perdre leurs précieuses vitamines, qui disparaissent par l'oxydation de l'air. Les agrumes cependant ne peuvent connaître les vertiges centrifuges car ils doivent être pressés.

Nos grands-mères savaient attiser l'appétit avec des présentations soignées. Au lieu de vous contenter d'une simple abaisse double sur une tarte à la rhubarbe, renouez avec leur art d'ouvrager la pâte.

❀ **Écorces d'agrumes.** Prélevez les zestes en longs rubans avec un couteau économe et faites-les sécher, selon la saison, accrochés sur une corde au soleil ou dans une pièce chaude et sèche. Autre solution pour un séchage express: placez les zestes dans un four chaud, mais éteint. Conservez-les ensuite dans un bocal ou une boîte métallique. Un morceau d'écorce d'orange joint au bouquet garni parfumera daubes et estouffades. Vous pouvez broyer les zestes bien secs et utiliser cette poudre pour parfumer crèmes et sauces.

❀ **Pelures de pommes.** Faites sécher les pelures des pommes, conservez-les dans un bocal: elles parfumeront des tisanes et feront apprécier leur action sédative.

TRADITION-HISTOIRE
Le bleuet

De tous les produits du terroir québécois, le bleuet est peut-être le plus connu et le plus savoureux. Il pousse à l'état sauvage en Abitibi et sur la Côte-Nord, mais surtout dans la région du Saguenay–Lac-Saint-Jean, depuis l'incendie de 1870 qui ravagea la grande région de Roberval. Parce qu'il ne requiert qu'une mince couche organique, le bleuet prolifère en effet de préférence sur un terrain incendié, où il n'a pas à concurrencer d'autres types de végétation.
Au début, la cueillette du bleuet était concentrée dans l'aire comprise entre Saint-Félicien et L'Anse-Saint-Jean, mais elle se répandit bientôt sur la rive nord du lac au fur et à mesure que de nouvelles paroisses s'ouvraient à la colonisation. Dans les années 1880, l'avènement du chemin de fer allait permettre au bleuet de faire connaître ses lettres de noblesse bien au delà des frontières du Saguenay–Lac-Saint-Jean. On trouve maintenant du bleuet dans le sud du Québec, mais il est de variété cultivée. On l'appelle le bleuet géant car il est deux à trois fois plus gros que le bleuet sauvage.

❀ **Coulis de canneberges à l'ivrogne.** La canneberge, ou atoca, est un petit fruit qui pousse dans les tourbières. Les autochtones s'en servaient abondamment comme aliment, comme teinture et comme médicament. Elle est cultivée au Québec, principalement dans la région du Cœur-du-Québec. Faites-en un coulis pour accompagner vos plats de gibier, de porc ou d'agneau. Mettez dans un grand faitout 4 1/2 tasses de canneberges fraîches, 2 tasses de sucre, 1/2 tasse de vin rouge, une pincée de cannelle et une pincée de muscade. Réchauffez lentement et laissez cuire à feu doux en remuant de temps en temps, jusqu'à épaississement. Si vous ne le servez pas tout de suite, versez le coulis dans des bocaux chauds et stérilisés et scellez.

❀ **Liqueur de noyaux.** Mettez dans un grand bocal 500 g (1 lb) de noyaux d'abricot ou de pêche non cassés et 1 litre d'alcool à 40° ; fermez hermétiquement. Deux mois après, filtrez, versez le liquide sur un sirop composé de 1 tasse de sucre et 1/2 tasse d'eau. Laissez macérer huit jours au soleil, refiltrez et versez dans de jolis flacons.

❀ **Des noyaux bien utiles.** Cassez quelques noyaux d'abricot, récupérez les amandes, pelez-les (en les plongeant dans de l'eau bouillante) et faites-les cuire avec les abricots dans la bassine à confitures. Votre confiture sera beaucoup plus parfumée.

LES FLORENTINS

Pour 24 florentins
Préparation : 30 min
Cuisson : 15 min

INGRÉDIENTS

1 c. à soupe de raisins secs
1 c. à soupe de rhum
6 cerises confites
4 c. à soupe d'écorce d'orange confite
3 c. à soupe de beurre mou
1/3 tasse de sucre
3/4 tasse de farine
1 œuf
1 pincée de sel
1/2 tasse d'amandes effilées
90 g (3 1/2 oz) de chocolat noir

1 - Rincez les raisins secs et arrosez-les avec le rhum. Hachez les cerises et l'écorce d'orange.
2 - Mélangez soigneusement le beurre et le sucre, incorporez la farine, le sel et l'œuf. Ajoutez les fruits confits, les raisins secs et les amandes, et mélangez.
3 - En vous aidant de deux cuillères, déposez la pâte en petits tas de la grosseur d'une noix sur une plaque à pâtisserie couverte de papier ciré. Enfournez dans le four préchauffé à 200 °C (400 °F) et laissez cuire 10 min. Décollez les florentins du papier et laissez-les refroidir sur une grille.
4 - Faites fondre le chocolat à feu doux dans une petite casserole avec 3 c. à soupe d'eau. Nappez-en une face des florentins avec une spatule. Déposez les biscuits sur une grille, chocolat au-dessus, pour le laisser durcir. Une fois secs, conservez-les dans une boîte hermétique.

❀ **Épépinage facile.** Vous souhaitez retirer les pépins des gros grains de raisin ? Utilisez la pointe d'un couteau économe ou une pince à épiler.

❀ **Pomme conservateur.** Placez une pomme dans la huche à pain pour que celui-ci reste frais. Pensez à changer la pomme de temps en temps.

• De la même façon, déposez un quartier de pomme dans un récipient contenant un gâteau moelleux, ou de la cassonade, pour éviter le dessèchement.

❀ **Des poires toute l'année.** Coupez les poires en tranches épaisses. Disposez-les sur la plaque du four et faites chauffer à feu très doux pendant plusieurs heures jusqu'à ce que toute leur eau soit évaporée. Lorsqu'elles sont bien sèches, conservez-les dans un récipient hermétiquement fermé.

Pour les utiliser au gré de votre fantaisie dans des mets salés ou sucrés, il suffira de les faire tremper dans de l'eau légèrement citronnée pour les réhydrater.

❀ **Confitures bien prises.** Enfermez des pépins de pomme ou de citron dans un nouet de mousseline (vous pouvez remplacer la mousseline par de la gaze achetée en pharmacie) et ajoutez ce sachet dans la bassine à confitures avec les fruits en train de cuire : cela augmente leur teneur en pectine et favorise la gélification.

De petits ananas peuvent faire des coupelles très décoratives pour une entrée rafraîchissante, comme cette salade de crevettes aux champignons (en ht).

Une pyramide de fraises évoquant la forme de ce fruit est une présentation très originale pour un buffet estival (à g.).

❀ **Fruits à l'eau-de-vie.** Piquez les petits fruits (cerises, raisins) à plusieurs endroits avec une aiguille à brider avant de les faire macérer dans l'eau-de-vie. En se gorgeant d'alcool, ils seront plus parfumés et ne risqueront pas de s'affaisser.

❀ **Noisettes.** Le noisetier pousse surtout dans les taillis. Vous pouvez cueillir vos propres noisettes à la fin de l'été, si vous avez la chance de passer avant les écureuils ! Il faut porter des gants car l'enveloppe est piquante. Étalez les noisettes pour les faire sécher. Déposez ensuite le tout dans une poche de jute et battez contre une surface dure. Il ne restera qu'à casser la noix pour en retirer l'exquise amande.

POMMES FARCIES EN HABIT

Nos grands-mères avaient l'habitude de faire, avec des chutes de pâte feuilletée, des chaussons aux pommes ; les pommes y étaient farcies de noix, raisins secs et cassonade. Voici la recette classique, qui vient de Normandie.

Pour 6 personnes
Préparation : 45 min
Cuisson : 25-30 min

INGRÉDIENTS

1 c. à soupe de raisins secs
1 sachet de thé
3 figues sèches
3 abricots secs
6 cerneaux de noix
6 pommes, rome beauty ou cortland, pas trop grosses
1/2 citron
4 c. à soupe de beurre mou
3 c. à soupe de sucre granulé
2 c. à soupe de miel
1 c. à thé de cannelle en poudre
750 g (1 1/2 lb) de pâte brisée
1 jaune d'œuf

1 - Faites infuser un bol de thé chaud et laissez-y tremper les raisins secs. Coupez les figues sèches, les abricots secs et les cerneaux de noix en petits morceaux.

2 - Évidez les pommes avec un vide-pomme, pelez-les et frottez-les avec le demi-citron pour les empêcher de noircir. Au besoin, recoupez la base pour qu'elles soient stables.

3 - Mélangez le beurre avec le sucre, le miel et la cannelle. Ajoutez les morceaux de fruits secs et les raisins égouttés. Garnissez les pommes avec cette préparation, en tassant.

4 - Abaissez la pâte brisée sur 3 mm (1/8 po) d'épaisseur. Découpez 6 ronds à l'aide d'une assiette retournée. Prélevez des petites feuilles ovales dans les chutes et tracez dessus des nervures avec la pointe d'un couteau.

5 - Posez chaque pomme au centre d'un rond de pâte, humectez la pâte avec un pinceau humide et repliez-la sur le fruit en faisant des plis réguliers. Formez un petit trou en haut pour laisser la vapeur s'échapper.

6 - Collez les petites feuilles en corolles avec le jaune d'œuf battu dans 1 c. à soupe d'eau. Badigeonnez-en également les pommes. Faites cuire de 25 à 30 min au four à 200 °C (400 °F). Servez tiède ou froid.

Les fleurs et les feuillages

❀ **Boutons floraux en condiments.** Il est possible de faire confire à la place des câpres des boutons de capucine, de renoncule, de souci ou encore de scorsonère (le salsifis noir des Belges). Lavez les boutons, séchez-les et mettez-les dans un bocal en couvrant de vinaigre blanc. Laissez macérer 24 heures, puis égouttez-les. Faites bouillir le vinaigre pour qu'un tiers s'évapore. Complétez avec du vinaigre frais, laissez refroidir et versez sur les boutons. Refaites la même opération le lendemain. Mettez dans un bocal hermétique et attendez deux mois avant de vous régaler.

Une entrée originale : des fleurs de courgette farcies.

❀ **Fleurs farcies.** Retirez le pistil des fleurs de courgette ou de courge sans séparer les pétales, lavez-les délicatement avec un linge humide et farcissez-les d'une bonne cuillerée à thé d'un mélange composé de parmesan, de filets d'anchois et de basilic. Déposez les fleurs dans un plat huilé, assaisonnez-les, arrosez-les d'un filet d'huile d'olive, poudrez-les de parmesan et faites-les cuire quinze minutes à four chaud.

❀ **Sucre à la lavande.** Déposez sucre et fleurs de lavande en couches alternées dans un bocal. Fermez, laissez le parfum agir pendant deux mois, puis tamisez le contenu du bocal à travers une passoire et rangez le sucre dans une boîte. Tartes, tisanes, beignets et autres délices auront un parfum subtil.

LA CONFITURE DE ROSES

Pour 1 kg (2 lb) environ
Macération : 24 h
Préparation et cuisson : 1 h

INGRÉDIENTS

250 g (1/2 lb) de pétales de roses très parfumées : églantiers ou roses de Damas

500 g (1 lb) de sucre

Pectine liquide

2 citrons

1 - Coupez les pétales de rose en lanières, mettez-les dans un bol avec la moitié du sucre, mélangez, couvrez et laissez macérer 24 h.
2 - Pressez les citrons. Mettez le jus dans une petite bassine à confitures, ajoutez 4 tasses d'eau, le reste du sucre et la pectine. Faites chauffer doucement jusqu'à ce que le sucre soit fondu, en remuant avec une cuillère en bois.
3 - Ajoutez alors le contenu du bol et faites frémir pendant 20 min, en remuant de temps en temps. Augmentez le feu et faites bouillir 5 min pour que le mélange épaississe.
4 - Versez-le dans des pots et fermez hermétiquement.

❀ **Salades multicolores.** Utilisez exclusivement des fleurs de votre jardin et lavez-les toujours à l'eau légèrement vinaigrée. Essayez les mariages suivants :
• une petite poignée de pétales de rose ou de mauve avec une salade de légumes verts et poulet ;
• une vingtaine de fleurs de chèvrefeuille ou quelques fleurs de capucine sur une salade composée estivale ;
• quelques fleurs de pissenlit sur des fruits de mer.

❀ **Beignets de fleurs.** Trempez des fleurs de courgette ou de sureau dans une pâte à beignets et faites-les frire dans l'huile chaude. Égouttez et saupoudrez de sucre.

❀ **Légumes insolites.** Appelée « crosse de violon », la jeune pousse de la fougère-à-l'autruche (*Matteuccia struthiopteris*) se distingue par la teinte vert foncé de ses crosses enroulées et les écailles brunes qui les recouvrent. Il ne faut pas la confondre avec l'osmonde cannelle, caractérisée par une abondance de poils laineux blanchâtres, et l'onoclée sensible, plus petite, de couleur rougeâtre. Les pousses de fougères se mangent cuites, en salade, dans une soupe, une omelette ou une quiche ou en accompagnement. On les congèle crues ou blanchies.
• Les feuilles d'ortie s'apprêtent comme les épinards. Cueillez-les avec des gants, effeuillez-les et lavez-les, puis plongez-les 2 minutes dans de l'eau bouillante avant de les utiliser en garniture ou dans une soupe (ci-contre). Les très jeunes feuilles se mettent dans une salade.

AU FOUR ET AU MOULIN

Dans toutes les pâtes et dans bien des sauces, dans les recettes salées ou sucrées, dans les plats rustiques ou raffinés, la farine est partout. L'amidon qu'elle renferme la rend apte à de multiples usages que nous ne soupçonnons pas toujours. Il en va de même pour le pain, qui rend bien des services en cuisine, sans parler de toutes les fantaisies décoratives qu'il permet.

La farine

✿ **Une crème anglaise infaillible.** Ajoutez systématiquement et sans complexe une pincée de farine au mélange de jaunes d'œufs et de sucre avant d'y verser le lait bouillant. Aucune crème anglaise n'osera tourner grâce à la présence, même infime, de l'amidon.

✿ **Viande goûteuse.** Farinez légèrement avant cuisson grillades, lanières ou cubes de viande ou enrobez-les de fécule de maïs délayée dans un peu d'eau. Cette pellicule protectrice empêche le jus et les sucs de s'échapper à la cuisson et intensifie la tendreté de la viande.

✿ **Légumes croustillants.** Avant de les cuire dans de la matière grasse chaude, séchez bien dans un torchon les pommes de terre en dés ou en rondelles, les aubergines, les courgettes ou les oignons en rondelles, et passez-les dans un peu de farine. Vos légumes resteront bien présentables et seront plus croustillants.

TUILES AUX AMANDES

Pour 50 tuiles
Préparation : 20 min
Cuisson : 5 min par série

INGRÉDIENTS

3 c. à soupe de beurre
8 c. à soupe de farine
1/2 tasse de sucre
2 œufs
1/2 tasse d'amandes effilées
1 pincée de sel

1 - Faites fondre le beurre sans le laisser chauffer. Tamisez la farine au-dessus d'un bol, ajoutez le sucre, les œufs et une pincée de sel. Mélangez avec un fouet à main, sans trop travailler la pâte. Ajoutez les amandes sans les briser et incorporez la moitié du beurre fondu.

2 - Beurrez une plaque à pâtisserie avec un peu de beurre fondu à l'aide d'un pinceau. Déposez des petits tas de pâte bien espacés sur la plaque beurrée. Étalez chaque petit tas avec le dos d'une fourchette trempée dans de l'eau froide. Enfournez et laissez cuire de 4 à 5 min.

3 - À la fin de la cuisson, le tour des tuiles doit être légèrement doré et le centre blanc. Décollez immédiatement les tuiles une à une avec une spatule et moulez-les sur un rouleau à pâtisserie ou une bouteille. Laissez-les refroidir ainsi : elles garderont leur forme caractéristique.
Variantes : Pour faire des cigarettes, roulez-les sur le manche d'une cuillère en bois. Pour faire des coupelles ou des tulipes, moulez-les dans des petits moules à brioche, sur des fonds de tasse ou sur des oranges.

Pour faire des pâtes fraîches, utilisez une farine de qualité supérieure.

La farine de blé peut s'utiliser seule pour les pâtisseries (1), ou mêlée à celle de sarrasin pour les galettes (2). On peut aussi y ajouter d'autres céréales pour faire des pains campagnards, ou bien des herbes aromatiques et de l'huile d'olive, comme dans la fougasse provençale (3).

❀ **L'assurance d'un démoulage parfait.** Lorsque le beurre fondu dont vous avez enduit votre moule à gâteau est bien figé, saupoudrez-le d'une cuillerée à soupe de farine. Secouez-le en tous sens pour recouvrir complètement le beurre, puis retournez-le et tapotez-le pour faire tomber l'excédent de farine. Votre gâteau glissera sans problème du moule au plat de service.

❀ **Plus de grumeaux.** Passez toujours farine ou fécule dans un tamis ou une simple passoire fine pour supprimer tout grumeau. Vos sauces, crèmes et pâtisseries y gagneront en finesse.

❀ **Plus de taches grasses.** Lors de la cuisson d'une viande (agneau, porc, canard...) ou d'un poisson (saumon, thon...) un peu gras, n'oubliez pas d'ajouter dans la poêle ou la sauteuse une simple petite pincée de farine pour éviter les projections sur la cuisinière ou les murs alentour.

❀ **Farinage propre.** Enfermez petits morceaux de viande, cuisses de grenouille, friture de poissons bien secs dans un sac en plastique alimentaire avec 2 ou 3 cuillerées à soupe de farine. Fermez le sac et secouez-le fortement pour que chaque morceau soit bien enrobé de farine. Versez le contenu du sac sur un tamis, une grille ou dans une passoire pour éliminer le surplus de farine. La fécule de pomme de terre donne un résultat encore plus croustillant.

❀ **«Luter» comme nos grands-mères.** Préparez une pâte molle mais non coulante avec un peu de farine et d'eau et modelez-la en un ruban ininterrompu sur le rebord d'une terrine ou d'une cocotte, tout autour du couvercle : sous l'action de la chaleur, en séchant, la pâte se transforme en un joint hermétique que vous casserez à la fin de la cuisson. Cette astuce est recommandée pour tous les plats qui doivent mijoter longuement.

GÂTEAU ROULÉ À LA CONFITURE

Ce grand classique du répertoire de nos grands-mères jouit toujours d'un aussi fort prestige. Tout simple, le gâteau roulé est idéal pour un goûter d'enfants ou pour compléter un menu un peu juste, mais il peut aussi s'habiller d'un élégant glaçage et se garnir de crème : il devient alors une superbe bûche de Noël.

INGRÉDIENTS

3 gros œufs	1 c. à thé de vanille
1/2 tasse de sucre granulé	1 c. à soupe de beurre
1/3 tasse de farine	1 pot de confiture de votre choix
1 c. à thé de levure chimique	
1 pincée de sel	sucre glace

Pour 6 personnes
Préparation : 30 min
Cuisson : 25 min

1 - Fouettez les jaunes d'œufs avec le sucre jusqu'à ce que le mélange blanchisse. Ajoutez la farine et la levure chimique, le sel et le sucre vanillé. Battez les blancs en neige très ferme. Incorporez-les délicatement au mélange.

2 - Tapissez de papier ciré beurré un moule à gâteau roulé. Versez-y la pâte qui devrait avoir 1 cm (1/2 po) d'épaisseur. Lissez avec une spatule. Faites cuire au four à 180 °C (350 °F).

3 - La cuisson est terminée dès que le gâteau est blond et juste ferme sous le doigt. Démoulez et roulez le biscuit sur lui-même, avec le papier. Posez dessus un linge humide et laissez refroidir.

4 - Déroulez le gâteau froid avec précaution. Tartinez-le largement de confiture, puis roulez-le à nouveau sur lui-même, sans le papier. Poudrez de sucre glace. On peut remplacer la confiture par de la crème ou du chocolat.

Le pain

❀**Farce plus moelleuse.**
Croquettes, boulettes et farces à base de viande (pour les tomates, les courgettes, les poivrons, le chou, etc.) seront bien meilleures si vous y incorporez du pain : retirez la croûte de une ou deux tranches de pain, émiettez grossièrement la mie dans un bol, arrosez-la de quelques cuillerées à soupe de lait, laissez-la tremper quelques minutes, puis pressez-la entre vos doigts pour retirer l'excès de liquide avant de l'ajouter à votre mélange de viande et d'aromates.

❀**Panne de farine.** Il vous manque un tout petit peu de farine pour votre recette, complétez par de la chapelure. Mais si vous n'avez plus du tout de farine, fabriquez de la farine de chapelure. La meilleure méthode pour obtenir une mouture très fine consiste à passer la chapelure dans un moulin à café.

Les pains doivent être d'un beau brun et rendre un son un peu creux lorsqu'on en frappe l'envers avec le doigt. Sous la croûte craquante et odorante se cache une mie moelleuse et douce au goût de noisette.

UN PAIN DE MÉNAGE

Pour 4 pains
Préparation : 20 min
Travail de la levure : 10 min
Repos de la pâte : 1 h + 55 min
Cuisson : 45 min

INGRÉDIENTS

2 c. à thé de sucre	2 tasses d'eau froide
1/2 tasse d'eau tiède (45°C/110°F)	1/4 tasse de sucre
2 sachets de levure active	5 c. à thé de sel
2 tasses de lait	1/4 tasse de graisse végétale
	13 tasses de farine tout usage

1 - Faites dissoudre le sucre dans l'eau ; saupoudrez la levure et laissez reposer 10 min.

2 - Faites frémir le lait ; retirez-le du feu, ajoutez l'eau froide, le sucre, le sel et la graisse. Remuez jusqu'à ce que le sucre soit dissous. Laissez tiédir, puis incorporez la levure dissoute.

3 - Versez la moitié de la farine et battez vigoureusement à la cuillère de bois jusqu'à ce que le mélange soit lisse et élastique. Ajoutez suffisamment de farine pour obtenir une pâte molle qui ne colle pas au bol. Sur une planche légèrement farinée, pétrissez-la jusqu'à ce qu'elle soit satinée et élastique, de 8 à 10 minutes.

4 - Mettez la pâte dans un grand bol graissé, recouvert d'un linge propre et faites-la lever au double du volume dans un endroit chaud et humide, environ 1 heure. La pâte gardera alors l'empreinte du doigt.

5 - Dégonflez la pâte avec le poing. Divisez-la en quatre boules égales ; attendez 10 minutes. Façonnez ensuite quatre pains : étendez la boule en un rectangle avec un rouleau à pâte, puis roulez-la comme un gâteau roulé, assez fermement mais sans serrer. Pincez les bouts pour bien sceller. On peut aussi mettre deux boules de pâte espacées dans un même moule pour faire un pain « fesse ».

6 - Mettez les pâtons dans des moules graissés de 20 x 12 cm (8 x 4 ½ po). Graissez le dessus, couvrez d'un linge propre. et laissez lever au double du volume, de 45 à 60 minutes.

7 - Faites cuire à four chaud (200°C/400°F) environ 35 minutes. Démoulez immédiatement sur une grille. Badigeonnez le dessus du beurre.

UN PAIN SURPRISE

Un pain surprise est une présentation très raffinée de délicieux petits sandwichs à réaliser pour une réception ou un buffet.

INGRÉDIENTS

1 pain de seigle rond
10 c. à soupe de beurre
1/2 tasse de roquefort
1 tasse de fromage à la crème
ciboulette et noix hachées
2 à 4 tranches de jambon

1 - Prenez un pain de diamètre suffisant (environ 22 cm/8 po), légèrement rassis. Coupez le haut du pain et évidez-le sans percer sa base. Découpez 6 disques fins et réguliers dans le cylindre de mie extrait.

2 - Faites 3 sandwichs (beurre-roquefort, fromage-ciboulette-noix, beurre-jambon). Laissez-les empilés au réfrigérateur 4 h, puis découpez-les en 8 et rangez-les dans le pain.

❋ **Pain-thermomètre.** Pour juger de la température d'une friture, jetez-y un cube de mie de pain : s'il tombe au fond, la friture n'est pas chaude ; s'il grésille sans blondir, la température est à 145 °C (285 °F) ; s'il blondit, la température est à 160 °C (325 °F) ; s'il remonte immédiatement à la surface avec une couleur blond foncé, la température est aux alentours de 170 °C (340 °F) ; s'il noircit vite, la température dépasse 180 °C (350 °F) et elle est trop élevée.

❋ **Chapelure maison.** Le pain rassis se prête bien à la préparation de chapelure : supprimez la croûte du pain, coupez la mie en dés et écrasez ceux-ci avec un rouleau à pâtisserie. Vous pouvez faire la même opération avec le robot ménager ou le mélangeur. Passez ensuite la poudre obtenue dans un tamis et conservez cette chapelure jusqu'à un mois dans une boîte hermétiquement fermée. Si vous faites dessécher les dés de mie dans le four chauffé à 180 °C (350 °F), de 10 à 15 minutes, avant de les broyer, vous pourrez conserver votre chapelure pendant trois mois.

❋ **Toasts pour canapés.** Pour faire des canapés, retirez la croûte de tranches de pain de mie. Coupez celles-ci en diagonale pour réaliser des triangles ou utilisez un emporte-pièce rond, en forme d'étoile, de losange, de cœur ou de croissant, etc. Faites-les griller dans le four à 175 °C (345 °F) de 10 à 15 minutes ou dorer à la poêle dans un mélange de beurre et d'huile (ce mélange évite au beurre de noircir lors d'une cuisson à feu vif). Épongez-les ensuite sur du papier absorbant.

❋ **Pain-filtre.** Le saindoux et les graisses de confits de volaille rancissent facilement. Pour éviter cet inconvénient, clarifiez-les : pour ce faire, chauffez la graisse jusqu'à ce qu'elle ne bouillonne plus, ajoutez une tranche de pain rassis légèrement humectée d'eau. Le pain absorbe l'humidité et attire les impuretés. Laissez bouillir à feu très doux. Lorsque le pain est frit, vous saurez qu'il est temps de filtrer la graisse à travers une étamine (carré de mousseline), avec précaution pour ne pas risquer de vous éclabousser.

TRADITION-HISTOIRE

Les petits pains de Sainte-Geneviève

La paroisse Notre-Dame-des-Victoires de Québec fut ainsi appelée en souvenir de l'église du même nom à Paris et on y transposa en même temps une tradition ancienne, celle des petits pains de Sainte-Geneviève. Sainte Geneviève, patronne de Paris, était issue d'une famille aisée. Elle s'était donné pour mission de nourrir les pauvres de Paris en leur donnant un peu de pain. La croyance veut que si l'on conserve un de ces petits pains à l'endroit où l'on range l'argent du ménage, on s'assure de ne jamais en manquer. Chaque année, en novembre, les bénévoles de la paroisse Notre-Dame-des-Victoires de Québec fabriquent 80 000 petits pains avec de la farine et de l'eau et les laissent sécher jusqu'au moment où ils seront bénits, le 3 janvier, jour de la fête de sainte Geneviève. Les paroissiens, tout comme les nombreux visiteurs de cette église de la place Royale, peuvent s'en procurer toute l'année moyennant une aumône.

• Ajoutez un quignon de pain de bonne taille dans la casserole de cuisson du chou. Il en atténuera l'odeur tout en lui retirant son acidité naturelle – ce qui le rendra plus digeste. N'oubliez pas d'envelopper le pain dans une mousseline pour qu'il ne se transforme pas en une bouillie irrécupérable.

❋ **Pudding au pain.** Beurrez légèrement 4 ou 5 tranches de pain rassis et coupez-les en gros dés. Mélangez 1 1/2 tasse de lait, 2 œufs, 1/4 tasse de sucre, 1 c. à thé de vanille et 1 tasse de raisins. Ajoutez le pain. Faites cuire au four à 180 °C (350 °F) 1 h 30. Pour que le dessus du pouding ne soit pas trop sec, placez un bol d'eau dans le four. Servez avec du sirop d'érable.

❋ **Absorber la vinaigrette.** Votre salade baigne dans une sauce trop abondante ? Mettez un bon morceau de pain sans croûte dans le saladier et mélangez jusqu'à ce que le pain ait absorbé le surplus.

DES VALEURS SÛRES

Les corps gras et les protéines d'origine animale ne sont pas uniquement des éléments nutritifs. Les capacités isolantes de l'huile, les propriétés astringentes de l'œuf, les pouvoirs gélifiants des os et des arêtes, les vertus émollientes du lait sont connus depuis longtemps et transmis de génération en génération pour améliorer la confection des plats.

L'huile

❀ **Jolies pommes cuites.** À l'aide d'un pinceau, badigeonnez d'huile les pommes en l'air et les pommes de terre que vous voulez cuire dans leur peau au four ou en papillotes. Vous leur éviterez d'être toutes ridées après la cuisson.

❀ **Huile antiécume.** Pour éviter qu'une vive écume se forme pendant la cuisson du riz ou des légumes secs et fasse déborder le liquide, ajoutez une généreuse cuillerée à soupe d'huile à l'eau de cuisson.

Si vous faites votre huile parfumée, sachez qu'elle doit être consommée dans les six mois car elle rancit vite.

❀ **Conserver le concentré de tomate.** Vous n'avez utilisé que la moitié de la boîte ? Mettez le reste dans un petit contenant et versez de l'huile dessus de façon à en couvrir la surface. Ainsi isolé, le concentré ni ne moisira ni ne noircira.

❀ **Une pâte brisée croustillante.** N'hésitez pas à ajouter une bonne cuillerée à soupe d'huile d'arachide au mélange de farine et de beurre quand vous faites votre pâte à tarte. Elle sera croustillante et se détrempera moins.

❀ **Panure parfaite.** Avant de passer les aliments dans la panure, trempez-les dans du jaune d'œuf battu. Si vous prenez la précaution d'ajouter 2 ou 3 gouttes d'huile au jaune d'œuf, la panure ne brûlera pas pendant la cuisson.

❀ **Petits fromages à l'huile.** Mettez dans un bocal quelques fromages de chèvre (genre crottin) pas trop secs, ajoutez 2 feuilles de laurier, 3 branches de thym, 1 gousse d'ail coupée en deux et 1 petit piment sec ou des grains de poivre. Couvrez largement d'huile, d'olive de préférence, fermez et laissez macérer pendant au moins trois semaines.

ATTENTION !

Douloureuses brûlures

Pour éviter les projections, dues à l'humidité des aliments mis en contact avec un corps gras chaud, veillez à ce que ceux-ci soient bien secs en les farinant légèrement ou en ajoutant une panure qui formera une croûte.
Procédez à la cuisson dans un récipient bas (sauteuse, poêle, etc.), que vous couvrirez d'un tamis très fin, qui laisse passer l'air mais empêche les projections de graisse. Lorsque vous employez une bassine à friture, posez-la sur l'élément le plus près du mur pour éviter, si elle bascule, qu'elle ne se renverse sur vos pieds.

Pour une cuisson à la coque, vérifiez la fraîcheur de l'œuf en le plongeant dans de l'eau froide salée à 10 % : il doit tomber au fond, et non flotter.

Les œufs

❁ **Tarte croustillante.** Pour imperméabiliser un fond de tarte et éviter ainsi qu'il ne soit détrempé ou ramolli par la garniture, battez légèrement un blanc d'œuf avec une fourchette pour le liquéfier, puis badigeonnez-en le fond de tarte cru avec un pinceau. Sous l'action de la chaleur, le blanc d'œuf se transformera en une mince pellicule qui protégera la pâte.

• Si votre fond de tarte doit recevoir des fruits crus (fraises ou framboises), aux trois quarts de sa cuisson, badigeonnez-le de jaune d'œuf délayé avec une cuillerée à thé d'eau.

❁ **Une tarte bien fermée.** Pour souder ensemble les deux abaisses d'une tarte, badigeonnez le tour inférieur à l'aide d'un pinceau trempé dans du jaune d'œuf délayé avec une cuillerée à thé d'eau, puis pincez les deux parties avec les doigts ou une pince.

❁ **La mayonnaise conforme à vos désirs.** Pour préparer une mayonnaise bien dure, commencez par mélanger au jaune d'œuf cru un jaune d'œuf dur écrasé. Pensez à laisser les œufs à température ambiante au moins quinze minutes à l'avance.

• En revanche, pour obtenir une mayonnaise légère et mousseuse, ajoutez-y délicatement un blanc d'œuf battu en neige ; relevez éventuellement l'assaisonnement avec quelques gouttes de bon vinaigre ou de jus de citron avant d'ajouter le blanc battu.

❁ **Rôti ou saucisson en croûte.** Badigeonnez de jaune d'œuf soit l'intérieur de la pâte, soit le rôti ou le saucisson, pour éviter la formation d'une poche d'air entre la viande et la croûte.

❁ **Une croûte bien dorée.** Qu'elle soit en pâte brisée, sablée ou feuilletée, badigeonnez votre croûte de jaune d'œuf, toujours délayé avec un peu d'eau, avant de l'enfourner. Une précaution à prendre pour la pâte feuilletée : ne faites pas couler de jaune d'œuf sur les côtés car les feuilles de la pâte seraient collées et ne pourraient pas monter correctement.

❁ **Coller des décors en pâte.** Badigeonnez de jaune d'œuf chaque feuille, tresse, rose et autre motif taillé dans les chutes de pâte avant de le poser sur le dessus d'un plat en croûte. Les décors seront ainsi soudés pendant la cuisson.

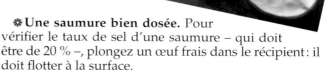

❁ **Une saumure bien dosée.** Pour vérifier le taux de sel d'une saumure – qui doit être de 20 % –, plongez un œuf frais dans le récipient : il doit flotter à la surface.

Plutôt que des œufs en gelée individuels, faites une jolie couronne pour toute la tablée.

La viande, la volaille et le poisson

❀ **Cuisson à l'eau chaude ou à l'eau froide ?** Lorsque vous plongez la viande, la volaille ou le poisson dans de l'eau bouillante, la chaleur saisit la pièce mise à cuire et enferme les sucs à l'intérieur : la viande sera plus savoureuse.

À l'inverse, si vous commencez la cuisson à l'eau froide, les composés aromatiques s'échapperont dans l'eau, et c'est alors le bouillon qui sera meilleur.

❀ **Couennes protectrices.** Lorsque vous braisez une viande ou une volaille, prenez soin de tapisser le fond de la daubière ou de la cocotte de couennes de porc, côté gras contre le fond du récipient. Cela formera une carapace de protection qui empêchera que votre préparation n'attache ni ne brûle.

Le braisage est un mode de cuisson à l'étouffée, longue et à feu doux, qui convient très bien aux viandes, comme le braisé de bœuf (1). En revanche, les poissons doivent cuire moins longtemps, sans couvercle, au four ou au court-bouillon. La volaille, quant à elle, se prête volontiers aux terrines, ici, canard et perdrix (2).

Pour savoir si votre poulet est cuit (ici, poulet au cidre et aux pommes), plantez une brochette dans la cuisse : si le jus est incolore, il est à point, s'il est saignant, laissez-le cuire encore.

POURQUOI ÇA MARCHE

DORER ET RÔTIR

Une viande, une volaille ou un poisson mis à rôtir prennent automatiquement une couleur appétissante. Ce phénomène est bien connu des chimistes, qui l'appellent la réaction de Maillard. Sous l'action de la chaleur et en l'absence d'eau, les protéines et les sucres réagissent chimiquement pour produire à la fin du processus de cuisson une surface croustillante, dorée, d'un goût unique.

N'allez pas croire qu'une barde de lard soit un obstacle, bien au contraire : la graisse augmente encore ce processus.

❀ **Du lard bien dessalé.** Pour éviter que le lard reste en contact avec le sel qu'il rend lorsque vous le mettez à tremper, ficelez-le et attachez cette ficelle aux anses du récipient dans lequel il baigne. Changez l'eau plusieurs fois.

❀ **Viande plus tendre.** Vous craignez que vos tranches de bœuf ne soient pas assez tendres, ou vous voulez tout simplement les aplatir pour faire des roulades ou des paupiettes ? Placez-les entre deux morceaux de film alimentaire et tapez dessus vivement à plusieurs reprises avec le plat d'un couteau large de boucherie ou avec un rouleau à pâtisserie.

TRADITION-HISTOIRE

Quel temps de cochon !

Cette expression bien ancrée dans le langage populaire et qui désigne un mauvais temps, froid et humide, trouve son origine et son explication dans la vie rurale de jadis. Et le cochon, pauvre bête, y est bien pour quelque chose. Lorsque, à des fins purement nourricières, l'on sacrifiait cet animal arrivé à la corpulence souhaitée, il n'était bien sûr pas question de le consommer en entier immédiatement, mais de le conserver pour les dures saisons à venir.

L'une des méthodes de conservation les plus connues était la mise au saloir. Et, pour favoriser la prise de sel, il importait que le temps soit de la partie : une bonne et froide humidité ambiante était un gage de réussite. Le porc était donc tué en novembre, par un temps... de cochon.

Retrouvez le plaisir simple et roboratif d'une soupe de poisson, chaude ou froide.

❀ **Gelée naturelle.** Les os et les arêtes font prendre le liquide de cuisson en gelée, à la simple condition qu'ils soient en quantité suffisante. Un lapin ou un poulet, cuits avec leurs os, un poisson cuit avec la tête et les arêtes sécrètent suffisamment de gelée.

Dans le cas de morceaux de viande sans os ou de préparations comportant très peu d'os, mais nécessitant une cuisson longue, ajoutez un pied de veau ; la gelée se fera toute seule.

❀ **Écailler un poisson.** Si vous n'avez pas de couteau écailleur, écaillez vos poissons en les grattant avec la partie crénelée d'une coquille Saint-Jacques (en allant de la queue vers la tête). Utilisez cette même coquille vide en guise de plat à gratin individuel pour y cuire au four aussi bien les pétoncles que n'importe quel autre gratin de poisson, de légumes ou même de fromage, ou une préparation à base de béchamel. Elle peut également vous servir comme petit moule à pâtisserie.

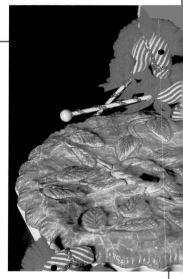

• Autre idée de dépannage : fabriquez-vous un écailleur en clouant une capsule métallique dentelée au bout d'un petit bâton ou d'une cuillère en bois.

• Servez-vous d'une éponge à récurer en fer, réservée à cet usage.

❀ **Viande plus goûteuse.** En cas de longue cuisson d'une viande ou d'une volaille, ajoutez des couennes roulées et ficelées en petits paquets. Elles apportent au jus de cuisson un goût supplémentaire.

• Autre avantage : pour les ballottines et autres galantines, elles assurent une bonne prise en gelée.

LE CIPAILLE

S'il est un met québécois sur lequel on n'arrive pas à s'entendre concernant son origine et sa composition, c'est bien le cipaille. Les gens du Saguenay–Lac-Saint-Jean en revendiquent l'exclusivité sous le nom de tourtière, ceux du Bas-Saint-Laurent et de la Gaspésie l'appellent tantôt cipaille – nom qui aurait pour origine le mot anglais *sea-pie* – ou cipâte, pour faire référence aux six couches de pâte.

Pour 12 personnes
Préparation : 1 h 30
Cuisson : 5 à 7 heures

PÂTE

125 g (1/4 lb) de graisse végétale

2 tasses de farine

2 c. à thé de levure chimique

1 c. à thé de sel fin

1 verre d'eau

GARNITURE

Céleri

450 g (1 lb) de lard salé

1,25 kg (3 lb) de bœuf maigre (pointe de surlonge)

1,25 kg (3 lb) de porc (tranche de fesse de 2,5 cm/1 po)

2 poitrines de poulet

2 perdrix désossées

900 g (2 lb) de chevreuil ou d'orignal

1 lièvre non désossé ou 2 lièvres désossés

10 à 12 pommes de terre moyennes, coupées en gros dés

3 oignons moyens, hachés fin (ou l'équivalent en échalotes)

3 c. à soupe de sel fin

1 c. à soupe de poivre

1 c. à thé de moutarde sèche

1 - Préparez d'abord la pâte, en mélangeant les ingrédients. Abaissez-la aux dimensions de la cocotte.
2 - Préchauffez le four à 180 °C (350 °F). Foncez la cocotte et les parois (facultatif) avec le céleri, puis avec le lard.

3 - Faites alterner une rangée de viande blanche et une rangée de viande rouge. Terminez avec une rangée de pommes de terre.
4 - Versez de l'eau dans la cocotte pour arriver à égalité de la viande (penchez la rôtissoire pour bien vérifier le niveau). Ou, mieux encore, remplacez l'eau par du fumet de gibier.
5 - Étalez la pâte de façon à recouvrir les pommes de terre. Badigeonnez-la de lait et faites un trou au milieu.

6 - Couvrez la cocotte, enfournez le cipaille et baissez le four à 160 °C (325 °F). Au bout d'une heure, baissez de nouveau le thermostat, cette fois à 150 °C (300 °F), et laissez cuire le cipaille doucement pendant 4 à 6 heures en maintenant toujours le couvercle fermé. À mi-cuisson, rajoutez un peu de liquide (eau, bouillon ou fumet de gibier) par la cheminée dans la pâte.
7 - Retirez le cipaille lorsque la croûte est bien dorée.

Les fromages se consomment nature, mais ils servent aussi à la préparation de nombreux plats, salades, tartes salées, et même de pâtisseries.

Les produits laitiers

❀**Légumes au lait.** Plongez les aubergines coupées en tranches dans du lait additionné d'une poignée de gros sel et laissez-les tremper pendant deux heures : elles y gagneront en tenue et perdront leur amertume.

• Faites tremper les rondelles de concombre quinze minutes dans du lait additionné d'une cuillerée à thé de sucre. Essuyez-les après les avoir égouttées.

❀**Cuisson au lait.** Faites cuire les endives dans du lait pur ou dans un mélange d'eau et de lait : ce procédé les adoucira en leur ôtant leur amertume.

• Ajoutez un peu de lait aux pâtes que vous faites réchauffer : elles attacheront moins et ne se dessécheront pas.

Le fromage à la crème, plus ferme que le fromage cottage, a été égoutté plus longtemps.

❀**Poissons fumés plus moelleux.** L'aiglefin, le hareng et d'autres poissons fumés seront bien meilleurs si vous les faites tremper dans du lait pendant une à deux heures avant de les préparer.

❀**Tendre foie.** Pour donner au foie de porc une saveur proche de celle du foie de veau, faites-le tremper dans du lait 24 heures au réfrigérateur.

❀**Pour remplacer le court-bouillon.** Si vous n'avez pas de court-bouillon, remplacez-le par du lait bien assaisonné (sel, poivre, épices).

❀ **Lait antidessèchement.** Votre jambon est desséché ? Mettez-le dans un plat et couvrez-le de lait froid, laissez-le trente minutes, puis égouttez-le et séchez-le : il aura repris du moelleux.

• Humectez de lait brioches, croissants et pain rassis avant de les passer au four ou de les faire griller pour leur redonner du moelleux.

❀ **Nouvelle vie pour fruits secs.** Plongez des cerneaux de noix ou des amandes un peu rances dans du lait chaud et laissez-les tremper huit heures pour leur redonner un goût frais.

Le rôti de veau au lait se fait cuire dans du lait aromatisé d'ail, de thym et de laurier.

❀ **Du beurre clarifié.**
Le beurre a cette fâcheuse tendance à noircir lorsqu'il subit une trop forte chaleur. Si vous ne souhaitez pas y ajouter de l'huile (qui empêche ce désagrément), employez du beurre clarifié : faites fondre du beurre dans une casserole à feu très doux, retirez l'écume blanche au fur et à mesure qu'elle monte à la surface, puis filtrez le beurre fondu dans une passoire tapissée d'une gaze.

Ainsi débarrassé de la caséine, le beurre ne risque plus de brûler. N'hésitez pas à faire fondre le paquet de beurre d'un coup : le beurre clarifié se conserve très bien au réfrigérateur.

Ne négligez pas les entremets de la cuisine de naguère : la crème brûlée, traditionnellement à la vanille, peut aussi se faire au chocolat ou à la pistache.

MONTER LES BLANCS EN NEIGE

MODERNE ET PRATIQUE Pour réussir des blancs d'œufs en neige bien secs qui ne se déferont pas le temps de le dire, il faut respecter certains principes. Tout d'abord, les blancs doivent être à la température de la pièce et le bol et les batteurs être bien propres ; il ne doit pas s'y trouver la moindre particule de gras, en l'occurrence du jaune d'œuf. Ensuite, il faut battre les blancs d'œufs jusqu'à ce qu'ils soient mousseux et, dès lors, ajouter le sel et la crème de tartre. Celle-ci – du tartrate acide de potassium, qui provient du tartre purifié des tonneaux – assure une meilleure consistance, particulièrement dans le cas des mousses aux fruits.

DES YOGOURTS MAISON

Les yogourts sont très simples à préparer même si vous n'avez pas de yogourtière. Vous pouvez utiliser de la culture en sachet ou en comprimés, mais un yogourt du commerce fera aussi l'affaire – pourvu, bien sûr, qu'il soit nature. L'ajout de lait en poudre confère de l'onctuosité. Si vous n'avez pas de petits pots, vous pouvez utiliser un ou deux bocaux munis d'un couvercle.

Pour 8 petits yogourts
Préparation et cuisson : 15 min
Temps de repos : 8 h

INGRÉDIENTS

8 petits pots en verre (125 ml/1/2 tasse) munis d'un couvercle
1 litre de lait
1 yogourt du commerce au lait entier
2 c. à soupe de lait en poudre

1 - Faites bouillir 8 tasses d'eau.
2 - Versez la moitié du lait dans une casserole et portez-le à ébullition.

3 - Pendant ce temps, versez le yogourt dans un grand récipient, ajoutez le lait en poudre et le reste du lait à température ambiante. Mélangez soigneusement. Arrosez avec le lait bouillant et mélangez rapidement.
4 - À l'aide d'une louche, répartissez la préparation dans les pots. Mettez les couvercles, déposez les pots côte à côte dans un grand récipient. Versez l'eau bouillante autour des pots, jusqu'aux trois quarts de la hauteur.
5 - Couvrez et posez un morceau de couverture ou un ancien lainage sur le récipient pour maintenir la chaleur le plus longtemps possible. Laissez reposer pendant 8 h à une température d'au moins 22 °C (72 °F).

✹ **Sauce sans peau.** Piquez un morceau de beurre au bout d'une fourchette et passez-le à la surface des sauces confectionnées avec de la farine qui, au contact de l'air, se couvriraient d'une peau en refroidissant. La légère couche de beurre fera écran.

✹ **Jolie sauce tomate.** Lorsque la cuisson de votre sauce tomate est terminée, ajoutez-y une noix de beurre et laissez-le fondre. Mélangez avant de servir : au lieu d'être un peu terne, la sauce aura un aspect brillant très appétissant.

✹ **Lait de poule.** Ne vous méprenez pas, nos vaillantes pondeuses n'ont pas commencé à produire du lait, elles sont amplement occupées avec leur production d'œufs ! Mais derrière ce nom trompeur se cache une alliance délicieuse entre le produit laitier et l'œuf dans une boisson très nutritive. Dans 3/4 tasse de lait, ajoutez un œuf préalablement battu avec 1 c. à soupe de sucre et une pincée de sel. Fouettez avec un batteur à main ou au mélangeur. Aromatisez avec de la vanille et une pincée de muscade ou, pour varier, avec du sirop de chocolat, du jus d'orange, une banane, des fraises, etc. Au temps des Fêtes, vous trouverez du lait de poule au comptoir des produits laitiers.

✹ **Sauces plus mousseuses.** Incorporez délicatement de la crème fouettée à une sauce hollandaise, à une mayonnaise ou à une crème pâtissière pour les alléger (1/2 tasse de crème fouettée pour 1 tasse de sauce).

Fillette mangeant un laitage (chromo du XIXe siècle).

✹ **Réussir le beurre noisette.** Ne faites pas fondre tout le beurre en une seule fois. Séparez-le en deux portions égales. Faites fondre une moitié dans une petite poêle jusqu'à ce que le beurre devienne d'un blond soutenu. Mettez l'autre moitié dans une casserole avec une cuillerée à thé de citron et une cuillerée à soupe d'eau. Versez le beurre fondu de la poêle très chaud sur le beurre de la casserole et laissez chauffer à feu très doux.

LE BUFFET AUX PARFUMS

Depuis que la gastronomie existe, fines herbes, épices et condiments égaient et relèvent les mets. Outre l'usage traditionnel que l'on en fait, il est possible de les employer à d'autres fins, parfois assez inattendues. Quant au café et au thé, ils sont loin d'être seulement des boissons savoureuses.

Les fines herbes

❋ **Hacher sans écraser.** Les petits hachoirs électriques ne conviennent pas à toutes les fines herbes, notamment à la ciboulette, dont les tiges sont écrasées par la lame. Mieux vaut utiliser, comme nos grands-mères, un hachoir traditionnel appelé berceau, en prenant soin de travailler sur une planche. Un peu d'exercice permet de prendre rapidement le coup de main pour imprimer à cet instrument le mouvement approprié.

Pour conserver plus longtemps les fines herbes que vous avez achetées, défaites tout de suite les bouquets, lavez-les et, sans les essorer, enroulez-les dans un torchon ou du papier absorbant, qui va les garder bien humides, et placez-les ainsi au réfrigérateur.

❋ **Des huiles parfumées.** L'huile d'olive est celle que l'on parfume le plus souvent, mais vous pouvez très bien utiliser une huile plus neutre (arachide, maïs, tournesol). Mettez avec l'huile, dans un bocal, une belle branche de l'herbe choisie (thym, romarin, origan, marjolaine, basilic, coriandre, aneth, persil, sauge…), soigneusement lavée et séchée. Ajoutez éventuellement une demi-gousse d'ail ou un petit copeau de zeste de citron, fermez hermétiquement et laissez macérer dans un endroit sombre pendant deux semaines.

Si l'huile est suffisamment parfumée, transvasez-la dans une bouteille en la filtrant à travers un tamis. Sinon, laissez macérer encore quelques jours en ajoutant éventuellement un peu de l'herbe utilisée.

LES HERBES SALÉES

Populaires dans l'est du Québec (Bas-Saint-Laurent, Gaspésie, Côte-Nord), les herbes salées sont des herbes fraîches du jardin mises à macérer dans du sel durant l'été, lorsque le parfum des fines herbes est à son apogée. Elles servent à relever, par exemple, les soupes et les purées de pommes de terre.

Pour 3 bocaux de 500 ml
Préparation : 45 min
Temps de repos : 2 semaines

INGRÉDIENTS

1 tasse de persil
1/2 tasse de sarriette
1/2 tasse de ciboulette
1/4 tasse de sauge
1/4 tasse de thym
1 tasse de sel à marinades

1 - Lavez et asséchez les herbes fraîches. Émincez-les après avoir éliminé les tiges.
2 - Faites stériliser un pot de verre (aucune autre matière ne fera l'affaire).
3 - Faites alterner des rangées de fines herbes avec des couches de gros sel. (Ou bien mélangez toutes les fines herbes et faites alterner les couches.)
4 - Scellez le pot de verre. Rangez-le dans un endroit frais et obscur.
5 - Attendez un mois avant de vous servir des herbes salées. Une fois entamé, le pot devrait être rangé au réfrigérateur où il se gardera jusqu'à l'année suivante.
N.B. Vous pouvez ajouter au mélange de l'oignon, du céleri, du cerfeuil et des carottes finement hachées.

❋ **Un pinceau odorant.** Réunissez en bouquet des branches de thym et/ou de romarin, liez-les avec de la ficelle de cuisine et faites-en un pinceau. Vous vous en servirez pour badigeonner de marinade, d'huile ou de beurre fondu viandes, volailles et poissons qui cuisent sous le gril ou sur le barbecue.

❋ **Moins d'arêtes.** L'oseille est une herbe fine dont les feuilles ressemblent à des épinards et contiennent, comme eux, de l'acide oxalique. Celui-ci a la propriété de dissoudre les arêtes d'un poisson au cours de la cuisson, si celles-ci sont très fines. Il faut donc bourrer d'oseille le ventre d'une alose, par exemple, avant de la faire cuire.

● **Conserver des figues sèches.** Une fois le paquet de figues sèches ouvert, rangez les fruits dans une boîte métallique et placez sur chaque couche une feuille de laurier cassée en deux ou trois morceaux. Ce procédé vous permettra de garder les figues plus longtemps.

● **Herbe antiodeurs.** Placez une branche de thym dans le compartiment à fromages. Elle masquera l'odeur de ceux qui sentent fort.

● **Du vinaigre à l'estragon.** Plongez deux branches d'estragon dans de l'eau bouillante pendant une minute, rafraîchissez-les, essuyez-les dans un linge, puis mettez-les dans une bouteille contenant 2 tasses de vinaigre de vin, blanc de préférence. Fermez hermétiquement et laissez macérer 15 jours au frais.

TARTE AUX FINES HERBES

Lorsque l'été vous livre à profusion les fines herbes bien parfumées, profitez-en pour confectionner cette tarte nourrissante, sorte de quiche à deux abaisses. Donnez-lui une couleur dorée en la badigeonnant avec un jaune d'œuf allongé d'eau.

Pour 6 personnes
Préparation : 40 min
Repos de la pâte : 2 h
Cuisson : 30 min

INGRÉDIENTS

3 1/4 tasses de farine
1/2 c. à thé de sel
1 sachet de levure active
4 c. à soupe d'huile d'olive
50 feuilles d'estragon
50 brins de ciboulette
10 feuilles de menthe
10 branches de persil plat
2/3 tasse de crème à 35 %
3 œufs entiers + 2 jaunes
1/2 tasse de gruyère râpé
sel
poivre du moulin

1 - Préparez la pâte : tamisez la farine et le sel dans un bol, creusez un puits au centre, versez-y la levure et l'huile, et ajoutez 2/3 tasse d'eau tiède. Mélangez doucement avec les mains et formez une boule.

2 - Retirez la pâte du bol ; pétrissez-la à la main. Roulez-la en boule, farinez-la légèrement. Couvrez-la d'un linge et laissez reposer pendant 2 h au moins dans un endroit tiède, jusqu'à ce qu'elle ait doublé de volume.

3 - Préparez la garniture : lavez les fines herbes et essorez-les parfaitement dans un linge. Hachez-les finement sur une planche avec un hachoir berceau ou, à défaut, avec des ciseaux.

4 - Versez la crème fraîche dans un bol. Ajoutez-y les 2 jaunes d'œufs, mélangez, puis joignez-y les œufs entiers. Mélangez encore, avant d'incorporer le gruyère râpé. Battez à la fourchette, salez, poivrez.

5 - Divisez la pâte en deux boules égales. Abaissez-les au rouleau, l'une en rond, l'autre en carré, dans lequel vous couperez 4 triangles. Beurrez un moule à tarte et placez-y le fond de tarte rond.

6 - Collez les 4 triangles contre les bords en les humidifiant. Garnissez avec la préparation et rabattez les triangles vers le centre. Faites une petite fleur au milieu avec les chutes. Faites cuire au four à 180 °C (350 °F).

Les épices

❀**Épices prisonnières.** Pour éviter que l'un des convives ne croque un clou de girofle, un grain de poivre ou encore un petit piment, ayez recours à un nouet – morceau de gaze dans lequel vous enfermerez toutes les épices de la recette que vous préparez. Vous pouvez aussi employer une boule à thé, sous réserve de la limiter à cet usage.

❀**Fraises au poivre.** Donner quelques tours de moulin à poivre au-dessus des fraises ou d'une salade de fruits rouges. Le parfum du poivre exaltera celui des fruits.

Vrai ou faux safran ?

Le safran est le pistil d'une très jolie fleur : le crocus. C'est l'épice la plus chère du monde, car il faut environ 60 000 fleurs pour récolter 500 g (1 lb) de safran. Cela explique que des succédanés moins onéreux soient mis sur le marché, sous le nom de safran. Pour ne pas vous tromper, évitez d'acheter de la poudre de safran en flacon ; le prix de ce flacon, s'il contenait du vrai safran, vous ferait sursauter. Achetez votre safran en stigmates (minces filaments) ou en capsules de verre renfermant de la poudre en quantité infime. Le safran craignant la chaleur, faites-le toujours dissoudre dans un peu de lait ou d'eau avant de l'incorporer à une préparation chaude.

❀**Réduire les épices en poudre.** Certaines épices sont dures à écraser. Vous pourrez venir à bout des plus résistantes avec un mortier et un pilon. Un pilon bien lourd est plus efficace et rapide. Le meilleur matériau est le marbre, qui ne garde aucun parfum.

❀**Poudre de vanille.** Ne jetez pas vos gousses de vanille qui sont trop sèches. Cassez-les en morceaux pour les broyer dans un moulin à café désodorisé. Vous conserverez cette poudre très parfumée dans un flacon ou une petite boîte hermétique.

❀**Colorer au curcuma.** La poudre de curcuma est le colorant jaune d'or qui donne sa couleur caractéristique au curry. Vous pouvez l'employer comme colorant alimentaire, pour raviver une mayonnaise un peu pâle, une purée de fenouil, du riz, des pâtes, des pommes de terre, etc. Ajoutez-le par petites pincées en mélangeant bien. N'en mettez pas trop car il est légèrement amer.

❀**Faire du poivre concassé.** Pour faire un steak au poivre ou pour enrober un rôti de bœuf, mettez des grains de poivre dans un sac en plastique, fermez celui-ci et écrasez les grains avec le rouleau à pâtisserie.

❀**Thé parfumé.** Ajoutez aux feuilles de thé une pincée de girofle en poudre ou deux pincées de cannelle ou de muscade pour 2 tasses d'eau et laissez infuser. Vous disposerez d'un thé original et délicieux.

❀**Épices grillées.** Certaines des épices utilisées dans la cuisine salée (cardamome, carvi, fenouil, cumin, paprika, curry) gagnent à être chauffées à sec dans une poêle avant d'être incorporées à la préparation, pour libérer leur arôme.

❀**La saveur de la noix.** Si vous n'avez pas d'huile de noix pour parfumer votre salade, ajoutez à votre vinaigrette deux bonnes pincées de curry et une pincée de sucre et vous serez très proche du résultat escompté.

Laissez-vous aller à la tentation d'ajouter des épices traditionnelles à vos plats. Le poivre, bien sûr, mais aussi la noix muscade, le piment, le safran, la cardamome, les baies de genièvre...

Les condiments

Crus, hachés ou cuits, l'ail et l'échalote sont les condiments les plus répandus dans la cuisine traditionnelle.

❀ **Un bouillon couleur caramel.** Piquez un oignon épluché au bout d'une fourchette et passez-le sur une flamme jusqu'à ce qu'il caramélise et ramollisse légèrement. Ajoutez-le dans le bouillon en train de cuire : il lui donnera une belle couleur.

❀ **Une purée de pommes de terre délicieuse.** Faites cuire une gousse d'ail pelée avec les pommes de terre et écrasez-la en même temps. La purée sera plus fine.

❀ **Remplacer la ciboulette.** Ne jetez pas la tige verte des oignons nouveaux, coupez-la finement avec des ciseaux et ajoutez-la dans une salade ou une omelette.

❀ **Croûtons parfumés.** Un soupçon d'ail est souvent suffisant, d'autant que ce parfum ne plaît pas à tout le monde. Frottez les tranches de pain grillées avec une demi-gousse d'ail débarrassée de son germe.

❀ **Une sauce délicate.** Faites tremper 10 gousses d'ail dans de l'eau tiède pendant quinze minutes. Égouttez-les, retirez les premières peaux en n'en laissant qu'une seule. Faites-les cuire dans l'eau bouillante de quinze à vingt minutes, égouttez-les. Appuyez sur chaque gousse pour faire sortir la pulpe, puis mixez celle-ci avec 3 cuillerées à soupe de crème fraîche chaude, poivrez et salez. Vous pouvez faire la même chose avec deux ou trois échalotes.

❀ **Tendre moutarde.** Votre rôti ne vous paraît pas avoir l'air très tendre ? Douze heures avant la cuisson, enduisez-le de moutarde forte : le vinaigre et le sel contenus dans la moutarde joueront le rôle d'attendrisseurs. Vous pouvez laisser la croûte de moutarde pour la cuisson, car la moutarde devient douce en cuisant.

❀ **Les vertus du presse-ail.** Vous n'aimez pas trouver de gros éclats d'ail dans les plats ? Pelez les gousses d'ail, coupez-les en deux, retirez le germe qui se trouve au centre, mettez les gousses dans un presse-ail et pressez fermement pour faire sortir la pulpe en hachis.

Si vous voulez ajouter une gousse, écrasez-en plutôt une et demie, car il y a toujours un reliquat dans le presse-ail.

POULET AUX 40 GOUSSES D'AIL

Cette ancienne recette se prépare de préférence dans une cocotte d'argile. Vous serez étonné de voir à quel point l'ail, quand il est cuit, perd son agressivité.

Pour 6 personnes
Préparation : 20 min
Cuisson : 1 h 30

INGRÉDIENTS

40 gousses d'ail non pelées
1 poulet de 1,5 kg (3 lb)
6 branches de thym
1 branche de romarin
1 feuille de laurier
2 c. à soupe d'huile d'olive
sel, poivre

1 - Faites tremper les gousses d'ail pendant 15 min dans de l'eau tiède.

2 - Mettez 3 branches de thym, le romarin et la feuille de laurier à l'intérieur du poulet. Salez et poivrez.

3 - Émiettez le reste du thym dans la brique, ajoutez l'huile, salez et poivrez. Frottez le poulet avec ce mélange, puis posez-le dans la brique.

4 - Égouttez les gousses d'ail, épluchez-les en ne laissant qu'une peau. Introduisez 1 gousse dans le poulet. Déposez les autres autour de la volaille.

5 - Fermez la brique, mettez-la à cuire dans le four à 225 °C (425 °F) pendant 1 h 30.

6 - Ouvrez la brique devant les convives pour qu'ils puissent humer les arômes. Servez avec des pommes de terre sautées, des marrons et des petits oignons. (Pour déguster l'ail cuit en chemise, presser sur la gousse avec sa fourchette pour faire sortir la pulpe.)

Le café et le thé

❀ **Accentuer le goût du chocolat.** Lorsque vous faites fondre du chocolat, ajoutez-y une cuillerée à soupe de café très fort ou une demi-cuillerée à café de café instantané dissous avec une cuillerée à soupe d'eau, ou encore quelques gouttes d'extrait de café. La saveur du chocolat s'en trouvera rehaussée sans être modifiée.

❀ **Une dorure sans œuf.** Si vous n'avez pas de jaune d'œuf ou si vous ne souhaitez pas en utiliser, badigeonnez vos tartes et vos brioches avec du café légèrement sucré avant de les faire cuire.

❀ **Crème anglaise au thé.** Dès que votre crème anglaise arrive au point d'ébullition, retirez-la du feu, plongez-y une boule à thé contenant deux cuillerées à thé de feuilles de thé (pour 2 tasses de crème) et laissez infuser jusqu'à refroidissement complet.
Retirez la boule et mélangez soigneusement : vous obtiendrez une crème d'une jolie couleur à la saveur très fine. Selon ce que vous souhaitez faire avec cette crème, vous pouvez employer du thé à l'orange, du thé à la vanille ou du thé nature.

❀ **Poisson à la vapeur de thé.** Garnissez d'une gaze le panier perforé de votre étuveuse, éparpillez dessus une cuillerée à soupe de feuilles de thé nature, fumé ou parfumé à l'orange ou au citron, recouvrez d'une autre gaze, puis déposez-y des filets de poisson (plie, turbot ou limande-sole). Couvrez et laissez cuire : le poisson sera délicatement parfumé.

Pour que le thé développe toute la richesse de son arôme lors de son infusion, l'eau ne doit pas être bouillante.

Servi dans une charmante cafetière en émail décoré, votre café aura, en plus, un délicieux parfum d'autrefois.

LA LIQUEUR 44

Cette recette très simple qu'on peut confectionner à des moments perdus doit son nom à ses proportions et au nombre de jours nécessaires à sa macération.

Pour 1 litre
Préparation : 10 min
Macération : 44 jours

INGRÉDIENTS

1 orange non traitée
1 clou de girofle
1 gousse de vanille
44 grains de café
44 morceaux de sucre blanc
1 litre d'eau-de-vie blanche

1 - Brossez l'orange sous le robinet d'eau froide et essuyez-la. Transpercez-la de part en part avec une aiguille à tricoter en faisant le plus de trous possible. Piquez le clou de girofle dans la peau.

2 - Mettez l'orange dans un bocal d'une contenance de 1,5 litre (6 tasses). Fendez la gousse de vanille en deux sur toute sa longueur et ajoutez-la dans le bocal en même temps que les grains de café et les morceaux de sucre.

3 - Versez l'eau-de-vie dans le bocal, fermez hermétiquement et laissez macérer dans un endroit sombre et frais. Agitez de temps en temps le bocal.

4 - Après 44 jours, filtrez le liquide dans une passoire tapissée d'une gaze, mettez-le en bouteilles, fermez et étiquetez.

LES RICHESSES DE LA CAVE

Vins, bières, alcools et liqueurs aux arômes divers et enivrants, vinaigres de toutes sortes permettent de multiples variations tant pour conserver que pour parfumer, mariner, assaisonner et relever sauces et plats – qu'ils soient de fête ou quotidiens.

Le vin et la bière

❁ **Des fruits cuits à savourer.** Faites pocher (frémir sans bouillir) les poires, les pêches (ci-contre) et les fraises dans du vin rouge, mais préférez le vin blanc ou le cidre pour les abricots et les pêches, les nectarines et les fruits secs. Pelez et épépinez ou dénoyautez les fruits avant la cuisson. Ajoutez un zeste de citron ou d'orange et sucrez à votre goût. Servez glacé, agrémenté d'un brin d'herbe aromatique, de menthe par exemple.

❁ **Des crêpes légères et des beignets croustillants.** Remplacez le lait ou l'eau dans la pâte à crêpes ou à beignets par la même quantité de bière. Laissez la pâte reposer au moins deux heures.

❁ **Panne de farine.** Si vous souhaitez faire frire des poissons à la poêle et que vous n'ayez plus de farine, trempez-les dans de la bière.

ATTENTION !

Goût de bouchon et goût de métal

Ne pensez pas à utiliser à bon compte dans une sauce un vin bouchonné : ce goût très spécifique ne disparaît pas à la cuisson et le plat en serait gâté. Évitez de mettre du vin dans une papillote en papier d'aluminium ou dans une préparation destinée à cuire dans l'aluminium ; à la cuisson, le vin prendrait un goût de métal désagréable.

LE POUVOIR LEVANT DE LA BIÈRE

La bière est depuis longtemps utilisée dans la préparation de pâtes à beignets, à gaufres ou à crêpes. La raison de ce truc de grand-mère est simple. Tout comme la levure de boulanger, la bière libère un gaz, le dioxyde de carbone, qui se dilate lorsqu'il est chauffé. Pour cela, il lui faut de la place et il va se la créer avant la cuisson, lorsque la pâte est encore molle. Mais ce n'est pas une action instantanée, le gaz a besoin de temps pour bien s'installer et préparer ses effets. C'est pourquoi toutes les pâtes contenant de la bière doivent reposer pour doubler de volume, signe que le gaz a bien travaillé et s'est allié à une quantité d'air suffisante.

❋ **Panne de vinaigre.** Si vous êtes à court de vinaigre de vin, versez dans une petite casserole quatre fois la quantité nécessaire en vin blanc ou rouge selon le cas, ajoutez-y une pincée de sucre et faites réduire de trois quarts à feu vif. Vous emploierez ce vinaigre chaud ou refroidi selon la destination finale.

❋ **Panne de madère.** Remplacez le madère dans une sauce par la même quantité de vin blanc, ajoutez un pruneau et une demi-cuillerée à thé de sucre et laissez cuire selon les indications de la recette ; vous obtiendrez la couleur et la saveur désirées.

❋ **Corser la saveur d'un plat en sauce.** Ajoutez une ou deux cuillerées à soupe du vin utilisé pour la cuisson du plat cinq minutes avant la fin de la cuisson, pour réveiller le fumet un peu atténué par la chaleur.

❋ **Irremplaçables marinades.** Préparées avec du vin, rouge ou blanc, du cidre brut ou de la bière, les marinades attendrissent toutes les viandes et les volailles et leur communiquent un parfum particulier. Pour obtenir un bon résultat, veillez à ce que les viandes soient totalement recouvertes par le liquide et laissez mariner 24 heures. Ne salez pas votre marinade, car le sel cuit la viande et l'empêche de s'imprégner des parfums.

❋ **Salade de pommes de terre moins riche et plus moelleuse.** Les pommes de terre cuites seront moins gourmandes de vinaigrette si, une fois épluchées, vous les arrosez de vin blanc (ou d'un mélange composé à parts égales de vin blanc et d'eau) alors qu'elles sont encore chaudes. Comptez un peu moins de 1/2 tasse de vin blanc pour 700 g (1 1/2 lb) de pommes de terre.

❋ **Déglacer un plat.** Après la cuisson d'une viande, retirez la pièce cuite et gardez-la au chaud. Dégraissez le jus de cuisson et versez trois cuillerées à soupe de vin rouge ou blanc dans le plat de cuisson. Posez celui-ci sur le feu et faites bouillir une minute en grattant avec une spatule en bois pour décoller les sucs de viande caramélisés. Vous obtiendrez un jus délicieux.

❋ **Savoureux jambon.** Le jambon acquiert un moelleux sans pareil si vous le faites mijoter deux ou trois heures dans du liquide – moitié eau, moitié bière – en quantité suffisante pour le recouvrir. Ajoutez une carotte, un oignon, quelques clous de girofle et du poivre.

La soupe à la bière se prépare avec 1,5 litre de bière versé sur un roux blond. On y ajoute de la crème fraîche et de la cannelle.

❋ **Presque du chevreuil.** Pour donner à votre rôti de porc ou de bœuf un bon goût de gibier, faites-le mariner au moins 24 heures dans du vin rouge, additionné de deux cuillerées à soupe de vinaigre de vin, un oignon coupé en rondelles et quelques grains de poivre.

❋ **Fondue à la bière.** Frottez le caquelon avec 1 gousse d'ail coupée en deux. Versez-y 3/4 tasse de bière et réchauffez-la. Faites un mélange à part avec 3 tasses de cheddar fort, râpé, 1 cuillerée à soupe de farine et 1 cuillerée à soupe de moutarde sèche. Ajoutez ce mélange graduellement à la bière chaude. Remuez jusqu'à épaississement. Ajoutez un trait de Tabasco. Donne 2 bonnes portions de fondue ou 4 petites.

Les alcools
et les liqueurs

❀ **Confitures : une conservation parfaite.** Plutôt que de couvrir vos confitures de paraffine, mouillez l'une des faces d'une feuille de papier ciré ou de pellicule plastique avec de l'eau-de-vie et appliquez cette face sur le pot. Maintenez le papier par un élastique. L'alcool va tuer les bactéries.

❀ **Attendrir une viande.** Avec un petit verre d'une eau-de-vie (calvados, marc, cognac, armagnac, etc.), arrosez et frictionnez votre pièce de veau ou de bœuf 30 minutes avant de la mettre à cuire, et laissez-la macérer à la température ambiante dans un récipient creux.

❀ **Parfumer un aliment.** Pour parfumer une volaille ou un gigot, piquez-le en divers endroits charnus avec une seringue emplie d'une eau-de-vie dont le parfum se marie bien avec la préparation.

• Pour parfumer un cheddar fort, piquez-le avec une seringue emplie de porto et laissez reposer plusieurs jours.

• Pour parfumer un camembert, faites-le macérer deux heures sans la croûte dans du calvados, épongez-le, puis laissez-le sécher une demi-heure. Avant de le servir, poudrez de chapelure le dessus et le tour du fromage pour lui donner belle allure.

❀ **Macération express.** Pour accélérer la macération des pruneaux, raisins ou autres fruits secs, faites-les tremper quelques minutes dans de l'alcool chaud. Flambez ensuite le plat que vous préparez avec cet alcool.

Les pièges du flambage

Flamber un mets est une opération dangereuse. Ne laissez pas les enfants vous aider ou l'effectuer à votre place. Évitez de laisser des produits très inflammables – friture chaude, papier ou nylon, par exemple – à proximité. De même, ne flambez pas sous un bouquet sec, une suspension en papier ou tout autre objet inflammable, ou encore dans un courant d'air. À savoir : plus une eau-de-vie a une teneur élevée en alcool, plus les flammes sont hautes.

❀ **Le flambage : un art.** Réchauffez l'alcool dans une petite casserole, une louche ou une cuillère au-dessus d'une flamme (brûleur à gaz ou bougie). Enflammez-le – directement ou avec une allumette – et versez-le flambant sur le mets chaud. Faites pivoter le plat pour que tout l'alcool brûle.

❀ **Réserve de fruits secs parfumés.** Faites macérer des raisins, des abricots ou des pruneaux secs pendant plusieurs mois dans de petits bocaux emplis de rhum, de cognac ou d'un autre alcool.

Confiture de vieux garçon

Pour un bocal de 5 litres

INGRÉDIENTS

1 citron non traité
2 verres de cognac
fruits de saison
sucre
2 litres d'alcool à 40°
1 bâton de cannelle

1 - Choisissez un très grand bocal en verre, muni d'un bouchon de liège. Lavez le citron et prélevez son zeste en un long ruban, avec un couteau économe, sans peau blanche. Mettez le zeste dans le bocal avec un verre de cognac.
2 - Prenez des fruits de saison, mûrs mais fermes, lavez-les, séchez-les, équeutez-les ou égrenez-les. Pelez les pêches, coupez-les en quatre et enlevez le noyau. Ouvrez les abricots et les prunes, dénoyautez-les. Piquez les mirabelles et le raisin de quelques coups d'aiguille. Coupez les pommes et les poires en morceaux. Coupez les figues en quatre.
3 - Pesez les fruits. Disposez-les en couches sans les mélanger et ajoutez à chaque fois le même poids de sucre.
4 - Couvrez d'alcool à 40° à hauteur des fruits, puis rebouchez votre bocal et conservez-le au sec et à l'abri de l'air, en évitant d'en mélanger le contenu. Continuez ainsi tout au long de l'été à ajouter des fruits selon les possibilités offertes par la saison.
5 - Lorsque le bocal est plein, ajoutez un verre de cognac et un bâton de cannelle. Fermez hermétiquement et laissez macérer au moins trois mois.

Les alcools (poire, kirsch, calvados, cognac, armagnac...) et les liqueurs de fruits (cassis, curaçao, Grand Marnier...) vous seront utiles pour vos pâtisseries, mais aussi pour vos plats. Une rasade de vrai kirsch, par exemple, relèvera un clafoutis et sera le secret d'une fondue savoyarde goûteuse.

✿ **Chicoutai.** La Maison des Futailles a commercialisé un digestif appelé Chicoutai, fait à partir d'un petit fruit indigène du même nom. Chicoutée est le nom montagnais de la plaquebière (*Rubus chamaemorus* 'Linneae'), petite baie qui ressemble, quand elle est mûre, à une framboise blanche. Propre aux pays nordiques, elle se retrouve au Québec dans les tourbières et dans la grande forêt coniférienne, principalement sur la Côte-Nord. On peut s'en servir pour faire des sorbets ou parfumer des crèmes glacées et des salades de fruits.

✿ **Liqueur à l'orange.** Pour obtenir une délicieuse liqueur à l'orange qui pourra vous servir à parfumer gâteaux et entremets, faites macérer plusieurs mois deux quartiers d'écorce d'orange confite dans 3 tasses d'alcool et 1/2 tasse de sucre.

✿ **Tarte aux fruits goûteux.** Faites macérer des prunes ou des cerises dans de la mirabelle ou du kirsch trente minutes avant d'en garnir une tarte. Faites réduire le jus de la macération et passez-le au pinceau sur les fruits après la cuisson.

✿ **Gâteaux bien levés.** Pour faire mieux lever des soufflés et des pâtes à gâteaux qui renferment beaucoup de blancs battus en neige, incorporez-y une cuillerée à soupe d'alcool, choisi en fonction de la recette.

TRADITION-HISTOIRE

La bagosse

Traditionnellement, bon nombre de familles québécoises avaient leur petite recette pour fabriquer une boisson maison. On appelait cet alcool de la bagosse et, pour la confectionner, il fallait posséder illégalement un alambic (parfois une simple bouilloire). Mais les vieux de l'île d'Orléans affirmaient que «y avait rien que le curé qui n'avait pas son alambic dans la paroisse et pis encore...». C'est dire à quel point cette pratique défendue était monnaie courante et, dans le plus grand secret, il s'en faisait aussi commerce entre amis et voisins. On pouvait y faire un rhum à base d'eau, de mélasse et de levure. Dans la Beauce, on fabriquait même de la bagosse à partir de l'eau d'érable. On faisait également le whisky duquel on pouvait concocter le fameux caribou en mêlant deux tiers d'eau, un tiers de whisky et en ajoutant autant de vin (rouge ou de fabrication maison) que de whisky dilué. Les vins de cerises, de gadelles ou de groseilles étaient les meilleurs pour faire le caribou. Il se vendait même dans les pharmacies toutes sortes d'essences, de marque Noireau, avec lesquelles on faisait du scotch, du gin, de la crème de menthe... en diluant tout simplement du whisky et en y ajoutant de l'essence et du sucre au goût. Plusieurs alcools vinrent ainsi prendre part aux réjouissances familiales, en plus de la bière de gingembre ou d'épinette et des divers vins de petits fruits.

Le vinaigre

❁ **Vinaigre à volonté.** Faites vous-même votre vinaigre. Procurez-vous un vinaigrier, dans lequel vous placerez une mère de vinaigre (la masse grise et opaque qui se trouve au fond des bonnes bouteilles de vinaigre). Versez-y les fonds de verre de vin et patientez un à deux mois.

❁ **Tuer les insectes.** Ajoutez une ou deux cuillerées à soupe de vinaigre dans l'eau de lavage des salades, des épinards, des choux et des choux-fleurs ; tout insecte indésirable flottera à la surface de l'eau.

❁ **Contre les odeurs de chou.** Quel que soit le chou que vous souhaitez faire cuire (chou blanc, chou vert, chou-fleur, etc.), posez sur la casserole, avant d'y mettre le couvercle, un torchon propre imbibé de vinaigre.

❁ **Chou rouge bien coloré.** Pour éviter que le chou rouge râpé ne perde sa bonne mine et ne devienne lie-de-vin lorsque vous le préparez en salade, arrosez-le avec 1/2 tasse de vinaigre bouillant en mélangeant bien pour que tous les morceaux soient en contact avec le vinaigre.

❁ **Confiture d'oignons.** Faites revenir 6 gros oignons rouges râpés avec 2 cuillerées à soupe de beurre pendant 20 minutes, en remuant à plusieurs reprises. Ajoutez 1 gousse d'ail passée au presse-ail, 2 branches de thym, 1/2 tasse de très bon vinaigre de vin, 4 cuillerées à soupe de sucre et 2 cuillerées à soupe de petits raisins secs. Couvrez et faites cuire pendant encore quinze minutes à feu doux pour que les oignons soient réduits en compote. Servez avec du bœuf rôti, grillé ou braisé.

*La qualité d'un vinaigre fait le bon goût des sauces vinaigrettes
qui rendent les salades si appétissantes : vinaigre balsamique, de cidre,
de Xérès, vinaigres parfumés à l'estragon, à la menthe, à l'ail, à la framboise...*

❁ **Légumes au vinaigre.** Nettoyez soigneusement les légumes (jeunes poireaux, poivrons rouges, chou-fleur, carottes...) et coupez-les en petits tronçons, en cubes, en rondelles ou en bouquets.

Faites-les blanchir dans de l'eau bouillante salée, puis essuyez-les. Placez-les par couches dans un grand bocal. Ajoutez quelques herbes aromatiques.

Faites bouillir 2 tasses de vinaigre (d'alcool ou de cidre) et versez-le sur les légumes jusqu'en haut du bocal. Fermez le couvercle et attendez un mois avant de les servir.

❁ **Un court-bouillon rapide.** Vous n'avez pas le temps de préparer un court-bouillon ? Mettez dans votre casserole d'eau frémissante trois cuillerées à soupe de vinaigre blanc, une branche de thym, deux feuilles de laurier et quelques grains de poivre.

❁ **Champignons bien blancs.** Ajoutez une cuillerée à soupe de vinaigre à l'eau de lavage des champignons de couche ; la présence d'acide les empêchera de noircir.

❁ **Rajeunir des pommes de terre.** Si vos pommes de terre sont un peu vieilles et ridées, faites-les cuire dans de l'eau légèrement vinaigrée (deux cuillerées à soupe de vinaigre blanc par litre d'eau salée).

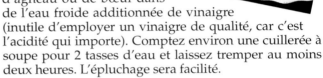

❀ **Poisson gras plus digeste.**
Pour rendre les poissons gras
(hareng, maquereau…) plus
digestes, préparez-les en filets, placez-les dans un plat,
recouvrez-les d'une cuillerée à soupe de gros sel et
de vinaigre. Laissez reposer au frais pendant deux
ou trois heures, puis rincez sous l'eau fraîche.

❀ **Purifier les abats.**
Faites toujours dégor-
ger le ris de veau,
la cervelle de veau,
d'agneau ou de bœuf dans
de l'eau froide additionnée de vinaigre
(inutile d'employer un vinaigre de qualité, car c'est
l'acidité qui importe). Comptez environ une cuillerée à
soupe pour 2 tasses d'eau et laissez tremper au moins
deux heures. L'épluchage sera facilité.

❀ **Un caramel toujours réussi.** Votre caramel ne cristal-
lisera pas si vous ajoutez quelques gouttes de vinaigre
dans la casserole contenant le sucre et l'eau.

❀ **Cerises au vinaigre.** Ce condiment au goût délicieux
décore agréablement une assiette de viandes froides.
Faites bouillir doucement 1 litre de vinaigre de vin avec
1 tasse de sucre, 2 branches d'estragon, 1 bâton de
cannelle, 3 pincées de muscade râpée, 3 clous de girofle,
le zeste d'un citron, jusqu'à ce que le sucre soit dissous.
Lavez 1,25 kg (2 3/4 lb) de cerises mûres mais fermes et
ne laissez que 1 cm (1/2 po) de la queue. Remplissez,
sans tasser, des bocaux ébouillantés et versez le vinaigre
par-dessus. Fermez hermétiquement et laissez macérer
au moins un mois dans un endroit frais et sombre.

❀ **Réveiller une sauce.** La sauce, chaude ou froide, que
vous avez préparée est un peu fade ? N'hésitez pas à
lui incorporer quelques gouttes de bon vinaigre de vin –
vous choisirez du vin rouge ou du vin blanc, selon la couleur de la sauce. Versez le vinaigre goutte à goutte et testez après chaque ajout.

❀ **Des œufs pochés impeccables.**
Ajoutez une cuillerée à soupe de vinaigre blanc dans l'eau arrivée à ébullition ; l'apport de vinaigre refroidira
légèrement l'eau et le blanc coagule-
ra plus facilement (ne salez pas).

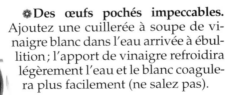

❀ **Beurre frais.** Si vous voulez
transporter du beurre en voyage,
enveloppez-le dans un linge
imbibé d'eau fortement vinaigrée
pour préserver sa fraîcheur.

TRADITION-HISTOIRE

Le vinaigre d'érable

Ce sont les Amérindiens qui apprirent aux premiers
colons de Nouvelle-France l'art de récolter l'eau d'érable
d'où l'on tira par la suite une foule de dérivés : sucre du pays,
sirop, tire, sucre mou. Aujourd'hui, le Québec réalise à lui
seul 70 % de la production mondiale de la sève d'érable et de
tous ses dérivés. Un de ceux-ci est le vinaigre à l'érable, qui
demeure assez méconnu. On en fabriquait pourtant déjà il y
a plus de 150 ans. Le numéro de mai 1837 du journal *Le
Glaneur* relatait comment un habitant de Saint-Hyacinthe s'y
prenait pour faire le sien. Il faisait bouillir l'eau d'érable
jusqu'à ce qu'elle soit réduite de moitié et la mettait ensuite
dans un baril, qu'il entreposait dans un endroit pas trop
froid. Au bout d'un mois, rapportait le journal, on obtenait
un vinaigre passable, au bout de trois ou quatre mois, l'eau
ayant *calé*, ce vinaigre se comparait avantageusement à un
vinaigre importé d'Europe. On pouvait aussi, recommandait
l'article, faire dissoudre une livre de sucre d'érable dans un
gallon d'eau, ce qui garantissait d'aussi bons résultats.

Beauté et au naturel

remèdes

DES CHEVEUX SOUPLES ET BRILLANTS

De beaux cheveux, ce n'est pas seulement une question de coupe. Cela tient essentiellement à leur aspect : s'ils sont propres, soignés, bien coiffés, voire mis en valeur par une couleur, ils seront forcément beaux. Essayez les soins maison de nos grands-mères.

Le shampooing

❀ **Crème avant shampooing.** Vos cheveux sont ternes et ont besoin d'un coup de fouet ? Mélangez une cuillerée à thé de miel avec un jaune d'œuf pour obtenir une crème. Étalez-la sur vos cheveux secs et massez. Laissez agir au moins dix minutes sous une serviette chaude et lavez-vous ensuite les cheveux normalement.

❀ **Des cheveux bien brillants.** Ne vous lavez jamais les cheveux avec une eau très chaude car les écailles du cheveu se hérissent sous l'effet d'une forte chaleur. Réglez le robinet sur une température tiède. Le mieux étant, si vous en avez le courage, de terminer le shampooing par un rinçage à l'eau froide, qui resserre les écailles. Vos cheveux y gagneront en tonus et en brillance.

❀ **Un shampooing plus efficace.** Profitez du shampooing pour effectuer un massage du cuir chevelu. C'est très relaxant et vos cheveux seront mieux lavés. Appliquez une noisette de produit sur vos cheveux mouillés et faites pénétrer par de légers massages, en commençant par la nuque, puis en remontant vers le sommet du crâne. La paume de vos mains doit faire bouger la peau, comme si vous vouliez la décoller. Mais ne frottez pas violemment et surtout ne grattez pas, car vous pourriez provoquer des irritations ou avoir des pellicules.

❀ **Un shampooing qui lave et qui soigne.** Certaines plantes sont bienfaisantes pour les cheveux. C'est le cas du romarin, de la lavande, de la sauge ou du thym – aux vertus antiseptiques –, de la guimauve ou de la consoude – douces aux cheveux délicats –, du souci ou de l'hamamélis – recommandés pour les cheveux gras. Faites une infusion concentrée d'une de ces plantes (comptez environ 60 g/2 oz pour une tasse d'eau) et diluez une cuillerée à soupe de votre shampooing habituel dans le liquide obtenu. Appliquez l'émulsion sur vos cheveux en deux fois puis rincez.

❀ Fleur de savon. La saponaire est une petite plante sauvage qui pousse sur les talus et les terres en friche pendant l'été. Elle possède une bien curieuse propriété : celle de renfermer de la saponine, savon naturel, que vous pouvez employer pour un shampooing très doux. Recueillez les feuilles et surtout les racines, faites-les sécher et préparez en décoction : comptez 20 g (3/4 oz) pour 1 litre d'eau. Laissez-la tiédir puis appliquez-la sur vos cheveux. Il vous faut la valeur d'un à deux bols de liquide, suivant la longueur de vos cheveux. Rincez ensuite à l'eau claire.

❀ Le bois qui lave. L'écorce du bois de Panamá contient aussi de la saponine. Elle entre de ce fait dans la composition de nombreux shampooings. Utilisez l'écorce – en vente dans les herboristeries – en décoction (comptez environ 30 g/1 oz pour 1 litre d'eau) et lavez-vous les cheveux avec.

Ce shampooing naturel est recommandé pour les cheveux gras ou délicats.

❀ Un shampooing sec maison. Si vos cheveux sont très gras ou si vous n'avez pas la possibilité de les mouiller, recourez à l'usage du shampooing sec. Saupoudrez sur toute votre chevelure du talc parfumé (ou à défaut de la fécule de maïs parfumée avec quelques gouttes de l'huile essentielle de votre choix). Les poudres d'iris et de lycopode vendues en herboristerie sont aussi très efficaces. Massez doucement pour faire pénétrer, puis brossez vos cheveux jusqu'à disparition complète de la poudre.

Après avoir soigneusement rincé vos cheveux, ne les frottez pas mais séchez-les en douceur en les enveloppant dans une serviette-éponge. Si vos cheveux sont longs, tordez la serviette.

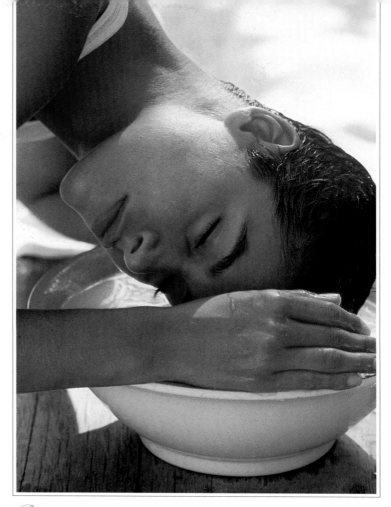

Pour votre dernier rinçage, n'hésitez pas à plonger la tête dans une bassine, plutôt que de verser l'eau sur vos cheveux. Ils seront ainsi mieux imprégnés.

❀ Le bon rinçage. C'est celui qui laisse les cheveux à la fois nets et brillants, sans aucune trace de shampooing. Un truc pour savoir si vos cheveux sont suffisamment rincés : ils doivent crisser sous vos doigts.

Ajoutez quelques gouttes de vinaigre blanc ou de vinaigre de cidre à la dernière eau de rinçage pour neutraliser le calcaire, ou utilisez de l'eau de pluie.

UN SOIN FORTIFIANT À L'ŒUF

INGRÉDIENTS

2 ou 3 jaunes d'œufs

2 c. à soupe de rhum (ou de cognac)

1 c. à thé d'huile d'amandes douces (pour les cheveux secs uniquement)

1 - Dans un bol, battez les jaunes avec l'alcool, et éventuellement l'huile, pour obtenir une émulsion onctueuse.
2 - Mouillez vos cheveux et appliquez la préparation. Laissez agir 5 min, puis rincez à l'eau tiède. N'employez surtout pas d'eau trop chaude : cela cuirait les jaunes et vous auriez du mal à vous rincer les cheveux.
3 - Terminez par un rinçage à l'eau citronnée ou vinaigrée.

Les soins maison seront plus actifs si vous appliquez l'huile ou la crème sur des cheveux secs ou à peine humides et si vous vous coiffez d'un casque en aluminium ménager.

❀ **Beurre de karité pour manque de vitalité.** Un masque capillaire hebdomadaire au beurre de karité (en vente dans les magasins de produits naturels ou diététiques) est aussi bénéfique aux cheveux secs qu'aux cheveux gras, qu'il rééquilibre et fortifie. Appliquez le beurre pur sur les pointes (deux ou trois noisettes suffisent) et massez toute votre chevelure. Laissez agir au moins une heure, puis lavez-vous les cheveux avec votre shampooing habituel.

Les soins des cheveux

❀ **Argile pour cheveux gras.** Une fois par semaine, faites un cataplasme d'argile. Diluez de l'argile en poudre dans de l'eau additionnée d'une pincée de sel marin. Il faut obtenir une pâte épaisse. Répartissez sur les cheveux en massant. Laissez agir un quart d'heure et rincez à fond en ajoutant quelques gouttes de vinaigre dans la dernière eau. Ce traitement remplace un shampooing.

UN JUS D'ORTIE ANTIPELLICULAIRE

Les orties, riches en sels minéraux, sont souveraines contre les pellicules. Munissez-vous de gants et partez à la cueillette pour vous fabriquer une lotion à utiliser tous les jours.

INGRÉDIENTS
brassée d'orties
2 c. à soupe d'alcool à 40°

1 - Effeuillez les tiges d'ortie et passez les feuilles à la centrifugeuse pour en extraire le jus.
2 - Mélangez 50 ml de ce jus avec l'alcool. Remuez bien, filtrez et mettez en flacon.
3 - Agitez avant usage pour bien émulsionner. Cette lotion doit se conserver au réfrigérateur.

❀ **Crème d'avocat pour cheveux secs.** La chair de l'avocat est une excellente crème de soin pour les cheveux secs. Écrasez la pulpe d'un avocat à point ou même trop mûr avec un jaune d'œuf. Appliquez cette crème en massage sur cheveux secs et patientez au moins un quart d'heure (plus si vous le pouvez), la tête enveloppée. Lavez-vous ensuite les cheveux normalement.

❀ **Lotion à la capucine pour cheveux gras.** Riche en soufre, la capucine est réputée depuis des siècles pour ses vertus fortifiantes et bactéricides, en particulier pour les cuirs chevelus trop gras ou à tendance pelliculaire. Laissez infuser une poignée de feuilles fraîches hachées dans 500 ml d'alcool à 40° ou de vinaigre blanc. Au bout de quinze jours, filtrez puis mettez en flacon. Massez-vous quotidiennement le cuir chevelu avec cette lotion.

❀ **Huiles essentielles pour cheveux gras.** Les huiles essentielles de romarin, de citron et d'eucalyptus sont bénéfiques pour les cheveux gras, qu'elles assainissent. Massez-vous le cuir chevelu avec une huile végétale (olive, amande douce, jojoba...) additionnée de deux ou trois gouttes de l'une de ces huiles avant de vous laver les cheveux ou, si vous n'avez pas le temps, ajoutez quelques gouttes à votre shampooing habituel.

❀ **Moelle de bœuf pour cheveux secs.** Nos grands-mères l'employaient pour nourrir les cheveux secs ou fragilisés. Faites fondre la moelle d'un os de bœuf dans une casserole d'eau bouillante (500 ml) avec une branche de romarin. Laissez tiédir. Ôtez le romarin. Appliquez la préparation sur vos cheveux légèrement humides et laissez agir au moins une heure, la tête enveloppée d'une serviette ou d'un casque en aluminium. Rincez à l'eau tiède puis lavez-vous les cheveux avec votre shampooing habituel. Répétez l'opération deux fois par mois.

❀ **Brillant instantané pour cheveux secs.** La brillantine d'antan revient à la mode. Pensez-y, sauf si vous avez les cheveux gras – elle les alourdit encore plus. Elle vous sera bien utile si vous utilisez du gel fixateur, qui a tendance à sécher le cheveu et à le rendre terne. Mélangez à votre gel habituel une noisette de brillantine et votre coiffure sera éclatante.

❀ **La coupe : une affaire de lune.** Pour que les cheveux épaississent, on conseillait jadis de les couper à la lune croissante. Pour qu'ils poussent plus vite, à la lune descendante.

❀ **Massage au sel contre les pellicules.** Si vous en avez le courage, massez-vous le cuir chevelu au moins une ou deux fois par semaine avec une poignée de sel fin marin. Cela stimule la circulation sanguine, peu active dans cette région du corps, et élimine peu à peu les pellicules. Ensuite, lavez-vous les cheveux comme à l'accoutumée.

❀ **Racine de bardane pour accélérer la pousse des cheveux.** La bardane est une plante sauvage qui prospère dans les lieux incultes. Sa racine est connue depuis le Moyen Âge pour ses vertus fortifiantes et bactéricides.

• Faites cuire une racine (à acheter en herboristerie) dans de l'eau bouillante. Égouttez-la et réduisez-la en purée. Frictionnez-vous quotidiennement le cuir chevelu avec cet onguent, pendant au moins une semaine.

• Vous pouvez aussi préparer une tisane de bardane – 60 g (2 oz) de feuilles fraîches pour 1 litre d'eau – et vous en servir comme lotion pour vous rincer les cheveux après le shampooing. Cela assouplit et fait briller les cheveux gras ou sensibles aux pellicules.

Les cheveux longs ont particulièrement besoin d'être nourris jusqu'aux pointes. Pour bien répartir le produit sur vos cheveux, penchez la tête en avant et peignez-les sur toute la longueur avec un démêloir.

❀ **Panne de gel.** Si vous n'avez pas de gel pour discipliner vos cheveux, vous pouvez le remplacer par de la gélatine alimentaire dissoute dans de l'eau.

• La glycérine vendue en pharmacie est également efficace. Versez-en une noisette au creux de la main et lissez vos cheveux : les boucles tiendront bien mieux, brilleront et auront un joli aspect mouillé.

• Dernière solution : faites dissoudre un morceau de sucre dans un bol d'eau et lissez vos cheveux avec ce liquide. Ils seront peut-être un peu collants mais pas plus qu'avec certains gels à fixation forte !

❀ **Mise en plis minute.** Si vous portez la frange, donnez meilleure mine à votre coiffure en quelques minutes en posant un ou deux rouleaux sur votre frange préalablement humidifiée. Un petit coup de séchoir et le tour est joué, car une frange bien lisse et gonflée redonne du tonus à l'ensemble de la coiffure.

❀ **Accessoires nets.** Une fois par semaine, lavez votre brosse et votre peigne dans un bain d'eau chaude et de liquide vaisselle, additionné de quelques gouttes d'ammoniaque, qui dégraisse en profondeur. Laissez tremper une heure et frottez le peigne avec la brosse.

❀ **Sécher ses cheveux intelligemment.** Vos cheveux longs ont tendance à se mêler aisément : procurez-vous une brosse de poils de sanglier montée sur bois afin de les démêler sans les casser. Si vous désirez arborer de belles bouclettes, envisagez l'utilisation d'une brosse en fond de métal avec poils synthétiques qui ondulera vos mèches rebelles lors du séchage.

Et bien qu'autrefois on disait que, pour avoir de beaux cheveux, il fallait se donner cent coups de brosse quotidiens, on sait aujourd'hui qu'un brossage répété trop vigoureux abîme les cheveux.

Comme nos aïeules, faites des papillotes. Avant de vous coucher, enroulez de fines mèches de cheveux sur des bandes de papier de soie et nouez-les. Au réveil, déroulez les mèches, et vous aurez de belles boucles souples.

La coiffure

❀ **Tenue de la mise en plis.** Nos grands-mères humectaient leurs bigoudis avec de la bière pour faire tenir les boucles et avoir des cheveux plus brillants. Versez dans un vaporisateur de la bière avec la même quantité d'eau. Pulvérisez sur les rouleaux et laissez sécher.

❀ **Coquetterie masculine.** On a presque oublié les usages de nos grands-pères. Dans nos campagnes, jusqu'au début du siècle, les hommes utilisaient de la graisse d'ours pour faire tenir leurs cheveux et les rendre brillants. L'un des produits commerciaux les plus populaires au milieu du siècle fut le « brylcreeme ».

ATTENTION !

Faux gain de temps chez le coiffeur

Pour gagner du temps, vous aimeriez faire votre coloration et votre permanente le même jour. Renoncez à ce projet sous peine d'altérer la structure de votre cheveu ou de le fragiliser. Laissez passer au moins quinze jours entre les deux opérations.

Rassemblez sur une coiffeuse tout le matériel de coiffure, miroir, face-à-main, vaporisateurs… Vous pouvez rehausser vos accessoires avec des perles (1). Enfilez une perle dans chaque épingle à cheveux ou collez-la, et vous aurez un chignon de fête parsemé de perles. L'eau de fleur d'oranger complétera la fraîcheur de cette parure. Les peignes et les brosses (2) peuvent aussi être parfumés : versez-y quelques gouttes d'essence de votre choix.

La coloration

❁ **Camomille pour cheveux blonds.** Après le shampooing, entretenez votre blondeur en vous rinçant les cheveux à la camomille allemande (matricaire). Comptez 60 g (2 oz) de fleurs séchées pour 1 litre d'eau. Jetez les fleurs dans l'eau bouillante. Laissez infuser jusqu'à ce que l'eau soit tiède, puis filtrez. La camomille n'éclaircit pas mais préserve les reflets blonds et dorés. Très douce, elle peut également être utilisée sur les petites têtes blondes des enfants.

❁ **Un chapeau pour blondir.** Pour entretenir leur célèbre blondeur, les belles Vénitiennes se coiffaient d'un chapeau de paille sans calotte. Elles étalaient leurs cheveux mouillés sur le pourtour du chapeau et s'exposaient au soleil pour les sécher. Pourquoi ne pas retrouver cette tradition, au jardin ou à la plage, en découpant un vieux chapeau de paille qui, tout en vous protégeant les yeux et la peau, permettra à vos cheveux de blondir naturellement?

UN MASQUE COLORANT POUR CHEVEUX BLONDS

Cette préparation a pour effet d'accentuer les reflets dorés des cheveux blond clair ou foncé. Vous trouverez les ingrédients en herboristerie.
Vous pouvez utiliser le principe de ce masque pour optimiser l'effet de toute infusion capillaire colorante. Faites suivre cette application d'un soin nourrissant.

INGRÉDIENTS

30 g (1 oz) de racine de rhubarbe coupée en morceaux	25 g (3/4 oz) de fleurs de molène (tabac-du-diable)
25 g (3/4 oz) de fleurs de camomille ou matricaire	1/4 tasse d'argile fine ou de talc

1 - Plongez la rhubarbe dans 500 ml d'eau bouillante et laissez bouillir 10 min. Retirez du feu et ajoutez les fleurs. Laissez tiédir.
2 - Filtrez l'infusion avec une passoire très fine. Ajoutez l'argile fine pour obtenir une pâte ni trop épaisse ni trop liquide.
3 - Appliquez cette pâte sur vos cheveux humides. Laissez agir environ 1 h, puis rincez abondamment.

La couleur des cheveux, blonds, roux et même châtains, varie en fonction de l'exposition au soleil, qui les décolore. Pensez à renforcer leur couleur et à les nourrir par des soins naturels.

❈ **Rhubarbe pour reflets blond vénitien.** La racine de rhubarbe donne des reflets blond vénitien (tirant sur le roux) aux cheveux blond foncé ou châtain très clair. Il faut environ 60 g (2 oz) de plante par litre d'eau. Coupez les racines en tronçons, laissez-les bouillir dans l'eau pendant dix minutes. Vous utiliserez cette décoction en dernier rinçage. Étant donné que la rhubarbe dessèche les cheveux, faites suivre le rinçage d'un soin nourrissant (crème ou huile).

❈ **Pelures d'oignon pour reflets dorés.** Préparez une décoction en faisant bouillir 60 g (2 oz) de pelures d'oignon dans 1 litre d'eau. Laissez tiédir, puis filtrez. Ce liquide utilisé en dernier rinçage donnera à vos cheveux blonds de beaux reflets dorés.

❈ **Citron et soleil pour reflets blonds.** Vous avez les cheveux châtain clair et voulez obtenir des reflets blonds ou dorés ? Rincez-vous les cheveux avec le jus d'un citron puis laissez-les sécher au soleil. Mais attention, ce traitement de choc dessèche les cheveux. Il doit être réservé à ceux qui sont plutôt gras. Sinon, appliquez de l'huile d'amandes douces ou d'olive avant le shampooing, pour nourrir vos cheveux.

❈ **Sauge pour cheveux bruns.** L'infusion de sauge, utilisée en dernier rinçage, entretient la couleur des cheveux châtains ou bruns. Comptez 60 g (2 oz) de plante pour 1 litre d'eau. Laissez infuser, puis filtrez et laissez tiédir. En outre, la sauge a de multiples vertus : c'est un bon bactéricide et un fortifiant du cuir chevelu.

❈ **Feuilles de noyer pour cheveux bruns.** Les feuilles de noyer possèdent un fort pouvoir colorant que vous pouvez utiliser pour vos cheveux s'ils sont châtains ou bruns. Préparez une infusion avec 60 g (2 oz) de feuilles pour 1 litre d'eau et utilisez-la en dernier rinçage. Elle donnera peu à peu à vos cheveux de beaux reflets légèrement roux.

ATTENTION !

Les pièges de la coloration maison

Si vous vous faites une coloration maison en utilisant un produit du commerce, lisez attentivement le mode d'emploi et respectez impérativement le temps de pause. Ne croyez pas obtenir une coloration plus légère en diminuant le temps de pause ! Vous risquez d'avoir une surprise fort désagréable si vous rincez avant le temps indiqué, en vous retrouvant avec des cheveux orange, violets, verdâtres ou bleuâtres. La coloration chimique n'est efficace qu'au bout d'un certain temps. Mieux vaut donc laisser agir trop que pas assez.

Si vous achetez du henné, choisissez exclusivement du henné véritable, qui gaine et traite les cheveux (surtout s'ils sont gras) : c'est une poudre verte à l'odeur très reconnaissable de thé un peu fumé. Les hennés fantaisistes permettant d'obtenir une coloration blonde ou noire abîment les cheveux car il s'agit de pigments chimiques… et, d'autre part, la coloration est si prononcée qu'elle dure de longs mois, et les coiffeurs ne parviennent pas à la masquer sous leurs propres produits.

Lorsque vous vous appliquez des masques colorants, du henné par exemple, n'oubliez pas de mettre des gants de caoutchouc, sinon votre peau et vos ongles seront teintés pendant quelques jours. Pour supprimer ces taches, utilisez du peroxyde.

❀ **Du thé pour cheveux roux.** Préparez un thé très concentré – 60 g (2 oz) pour 1 litre d'eau – et rincez vos cheveux avec pour leur donner de jolis reflets auburn. Certains thés colorent plus que d'autres, c'est le cas des Darjeeling et des Ceylan.

❀ **Le henné pour cheveux roux.** Le henné est employé depuis des temps immémoriaux pour colorer en roux les cheveux bruns ou châtains. Il faut d'abord mélanger la poudre verte dans de l'eau et faire chauffer le mélange quelques minutes, avant d'appliquer la pâte sur les cheveux humides. Pour obtenir un effet plus prononcé, n'hésitez pas à garder le henné toute une nuit en enveloppant vos cheveux d'une feuille d'aluminium maintenue par un foulard qui ne craint rien. Rincez très longuement.

Pour une coloration plus rouge, ajoutez à votre préparation le jus d'une betterave (passée à la centrifugeuse). Autre solution, diluez votre poudre dans du vin rouge ordinaire.

Si vos cheveux sont électriques, rincez-les au vinaigre, coiffez-les mouillés avec un démêloir à grosses dents et, une fois secs, lissez-les avec la paume de la main pour supprimer l'électricité statique.

TRADITION-HISTOIRE

Les hommes préfèrent les blondes...

Depuis l'Antiquité, les femmes emploient toutes sortes de recettes pour entretenir leur blondeur ou la créer de toutes pièces. Les Romaines et les Vénitiennes de la Renaissance n'hésitaient pas à recourir à l'urine de jument pour obtenir un blond un peu roux. Les Gauloises et les Celtes se rinçaient les cheveux à l'eau de chaux ou à la décoction de racine de rhubarbe...

Plus près de nous, la blondeur de Mae West, de Jean Harlow ou de Marilyn Monroe devait beaucoup plus à la science des coiffeurs qu'à la nature... La blondeur a toujours fasciné, elle est magique et revient périodiquement à la mode (jusqu'au blond le plus platine).

❀ **Du vin et du fer pour retarder les cheveux blancs.** Préparez une solution en mélangeant 4 g de sulfate de fer à 250 ml de vin rouge. Chaque matin, trempez plusieurs fois votre peigne dans cette préparation en vous coiffant.

❀ **Sauge et sureau contre les cheveux blancs.** Pour des cheveux bruns qui commencent à prendre quelques fils blancs, additionnez l'effet des feuilles de sauge (ci-dessous) à celui des baies de sureau (ci-contre), qui sont mûres en été. Préparez deux infusions séparées – comptez 30 g (1 oz) de chaque plante pour 500 ml d'eau. Faites tiédir les infusions, puis mélangez-les. Utilisez ce mélange en dernière eau de rinçage après votre shampooing.

❀ **Ôter des traces de coloration.** Si vous faites une teinture chez vous, vous risquez parfois d'avoir des traces colorées sur la peau à la racine des cheveux. Faites-les disparaître en passant dessus de l'ouate imbibée de peroxyde à 10 ou à 30 volumes, suivant l'importance de la tache.

❀ **Nourrir les cheveux colorés.** Bien que les fabricants proposent désormais des produits beaucoup moins agressifs qu'autrefois, les cheveux colorés sont plus fragiles que les autres, car ils sont plus secs.

Une fois par semaine, appliquez de l'huile (d'olive, d'amandes douces ou de karité) en massage sur vos cheveux et laissez agir ce soin naturel toute une nuit sous une serviette-éponge, avant de faire votre shampooing. Multipliez les applications si vous vous exposez au soleil.

UNE PEAU NETTE ET DOUCE

Faites de la toilette quotidienne un vrai moment de plaisir en utilisant des produits simples et naturels. Un talc parfumé, une huile de bain hydratante, une crème onctueuse… Il suffit de peu de chose pour avoir une peau saine.

La toilette

Pendant le bain, frottez-vous le dos avec une brosse à long manche, plus douce qu'un gant de crin ! Ce léger massage purifiera votre peau sans l'agresser et vous procurera une sensation de détente immédiate.

❀ **Économie de bouts de savon.** Il arrive toujours un moment où il ne reste plus du savon qu'un tout petit morceau inutilisable. Au lieu de le jeter, mettez-le de côté. Lorsque vous en aurez assez, faites-les fondre dans un peu d'eau au bain-marie et versez cette pâte dans des petits moules, pour obtenir des savonnettes maison.

Vous pouvez ajouter à la pâte quelques gouttes d'une huile essentielle et d'un colorant alimentaire de votre choix avant de la verser dans les moules.

❀ **Bain de vapeur pour le visage.** Pour un nettoyage profond, le bain de vapeur reste le moyen le plus simple et le plus efficace, quel que soit votre type de peau. Prenez un saladier assez grand, remplissez-le d'eau bouillante et ajoutez-y une grosse pincée de tilleul. Penchez-vous au-dessus du saladier et mettez-vous sur la tête une serviette-éponge pour enfermer complètement le visage et concentrer l'effet de la vapeur.

Le temps d'exposition n'est pas fixe. Il sera suffisant quand vous sentirez la sueur ruisseler. Séchez-vous le visage en le tamponnant.

UNE HUILE-CRÈME POUR LE BAIN

Si vous aimez les produits naturels et faits maison, cette recette est pour vous. Cette huile-crème laisse la peau toute douce et offre l'avantage de ne pas graisser la baignoire.

INGRÉDIENTS

2 œufs entiers

1 c. à soupe de miel liquide

3 c. à soupe d'huile d'olive

3 c. à soupe d'huile d'amandes douces

6 c. à soupe de lait ou de crème fraîche

4 c. à soupe de shampooing

3 c. à soupe de vodka

5 gouttes d'une essence florale ou d'un parfum de votre choix

1 - Cassez les œufs dans un saladier, ajoutez le miel, les huiles et le lait, battez bien pour émulsionner. Pour parfaire le mélange, vous pouvez passer la préparation au mélangeur.

2 - Ajoutez petit à petit, sans cesser de fouetter, le shampooing et la vodka. Terminez par le parfum.

3 - Versez votre préparation dans votre baignoire lorsque vous faites couler l'eau.

Une plaque de marbre posée sur quelques carreaux de plâtre, des seaux en zinc : ce décor très simple rappelle les pratiques de toilette d'autrefois. Renouez avec le coton d'avant la serviette-éponge : le simple nid-d'abeilles (1), et la douceur d'un tapis de bain et de mules en coton brodées assorties pour la sortie du bain (2).

❀ **Tissu tout doux pour le visage.** La peau du visage est très délicate. Ne l'essuyez pas n'importe comment. Utilisez une serviette fine et douce que vous réserverez à cet usage. Les anciens langes de bébé en tissu sont parfaits. Ne frottez pas mais tapotez du cou vers le front.

❀ **Bain d'agrumes.** L'orange et le citron sont des alliés de la peau : l'orange hydrate en douceur et le citron resserre les pores. Préparez une infusion avec un zeste de citron, un zeste d'orange, une poignée de fleurs d'oranger et une autre de camomille. Ajoutez à cette infusion 30 g (1 oz) de poudre d'amande et vous obtiendrez un mélange à verser dans l'eau du bain.

Dès le lever, rafraîchissez-vous le visage en vous aspergeant d'eau froide ou à peine tiède. Cela vous réveillera et vous donnera une impression de fermeté et de détente à la fois, en attendant le moment de la grande toilette.

❀ **Panne de sachet pour le bain.** Vous n'avez pas le temps de vous fabriquer un sachet en tissu pour le bain ? Utilisez un gant de toilette, fermé par un élastique ou un ruban, une boule à thé, ou si vous avez beaucoup de plantes, une boule pour faire cuire le riz.

❀ **Bain de céréales.** Le son et l'avoine possèdent des vertus adoucissantes pour l'épiderme. Enfermez une poignée de chacune de ces céréales dans un sachet et laissez-le tremper dans l'eau du bain, qui prendra une teinte laiteuse.

Vous pourrez ensuite vous frotter le corps avec le sachet mouillé, pour éliminer les cellules mortes.

UN SACHET POUR LE BAIN

La toilette peut se transformer en un moment de détente et de beauté si vous ajoutez des herbes aromatiques, des algues ou des céréales à l'eau de votre bain. Mais il faut les enfermer dans un sachet pour qu'elles ne se répandent pas dans l'eau. Ce sachet en tissu que vous suspendrez au robinet sous le flot d'eau chaude pourra vous servir plusieurs fois. Il suffira de le vider, de le laver et de le remplir à nouveau.

FOURNITURES

rectangle de mousseline de 30 x 40 cm
aiguille et fil à coudre blanc
2 bandes de tissu de couleur de 2,5 x 30 cm
épingles
2 rubans étroits de 50 cm de long
épingle de sûreté
herbes aromatiques, algues ou céréales

1 - Cousez un ourlet large de 3 cm sur chacun des petits côtés de la mousseline. Rentrez les bords de chaque ourlet en repliant le tissu à l'intérieur de la couture, et cousez-les.

2 - Faites un petit ourlet de 5 mm au bout des rubans de couleur. Cousez chaque bande de tissu sur la mousseline en dessous des grands ourlets, sans fermer les extrémités.

3 - Pliez la mousseline en deux endroit contre endroit. Épinglez et cousez chaque côté jusqu'au fond du sachet, sans prendre les bandes de tissu de couleur dans les coutures.

4 - Retournez le sachet à l'endroit. Attachez l'épingle de sûreté à chaque ruban et enfilez-les dans les bandes de couleur. Remplissez le sachet avec les herbes et tirez sur les rubans.

❀ Bain de lait. Ajoutez à l'eau de votre bain 1 tasse de lait en poudre, additionné de 1/2 tasse de poudre d'amande, le tout enfermé dans un sachet de mousseline fine. Vous pouvez aussi mettre dans votre mélangeur 1 tasse de lait, additionné de 1/2 tasse de lait en poudre et de 1/2 tasse de poudre d'amande, puis ajouter cette crème à votre bain.

❀ Huiles éternelles. Certaines huiles essentielles sont connues depuis l'Antiquité à la fois pour leur parfum agréable et le bien-être qu'elles procurent.

Ajoutez quelques gouttes d'essence de rose, de néroli (la fleur d'oranger), d'ylang-ylang, de santal, de lavande, de romarin, de marjolaine ou de thym à l'eau de votre bain, ou bien mélangez-en quelques gouttes à une huile très douce (huile d'amandes douces, de karité ou de jojoba) et massez-vous le corps encore humide, après la douche.

❀ Bain de détente. Après une journée un peu fatigante, rien ne vaut un bon bain d'eau salée. Jetez quelques poignées de gros sel marin dans votre baignoire et laissez-vous aller dans la tiédeur de cette eau salée, qui vous disposera au sommeil.

Les belles baignoires en cuivre d'autrefois n'ont plus d'utilité, sauf comme bel ornement dans une salle de bains spacieuse. Si vous n'avez qu'une petite salle de toilette, quelques objets « à l'ancienne » peuvent suffire à créer une ambiance de douceur intime.

Les brocs, les cuvettes et les porte-savons en faïence de nos grands-mères peuvent encore servir dans la salle de bains : vous y mettrez des fleurs séchées ou fraîches, y regrouperez vos ustensiles de coiffure ou vos produits de maquillage, ou y déposerez des pots-pourris.

❀ Bain stimulant. Pour vous redonner du tonus après une journée fatigante, prenez un bain dans lequel vous aurez versé du romarin, de la menthe, de la sauge et de la consoude, stimulante et adoucissante. Enfermez 30 g (1 oz) de chacune de ces plantes (fraîches de préférence) dans un sachet ou une boule, ou préparez une infusion concentrée (avec 500 ml d'eau), que vous verserez dans l'eau de la baignoire.

La fraîcheur

❀ **Maquillage durable.** Pour faire tenir votre maquillage, fixez-le en passant rapidement un glaçon dessus dès que vous l'aurez terminé. Évitez toutefois d'avoir recours à cette astuce si vous avez tendance à la couperose.

❀ **Les vertus de la sauge.** La sauge contient des résines aromatiques et des tanins qui régularisent les sécrétions excessives de l'épiderme.
- Lotionnez-vous la peau avec un tampon d'ouate trempé dans une infusion de feuilles fraîches.
- Ou bien passez des feuilles sèches au mélangeur et poudrez-vous les aisselles et les pieds.
- Pour lutter encore mieux contre la transpiration, préparez un mélange à parts égales de poudre de sauge, de talc officinal et de poudre de lycopode (en vente en herboristerie ou en pharmacie), à utiliser localement.

❀ **Sudation excessive des pieds.** Faites macérer pendant vingt jours 100 g (3 1/2 oz) de prêle dans 200 ml d'alcool à 90°. Après le bain, badigeonnez-vous la plante des pieds avec cette préparation.

UN CRISTAL DÉODORANT

 Si vous n'aimez pas la sensation des déodorants conventionnels, essayez le cristal déodorant. Il s'agit d'une pierre faite de sels minéraux de bauxite que l'on applique après la douche quand la peau est encore humide. Hypoallergénique, elle convient aux peaux sensibles.

❀ **À la redécouverte du talc.** On croit souvent, à tort, que le talc est réservé aux bébés. C'est en réalité un excellent produit pour adoucir la peau et absorber les excès de transpiration.

Appliquez-le après la toilette du matin avec une grosse houppette ou un morceau de coton, en insistant sous les aisselles et les pieds (le talc facilite l'enfilage des chaussures par temps chaud).

Pour plus de raffinement, vous pouvez le parfumer avec quelques gouttes d'une huile essentielle ou de votre parfum. Mettez le talc dans un bocal hermétique. Ajoutez le parfum choisi. Fermez et secouez bien. Votre talc parfumé est prêt.

❀ **Une douche en lavabo.** La journée est très chaude et vous ne pouvez vous doucher? Essayez cette astuce toute simple. Mettez vos mains et vos avant-bras dans le lavabo et faites couler de l'eau froide sur votre peau.

Cette minidouche doit durer quelques minutes pour être efficace, mais vous serez étonné du résultat.

❀ **Produits de beauté au réfrigérateur.** Pour profiter d'une sensation de fraîcheur immédiate, rangez votre lotion, votre lait de toilette et votre démaquillant au réfrigérateur. C'est particulièrement agréable en été!

POURQUOI ÇA MARCHE

L'ALUN, UN DÉODORANT SANS PARFUM

Appliqué sur l'épiderme encore mouillé, l'alun est un moyen naturel très efficace pour freiner la transpiration. Il doit ses propriétés astringentes à ses composants, les sulfates d'aluminium et de potassium, qui resserrent les pores de la peau et diminuent les sécrétions.

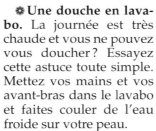

La plupart des produits déodorants ont des parfums standard qui ne sont pas toujours agréables et peuvent faire mauvais ménage avec le parfum ou l'eau de toilette que vous portez. Préférez-leur des produits naturels, ou optez pour le déodorant de la même ligne que votre parfum.

Adoucir et hydrater la peau

❀ **Masque plus efficace.**
Appliquez votre masque juste
avant de vous glisser dans le
bain. La chaleur et l'humidité
le feront mieux pénétrer dans
l'épiderme et faciliteront son
action.

Profitez également du bain
pour retirer le produit après
le temps de pause, avec une
douche douce à peine tiède.

❀ **Masque nourrrrissant
aux œufs.** Battez deux jaunes d'œufs avec
quelques cuillerées d'huile et un peu d'eau. Appliquez ce
mélange sur votre visage avec un coton et conservez-le
au moins dix minutes avant de rincer. S'il vous en reste,
mettez cette fausse mayonnaise au réfrigérateur et
utilisez-la le lendemain, ou bien appliquez-la en masque
sur vos mains.

❀ **Masque aux
fraises.** La pulpe
de fraises fraîches
est un excellent
astringent natu-
rel pour les
peaux à tendance
grasse. Pour vous fabri-
quer un masque de beauté, écrasez (ou passez au
mélangeur) une poignée de fraises, ajoutez un demi-
yogourt nature et une cuillerée à soupe
de poudre d'amandes. Étalez cette crème sur votre visage en résistant à l'envie
d'en manger et conservez-la au moins
quinze minutes avant de vous rincer.

*Les éponges sont très utiles pour les soins corporels. Le luffa (à gauche) est
rêche, mais les autres éponges, douces, peuvent servir pour rincer les masques.*

❀ **Massage salé.** Si vous trouvez que vos jambes, vos
coudes, vos genoux sont un peu rugueux, frottez-les avec
un mélange à parts égales de sel fin et d'huile d'olive ou
d'amandes douces. Massez doucement, afin de ne pas
provoquer d'irritation (surtout sur les jambes) et rincez
à l'eau fraîche ou tiède.

❀ **Citron pour les cou-
des.** Coupez un citron en
deux et servez-vous-en
pour vous frotter les coudes. Le jus de citron adou-
cit et blanchit la peau.

❀ **Le luffa: un exfoliant
naturel.** Petit cousin du
concombre par sa forme,
le luffa est surnommé
éponge végétale. Une
fois séchées, ses fibres
un peu rêches éliminent
en douceur les cellules
mortes de la peau, avec
moins de rudesse qu'un
gant de crin.

UNE CRÈME AU CONCOMBRE POUR LE VISAGE

Cette ancienne recette
est particulièrement
recommandée pour traiter
les peaux à tendance grasse.

FOURNITURES

1/2 concombre
mélangeur
1/4 tasse d'eau de rose
quelques gouttes de teinture de benjoin
compte-gouttes

1 - Passez au mélangeur le concombre épluché afin d'obtenir une pâte
lisse. N'en faites pas en grande quantité, une petite tasse suffira.

2 - Ajoutez à la pulpe en purée
1/4 tasse d'eau de rose et la teinture de benjoin à l'aide d'un compte-
gouttes. Conservez au réfrigérateur.

❀ **Masque coup d'éclat.** Si vous avez la peau grasse, avant de sortir le soir, battez un blanc d'œuf en neige ferme. Ajoutez-y quelques gouttes de citron. Appliquez-le sur votre visage et restez allongé jusqu'à ce que le blanc, en séchant, ait effacé les traces de fatigue. Rincez avec un coton imbibé d'eau à peine tiède. Votre visage paraîtra reposé et votre peau sera douce au toucher.

❀ **Masque adoucissant au concombre.** Ce légume est un merveilleux allié de la peau. Il vous suffit de réduire sa pulpe en purée pour obtenir un masque à la fois rafraîchissant et adoucissant pour l'épiderme.

❀ **Soin avant le bain.** Si votre peau est sèche, en hiver ou au soleil, n'hésitez pas à vous enduire le corps d'huile ou à vous masser avec une crème grasse avant de prendre votre bain ou votre douche. Le gras contrebalancera l'effet desséchant du calcaire et vous vous retrouverez avec un épiderme doux et lisse.

Pour qu'une crème ou un lait soient efficaces, appliquez-les avec vos mains et non un coton, qui absorberait le produit. La peau du visage est fragile : frottez-la doucement pour faire pénétrer la crème.

❀ **Masque à l'huile d'amandes douces.** Si vous avez la peau sèche, mélangez à parts égales de la levure de bière fraîche avec de l'huile d'amandes douces. Appliquez sur le visage avec un coton. Laissez agir quinze minutes en vous reposant, puis rincez.

ATTENTION !

Pas de bergamote au soleil

Longtemps, on a conseillé des mélanges maison à base d'huile d'amandes douces et d'essence de bergamote pour faciliter le bronzage. Or on sait que cette essence est photosensibilisante, c'est-à-dire qu'elle peut entraîner la formation de vilaines traces brunes indélébiles sur la peau. Évitez donc tout produit renfermant de ce fruit si délicieusement parfumé et évoquant le citron vert. Attention, certaines eaux de Cologne et de toilette en contiennent.

❀ **Hydrater la peau en profondeur.** Le meilleur moyen de conserver un épiderme souple et lisse consiste à donner à son corps toute l'eau dont il a besoin en buvant beaucoup (1,5 litre par jour). Lorsqu'on ne boit pas assez, la peau montre rapidement des signes de sécheresse.

Pour ne pas oublier de boire, conservez toujours une bouteille d'eau à portée de la main. Si vous n'avez pas l'habitude de boire, offrez-vous une jolie bouteille colorée (vous la verrez mieux) et préférez une petite que vous remplirez plusieurs fois par jour à une grande qui vous semblera impossible à vider !

❀ **Huiles végétales pour la peau.** Certaines huiles de cuisine, comme l'huile d'olive, de germe de blé, de sésame ou de pépin de raisin, sont parfaites pour nourrir et adoucir la peau. Pour masquer leur odeur parfois un peu forte, n'hésitez pas à leur ajouter quelques gouttes d'huile essentielle d'orange, de citron, d'oranger ou de romarin (comptez 3 gouttes pour 15 ml d'huile).

❀ **Bronzer au naturel.** Pour la douceur de votre peau au soleil, massez-vous avec de l'huile de carotte, qui vous donnera tout de suite une jolie couleur ambrée.

Mais attention, cette huile ne vous protégera pas des rayons nocifs, aussi n'oubliez pas d'utiliser en plus un produit solaire et ne vous exposez pas trop longtemps.

❀ **Panne de démaquillant.** Plus une goutte de lait démaquillant ? Ouvrez votre réfrigérateur, il renferme d'excellents produits pour la peau : du lait (entier de préférence), de la crème fraîche ou un yogourt nature peuvent faire office de lait démaquillant.

❀ **Le meilleur outil : les mains.** Lorsque vous vous démaquillez, commencez par appliquer le lait avec la paume de vos mains, en massant doucement votre épiderme (toujours par mouvements ascendants) de manière à bien faire pénétrer le produit. Ensuite, vous vous servirez d'un coton légèrement humide pour enlever le surplus de lait et faire disparaître les dernières traces de maquillage.

Si au contraire vous commencez par appliquer le lait avec un coton, c'est lui qui absorbera le produit, bien plus que votre peau...

LES ACIDES DE FRUITS

MODERNE ET PRATIQUE Découverts ces dernières années, les produits à base d'acide de fruits (canne à sucre, pomme...) remportent un franc succès car au bout de quelques semaines d'utilisation régulière, la peau est plus douce et les ridules légèrement atténuées. Les acides de fruits provoquent en effet une exfoliation quotidienne de la peau, entraînant cellules mortes et impuretés, ce qui donne peu à peu à l'épiderme un aspect plus lisse et plus net.

Ces crèmes sont parfaites pour les peaux à tendance grasse mais peuvent être déconseillées aux peaux fines, sèches, fragiles ou à tendance réactive, qui risquent de peler ou de rougir. Il vaut mieux faire un essai avec un échantillon pour voir comment votre peau réagit, avant de faire un traitement de longue durée.

Rincez votre visage en vous aspergeant à grande eau, si possible fraîche pour tonifier l'épiderme. Mais pensez à nourrir ensuite votre peau avec une crème hydratante, car l'eau du robinet peut être très calcaire. Pour empêcher que la peau ne soit agressée, l'idéal est d'utiliser un brumisateur d'eau minérale.

Pour un résultat impeccable il faut toujours retirer la cire dans le sens opposé au poil. Si les poils poussent dans tous les sens, passez de la cire plusieurs fois de suite. Même si c'est un peu long, ce sera plus net. Tirez sur la peau avec une main tandis que l'autre arrache la bande de cire d'un coup sec, ce sera moins douloureux.

ATTENTION ! Épilation et soleil

Si vous êtes en vacances au soleil et que vous devez vous épiler, faites-le de préférence en fin de journée, afin que l'épiderme se repose pendant la nuit. Sinon évitez d'exposer vos jambes en plein soleil juste après, surtout si vous vous êtes épilée à la cire ou au rasoir. Vous risqueriez de vous retrouver avec une peau toute rouge et enflée.

L'épilation

✹ Cire ancestrale. Malgré l'apparition des produits et ustensiles modernes comme la crème dépilatoire, le rasoir ou l'épilateur électrique, l'épilation à la cire, connue depuis l'Antiquité, est toujours la meilleure méthode pour les jambes. Elle empêche la repousse des poils pendant trois bonnes semaines.

Si vous utilisez des pains de cire, faites-les fondre doucement au bain-marie dans une casserole en remuant avec une spatule en bois. Attention, faites un test avant de l'appliquer pour ne pas vous brûler.

TRADITION-HISTOIRE
Recettes orientales

En Orient, une peau lisse et douce est un critère de beauté et, de tout temps, les belles ont pratiqué l'art de s'épiler tout le corps, pubis compris... Pour cela, elles se ponçaient la peau à la poudre de corail blanc ou à la pierre ponce, ou bien elles recouraient aux services d'une masseuse qui utilisait un fil de soie si bien tendu qu'il agissait comme le fil d'un rasoir, ou encore elles s'épilaient avec une sorte de caramel à base de sucre caramélisé et de jus de citron, qu'on leur emprunte encore aujourd'hui.

✹ Peau sèche. Pour être efficace, l'épilation à la cire doit se pratiquer sur une peau parfaitement sèche et surtout sans aucune trace de gras. Si vous aviez mis du lait pour le corps ou une crème, passez-vous sur la peau un coton imprégné de tonique ou d'alcool et essuyez-vous bien avant d'appliquer la cire.

✹ Débris de cire. Il reste souvent de petites particules de cire sur la peau après l'épilation. Pour les enlever en douceur, prenez une boule de cire tiède et tamponnez-la sur les petits morceaux qui restent accrochés: ils se colleront à la cire et se détacheront sans peine.

• Vous pouvez aussi les faire disparaître en vous massant avec une crème grasse ou de l'huile pour le corps.

✹ Désinfection en douceur. Pour vous désinfecter après l'épilation, plutôt que de l'alcool, qui risque de vous brûler, employez du peroxyde d'hydrogène à 10 volumes, qui éliminera la cire restante.

✹ Geste antidouleur. Après avoir ôté une bande de cire, on a la peau qui brûle et qui tire. Pour apaiser la douleur, voire l'éviter, passez aussitôt la main sur la peau et frictionnez doucement.

DES PIEDS ET DES MAINS SOIGNÉS

Arborer de jolis pieds dans des sandales et être fier de ses mains suppose des soins réguliers : massage, hydratation, coupe des ongles… Chaque étape a ses secrets et contribue au bien-être.

En fin de journée, si vos pieds sont fatigués et échauffés, trempez-les pendant au moins dix minutes dans un bain d'eau chaude additionnée de gros sel.

La détente par les pieds

❀ **Massages bienfaisants.** Les pieds sont de grands oubliés. Toujours enfermés, ils étouffent et se vengent souvent par des crispations et des déformations. Prenez-les en main, au sens propre, en massant chaque orteil puis toute la plante.

❀ **Camphre bienfaisant.** Ayez dans votre pharmacie de l'alcool camphré. Vous vous en servirez pour vous masser les pieds ou les mains s'ils sont froids, douloureux ou fatigués. L'odeur un peu forte se dissipe vite.

❀ **Sinapisme pour les pieds.** C'est l'hiver, vous rentrez très fatigué et les pieds gelés : prenez un bain de pieds à la moutarde. Il vous suffit d'ajouter dans une cuvette d'eau chaude une cuillerée à soupe de moutarde sèche. En quelques minutes, vous ne sentirez plus ni la fatigue ni le froid.

❀ **Brossage relaxant des pieds et des mains.** Si vous vous sentez nerveux et fatigué, brossez-vous la plante des pieds et la paume des mains avec une brosse sèche et un peu dure en effectuant un mouvement tournant.

❀ **Marcher sur le sable.** Au bord de la mer, pensez à marcher longuement pieds nus dans l'eau jusqu'aux chevilles. Le sable mouillé exerce un massage et l'eau de mer est excellente pour la circulation.

❀ **Marcher dans l'herbe.** Si vous avez un jardin, marchez pieds nus dans l'herbe au petit matin au printemps et en été. Mouillée de rosée, gorgée d'oxygène, l'herbe détendra vos pieds et hydratera votre peau. Séchez-vous bien en rentrant et enfilez des chaussettes douillettes.

UN BAIN POUR LES PIEDS

FOURNITURES

une poignée de romarin, de sauge, de menthe, de camomille et de thym

1/4 tasse de bicarbonate de soude

une cuvette à moitié remplie d'eau chaude

1 - Faites infuser les herbes fraîches dans 500 ml d'eau bouillante pendant 10 min. Filtrez et versez l'infusion encore chaude (mais pas brûlante) dans la cuvette d'eau chaude. Ajoutez le bicarbonate de soude.
2 - Laissez baigner vos pieds pendant 10 min.
3 - Séchez-les soigneusement et massez-les ensuite avec une crème hydratante.

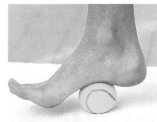

❀ **Une balle antistress.** Pour vous relaxer, faites rouler une balle ronde (balle de tennis, boule en mousse…) sous vos pieds. Servez-vous de tous vos orteils pour la faire bouger sous la plante de vos pieds, d'avant en arrière. Peu à peu, cela décrispera vos muscles.

Adoucir les mains et les pieds

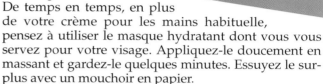

❋ **Avocat: une riche idée.** La chair de l'avocat est à la fois très grasse et très fine. Toutes les fois que vous utilisez de l'avocat en cuisine, frottez-vous les mains avec ce qui reste de chair sur l'écorce et le noyau, et de temps à autres faites-vous un masque de beauté. Étalez sur vos mains un demi-avocat passé au mélangeur. Attendez au moins quinze minutes et rincez à l'eau tiède.

❋ **Un peu de luxe pour les mains.** Comme on les lave très souvent, les mains se dessèchent rapidement. De temps en temps, en plus de votre crème pour les mains habituelle, pensez à utiliser le masque hydratant dont vous vous servez pour votre visage. Appliquez-le doucement en massant et gardez-le quelques minutes. Essuyez le surplus avec un mouchoir en papier.

❋ **Traitement intensif.** Si vos mains sont vraiment sèches ou bien abîmées, enduisez-les, avant de vous coucher, de crème hydratante très riche et très grasse et enfilez ensuite une paire de gants en coton. Conservez-les toute la nuit. Au matin, la crème aura été absorbée et vos mains seront lisses et douces.

❋ **Glycérine et eau de rose.** La glycérine est un merveilleux produit pour les mains et les pieds, peu coûteux et facile à se procurer chez le pharmacien. Si vous y ajoutez de l'eau de rose en quantité égale, cela lui donnera un délicieux parfum et la transformera en une lotion adoucissante à employer particulièrement lorsqu'il fait très froid, très chaud ou très sec.

❋ **Mains blanches.** Les travaux ménagers, le bricolage ou le jardinage abîment les mains. Pour qu'elles redeviennent bien blanches, frottez-les avec du marc de café.

❋ **Exfoliation minérale.** À l'instar de nos grands-mères, qui l'utilisaient régulièrement, redécouvrons la pierre ponce pour avoir les pieds tout doux. Elle est plus efficace sur peau sèche.

CRÈME AU MIEL POUR LES MAINS

Le miel est un excellent produit pour la peau. Cette crème adoucissante et hydratante est idéale pour les mains sèches ou abîmées.

INGRÉDIENTS

2 c. à soupe d'eau de rose
1 c. à soupe de miel
2 c. à soupe d'huile d'amandes douces
1 c. à soupe de vinaigre de cidre

1 - Mélangez tous les ingrédients en battant bien au fouet.

2 - Versez la préparation dans un flacon que vous conserverez au réfrigérateur.

Accessoires de manucure : ciseaux, polissoir, pince coupante, repousse-cuticules, lime, brosse…

Le vernis à ongles et le dissolvant étouffent et dessèchent les ongles. Si vous êtes adepte du vernis en permanence, pensez à rincer et nourrir vos ongles avant la pose du nouveau vernis.

Les ongles

✿ **Ongles nets.** Avant de commencer des travaux de jardinage ou de bricolage, grattez vos ongles sur du savon sec pour les protéger de la saleté. Il vous suffira ensuite de les brosser pour les retrouver impeccables.

✿ **Bain d'huile.** Pour fortifier vos ongles, faites-leur prendre une à deux fois par semaine un bain d'huile d'olive tiède additionnée de quelques gouttes d'alcool iodé décoloré (à commander chez votre pharmacien).

✿ **Le polissoir de nos grands-mères.** Redécouvrez le joli geste de nos aïeules, qui se frottaient les ongles avec un polissoir. Cet accessoire était composé d'une matière plus ou moins précieuse comme l'os, le buis, l'ivoire ou l'argent ciselé et d'une peau de chamois, sur laquelle elles passaient une poudre qui faisait briller l'ongle comme du vernis. Pratiqué régulièrement, ce geste active la circulation et fortifie les ongles.

ATTENTION ! Limer dans les règles de l'art

Trois conseils pour ne pas abîmer vos ongles :
- *Limez-les à sec et jamais en sortant du bain ou après vous être lavé les mains car cela risque de les dédoubler.*
- *Préférez les limes en carton, moins agressives que les limes en métal, qui sont trop dures et provoquent de petits chocs répétés.*
- *Ne pratiquez pas un mouvement de va-et-vient : limez-vous toujours les ongles de l'extérieur vers l'intérieur.*

✿ **Des extrémités bien blanches.** Vous aimez le vernis transparent et les ongles étincelants de propreté ?
- Après vous être brossé les ongles, frottez-les avec un demi-citron.
- Ou encore nettoyez-vous le dessous des ongles avec un coton-tige trempé dans du peroxyde d'hydrogène à 10 volumes. Mais n'en abusez pas, car il dessèche l'ongle.
- Passez un crayon de manucure de couleur blanche sous vos ongles : vos mains paraîtront encore plus soignées.

✿ **Vernis dur.** Pour durcir plus vite le vernis que vous venez d'appliquer, trempez vos doigts dans un bol d'eau bien froide lorsque le vernis est juste sec.

✿ **Vernis dilué.** Contrairement à ce que l'on conseille souvent, il vaut mieux ne pas se servir de dissolvant pour diluer du vernis devenu trop épais. Utilisez plutôt de l'alcool à 90°, qui ne modifie pas la nature du vernis.

SOINS DES ONGLES

Avant d'enfiler des nu-pieds, pomponnez vos ongles.

FOURNITURES

brosse, éponge, citron

coton-tige

pinces à ongles

élastiques en éponge ou coton

base et vernis de couleur

1 - Trempez vos pieds dans une bassine d'eau savonneuse et brossez-les soigneusement, avant de les masser avec une éponge.

2 - Rincez-les dans de l'eau citronnée puis essuyez-les bien. Repoussez les cuticules ramollies avec un coton-tige.

3 - Attendez que vos ongles soient secs pour les couper, puis éliminez les petites peaux mortes avec une pince, en veillant à ne pas vous blesser.

4 - Enfilez un élastique à cheveux sur chaque orteil ou glissez du coton entre les orteils. Passez une couche de base, puis le vernis de couleur.

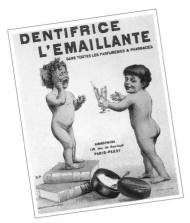

UNE BOUCHE FLEUR

Nos aïeules possédaient leurs petits trucs, simples et efficaces, pour avoir une haleine irréprochable, des lèvres douces et pulpeuses et des dents très blanches. Retrouvez-les pour embellir votre sourire.

Une haleine fraîche

❁ **Contre l'ail ou l'oignon.** Les plats à base d'ail ou d'oignon sont délicieux mais ils chargent l'haleine de façon durable. Pour pallier cet inconvénient, mâchez quelques feuilles de persil cru dès la fin du repas, sucez 2 ou 3 clous de girofle, ou bien croquez 2 ou 3 grains de café ou graines de cardamome, puis brossez-vous les dents soigneusement avec du dentifrice.

DES GÉLULES POUR PARFUMER LA BOUCHE

MODERNE ET PRATIQUE Il existe désormais des gélules à base d'huile essentielle de persil ou de menthe (vendues dans les pharmacies et les boutiques d'aliments naturels) à avaler après le repas ou à tout autre moment pour purifier et parfumer l'haleine. Elles agissent en une demi-heure et l'effet est plus durable que celui des atomiseurs.

UNE EAU DENTIFRICE

Autrefois, si la brosse à dents était moins couramment employée que de nos jours, on raffolait en revanche des élixirs et des eaux dentifrices, destinés à purifier et à parfumer l'haleine tout en nettoyant la bouche.

On y trouvait souvent de l'essence de menthe, de la girofle, de la cannelle, de l'essence de citron ou d'orange, qui donnaient un goût très agréable et rafraîchissant.

INGRÉDIENTS

25 ml d'essence de lavande

25 ml d'essence de menthe

25 ml d'essence de citron

10 ml d'eau de rose

10 ml de vinaigre blanc

30 ml d'alcool à 90°

1 - Versez tous les ingrédients dans un bol et mélangez bien.
2 - Filtrez le liquide en le passant dans un filtre à café. Mettez en flacon et étiquetez.
3 - L'eau dentifrice est très facile à utiliser : il suffit d'en verser 1 c. à thé dans 1 verre d'eau froide ou tiède. Attention, ne l'employez jamais pure et ne l'avalez pas. Ne la donnez pas aux jeunes enfants.

Les lèvres

❀ **Lisser les lèvres.** Si vous avez des petites gerçures, les lèvres sèches et un peu fendillées, soumettez-les au traitement suivant: mettez un peu de pommade à la vitamine A sur une brosse à dents à poils souples (que vous réserverez à cet usage) et frottez doucement vos lèvres, qui deviendront toutes douces et nettes.

❀ **Du miel contre le froid.** En hiver, l'un des meilleurs produits contre les lèvres gercées est tout simplement le miel.

Étalez une mince couche de miel sur vos lèvres, frottez doucement et essayez de le conserver le plus longtemps possible.

❀ **Jouer avec la couleur.** Choisissez un rouge à lèvres très rouge si vous voulez faire paraître vos dents plus blanches.

• Si vos lèvres sont minces, évitez les rouges vifs ou sombres, qui font comme un trait de sang. Préférez les roses ou les beiges.

• Les teintes rouges ou les roses bleutés sont à proscrire sur un visage bronzé, préférez les cuivrés et les orangés.

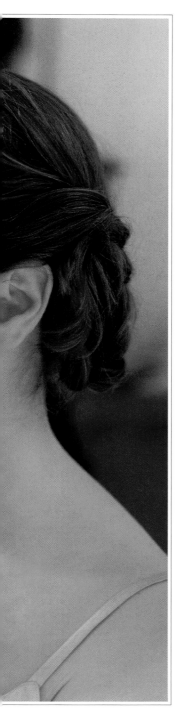

Pensez à démaquiller soigneusement vos lèvres chaque soir, même s'il ne semble plus y avoir de traces de cosmétique. Utilisez le même lait de toilette que pour le reste du visage. Frottez légèrement pour enlever les peaux mortes, et appliquez une crème vitaminée en insistant bien sur les bords.

LA POMMADE ROSAT

Cette pommade classique protège, assouplit et nourrit les lèvres. Si vous ne trouvez pas d'orcanette, remplacez cette plante méditerranéenne par tout autre colorant rouge carmin naturel et autorisé. Pour faire de l'huile de rose, faites infuser les pétales d'une rose dans de l'huile d'olive vierge, tiédie au bain-marie.

INGRÉDIENTS

30 g (1 oz) de cire blanche
40 ml d'huile d'amandes douces
12 gouttes d'huile de rose
10 g (1/3 oz) d'orcanette en poudre

1 - Faites fondre la cire au bain-marie.
2 - Ajoutez hors du feu les huiles et l'orcanette. Mélangez bien.
3 - Coulez le liquide dans des petits pots en verre à couvercle. En refroidissant, la préparation va prendre la consistance d'une pâte, que vous appliquerez sur vos lèvres avec le bout du doigt.

❀ **Bouche pulpeuse.** Pour rendre vos lèvres plus pulpeuses, soulignez leur contour avec de l'anti-cernes ou un trait de crayon blanc.

• Vous pouvez aussi ajouter une touche de fard blanc nacré sur votre rouge, au centre de la lèvre inférieure.

❀ **Un rouge qui tient.** Pour que votre rouge tienne longtemps, pensez d'abord à tracer le contour de vos lèvres avec un crayon de la même nuance.

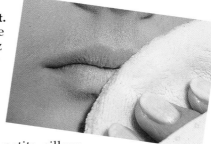

Appliquez une première couche, si possible au pinceau, qui fait un tracé net et permet de remplir les petits sillons verticaux des lèvres. Ensuite pincez vos lèvres sur un mouchoir en papier et passez un nuage de poudre, puis appliquez une seconde couche de rouge.

LES ROUGES INTRANSFÉRABLES

MODERNE ET PRATIQUE Le rouge Baiser «indélébile» des années 50 a été en quelque sorte l'ancêtre de ces nouveaux rouges qui ne laissent aucune trace. Avec eux, plus de marques sur la vaisselle ni de baisers colorés. Il faut attendre quelques minutes après la pose pour que s'opère l'effet magique. Composés de pigments mariés à des huiles ou des silicones volatils, ces rouges font des lèvres impeccablement peintes et comme poudrées mais ils sont parfois très secs et un peu inconfortables. Hélas, pas question de contrebalancer cet inconvénient en utilisant d'abord une crème hydratante: l'effet indélébile n'opère pas sur des lèvres grasses ou humides. Appliquez-la plutôt après le démaquillage, au coucher.

Soyez sévère avec votre brosse à dents. Choisissez-la toujours souple et à petite tête. Jetez-la impitoyablement (ou gardez-la pour des travaux de ménage ou de décoration) dès que ses poils s'aplatissent ou se recourbent.

TRADITION-HISTOIRE

Insolite charbon de bois

Avoir les dents bien blanches n'est pas un souci esthétique moderne. Il existait avant l'apparition des dentifrices. Au siècle dernier, en France, on se servait d'un mélange de pain carbonisé et pulvérisé et d'essence d'anis pour se blanchir les dents (la recette figurait sur les mouchoirs vendus par les colporteurs). Au début du siècle, on utilisait du charbon de bois finement pulvérisé parfumé à l'essence de menthe et à la girofle: 20 g (2/3 oz) de charbon en poudre, 1 goutte d'essence de menthe et 3 gouttes d'essence de girofle.

❀ **En cas de douleur.** Vous souffrez d'une rage de dents aussi soudaine qu'inopportune ? En attendant votre rendez-vous chez le dentiste, adoptez l'un de ces vieux remèdes :
• placez un clou de girofle sur la dent douloureuse.
• placez un petit tampon de coton imbibé d'alcool de menthe sur la dent.
• faites un bain de bouche avec une infusion de camomille tiédie.

❀ **Trompe-l'œil.** Plus les gencives sont rouges, plus les dents paraissent blanches. Jouez sur cet effet trompe-l'œil, connu depuis bien longtemps, en utilisant un dentifrice à pâte rouge. Le brossage rosit légèrement les gencives de façon absolument inoffensive.

Les dents

❀ **Des dents plus blanches.** À condition de ne pas s'en servir trop souvent car à la longue il abîme les dents, le peroxyde d'hydrogène à 10 volumes sur une brosse à dents permet de blanchir les dents des fumeurs et des grands buveurs de thé ou de café.

❀ **Des dents éclatantes malgré une panne de dentifrice.** Vous n'avez plus de dentifrice ? Mouillez votre brosse à dents et trempez-la dans un peu de bicarbonate de soude. La « P'tite vache » blanchira vos dents et vous laissera une bonne haleine. Depuis quelques années, certains dentifrices commerciaux utilisent d'ailleurs cet ingrédient.

❀ **Dentifrices naturels.** La prêle et la sauge en poudre sont d'excellents dentifrices fournis par Dame Nature. En outre, la prêle, très riche en silice, fortifie les gencives sensibles et stoppe les petits saignements.
Il vous suffit de mouiller votre brosse à dents et de la tremper dans la poudre. Vous trouverez de la prêle ou de la sauge pulvérisées chez les herboristes.

Les produits pour blanchir les dents

ATTENTION ! Les dentifrices et les produits destinés à blanchir les dents connaissent actuellement un grand succès. Ne les utilisez pas régulièrement à la place de votre dentifrice classique. En effet, ils sont corrosifs et risquent d'endommager l'émail de vos dents. Employez-les uniquement à titre occasionnel.
Si vous souffrez d'avoir les dents jaunes, demandez conseil à votre chirurgien-dentiste. Lui seul pourra vous proposer un traitement très efficace mais contraignant car il suppose le port de gouttières en plastique pendant un long moment.

LA RONDE DES SENTEURS

Florales, fruitées, boisées, épicées… Notes délicates des eaux de toilette et des parfums qui ravivent, le temps d'un instant, le souvenir d'un être connu autrefois ou tendrement aimé. Simple lotion de toilette ou parfum capiteux, ces subtiles fragrances font, depuis l'aube de l'histoire, les raffinements de la vie quotidienne.

Les lotions de toilette

✤ **Des eaux parfumées à base d'apéritif.**
Certains alcools blancs comme la vodka ou le gin peuvent parfaitement vous servir de base pour la préparation d'eaux parfumées, à utiliser comme l'eau de Cologne. Ils donnent une odeur particulièrement agréable à la préparation. Il suffit de laisser macérer les fleurs ou les feuilles odorantes de votre choix – 30 g (1 oz) pour 500 ml (2 tasses) d'alcool – pendant environ quinze jours, puis de filtrer avant de mettre en flacon.

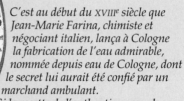

UNE EAU DE COLOGNE MAISON

C'est au début du XVIIIe siècle que Jean-Marie Farina, chimiste et négociant italien, lança à Cologne la fabrication de l'eau admirable, nommée depuis eau de Cologne, dont le secret lui aurait été confié par un marchand ambulant.
Si la recette de l'authentique eau de Cologne est assez complexe, vous pouvez réaliser vous-même cette variante simplifiée.

FOURNITURES

500 ml d'alcool à 90 °	3 ml d'huile essentielle de bergamote
25 ml d'huile essentielle d'orange douce	2-3 gouttes d'huile essentielle de rose ou de géranium
6 ml d'huile essentielle de citron	2-3 gouttes d'huile essentielle de néroli (fleur d'oranger)
5 ml d'huile essentielle de romarin	mousseline ou filtre à café

1 - Versez l'alcool dans une grande bouteille et mélangez-y tous les ingrédients en agitant vigoureusement.
2 - Filtrez ensuite dans une mousseline très serrée, ou un simple filtre à café, pour rendre le mélange plus limpide.
3 - Versez votre eau dans un flacon propre que vous aurez au préalable rincé à l'alcool et laissé sécher.

✤ **Apaiser le feu du rasoir.** Si vous utilisez un rasoir électrique, alternez de temps en temps avec un rasoir à main, qui rase tout de même de beaucoup plus près. N'utilisez pas n'importe quelle mousse à raser, car elle peut dessécher et irriter la peau, et appliquez toujours une lotion après-rasage que vous pouvez confectionner vous-même : versez 5 gouttes de teinture de benjoin dans un flacon d'eau d'hamamélis de 250 ml. Ajoutez pour parfumer 10 gouttes d'essence de citron, 8 d'essence de basilic et 1 d'essence de sauge.

❀ **Lotion tonique.** Fabriquez une lotion naturelle pour vous rafraîchir le visage et tonifier la peau. Comptez 30 g (1 oz) de plantes pour 600 ml d'eau. N'utilisez pas d'eau du robinet, souvent trop calcaire, mais de l'eau de source ou une eau faiblement minéralisée. Versez les plantes dans l'eau bouillante et laissez infuser pendant une dizaine de minutes. Filtrez et mettez en flacon.

• Vous avez la peau grasse ? Choisissez l'hamamélis, la rose, le fenouil, la sauge, la menthe ou le persil, aux propriétés astringentes.

• Vous avez la peau sèche ? Privilégiez les plantes qui adoucissent et apaisent – romarin ou consoude.

• Vous avez la peau sensible ? Préférez la camomille, le chèvrefeuille sauvage ou l'angélique.

Si vous voulez mélanger plusieurs plantes, ne les mettez pas toutes à infuser en même temps, mais faites plusieurs lotions et versez-les dans le même flacon, que vous agiterez avant utilisation.

❀ **Lotion contre les rougeurs du visage.** Mélangez 7 g (1/4 oz) de pâte d'amandes, 200 ml d'eau de fleur d'oranger, 200 ml d'eau de rose et 3 ml de teinture de benjoin. Vous obtenez une lotion délicieusement parfumée dont se servaient nos grands-mères le soir pour se nettoyer le visage et faire disparaître les dartres et autres petites irritations. Mettez votre préparation en flacon.

❀ **Lotion pour éclaircir le teint.** Les fleurs de sureau, qui apparaissent à la fin du printemps, sont douces pour la peau et éclaircissent le teint lorsqu'on les utilise quotidiennement. Préparez une infusion – 30 g (1 oz) de fleurs fraîches pour un bol d'eau bouillante. Prélevez-en 5 cuillerées à soupe, mélangez-les à 5 cuillerées à soupe d'eau de rose et 5 d'eau d'hamamélis. Vous pouvez ajouter 1/2 cuillerée de benjoin pour parfumer et tonifier.

Versez vos lotions maison dans de jolis flacons transparents, de façon à pouvoir en vérifier d'un seul coup d'œil la fraîcheur. Si la lotion devient trop trouble, elle est bonne à jeter.

❀ **Pour une peau fraîche.** Laissez tremper pendant deux heures des fleurs et des feuilles de bruyère fraîche dans de l'eau froide. Puis faites bouillir cinq minutes. Laissez refroidir et filtrez le liquide avant de l'embouteiller pour le conserver. Cette eau contribuera à conserver la fraîcheur et l'aspect jeune de votre peau.

LE VINAIGRE ROSAT

Voici une recette qui a plus d'un siècle. Elle est extraite du Journal des roses de 1888. Utilisé en friction sur le corps, ce vinaigre parfumé est astringent et rafraîchissant. Il est également conseillé sur le visage après le rasage pour apaiser la peau.

INGRÉDIENTS

60 g (2 oz) de pétales de roses très parfumées
50 ml de vinaigre de vin

1 - Introduisez les pétales dans un flacon de verre. Plus la quantité de pétales sera forte, plus le vinaigre sera parfumé.
2 - Remplissez le flacon avec le vinaigre. Bouchez-le hermétiquement et placez-le au soleil pendant 2 à 3 semaines.
3 - Passez la préparation dans un filtre à café ou un feutre à filtrer et remettez-la en flacon.

ATTENTION !

Conserver une lotion maison

Il est très facile de fabriquer une lotion maison en laissant infuser des fleurs ou des feuilles dans de l'eau bouillante, mais il est impératif d'utiliser un flacon très propre pour la conserver – le mieux étant de le désinfecter à l'alcool à 90°. Ce type de produit ne se garde pas plus de dix jours au réfrigérateur, car après la lotion se transforme en bouillon de culture. Mieux vaut donc, pour éviter tout gaspillage, préparer une lotion en petite quantité.

TRADITION-HISTOIRE

L'eau d'ange

Les livres des belles coquettes d'antan abondaient en recettes aux noms poétiques et évocateurs. Parmi celles-ci, l'eau d'ange était préparée avec des fleurs de myrte. Cette plante très parfumée, en vogue au siècle dernier en Europe, peut se cultiver en serre au Québec et dans l'est du Canada. Les fleurs infusaient dans l'eau bouillie pendant plusieurs heures, puis la décoction était distillée dans un alambic.

❁ **Vinaigre à la lavande.** Versez 100 g (3 1/2 oz) de fleurs de lavande et 30 g (1 oz) de racine d'iris en poudre dans 1 litre de vinaigre de cidre. Laissez macérer quinze jours, puis filtrez et mettez en flacon. Si vous vous rincez le visage à l'eau, ajoutez-y quelques gouttes de ce vinaigre parfumé, qui neutralisera le calcaire qu'elle contient.

❁ **Lotion douce au tilleul.** Vous appréciez sans doute le tilleul en infusion, qui facilite le sommeil, mais savez-vous que cette même infusion refroidie et conservée au réfrigérateur dans un flacon est une très bonne eau adoucissante ?

❁ **Lait virginal.** Une appellation délicieusement surannée pour une préparation destinée à parfumer le corps tout en raffermissant la peau. En fait, il ne s'agit pas d'un lait au sens où nous l'entendons aujourd'hui, puisqu'il ne contient pas d'huile. Ce liquide doit son nom à son aspect laiteux.

Mélangez de l'eau de fleur d'oranger (250 ml) et de la teinture de benjoin (7 ml) – en vente en pharmacie. Agitez, laissez infuser puis mettez en flacon.

Appliquez le lait sur votre peau légèrement humide après la douche ou le bain.

UNE EAU DE TOILETTE À LA ROSE

À moins que vous ne possédiez un alambic, le parfum de votre préparation ne rivalisera jamais avec la senteur subtile de l'authentique eau de rose, obtenue par distillation. Mais cette eau de toilette à la rose, facile à réaliser, est très fraîche et très agréable à porter. Pour qu'elle soit bien parfumée, utilisez des roses très odoriférantes. Si vous préférez les roses de votre jardin, cueillez-les au petit matin, avant que le soleil ne soit trop haut dans le ciel (après les parfums s'évaporent).

INGRÉDIENTS

1 poignée de pétales de rose

1 tasse d'eau de source

1 - Ôtez l'onglet blanc à la base des pétales et placez ceux-ci dans une assiette creuse.

2 - Faites bouillir l'eau dans une casserole et versez-la bouillante sur les pétales. Laissez infuser 15 min.

3 - Passez dans un filtre en papier et mettez en flacon. Cette préparation se conserve environ 10 jours au frais.

❁ **Lotion de jouvence.** Pour retarder l'apparition des rides et assouplir votre peau, confectionnez-vous une lotion avec du cerfeuil frais. Faites-en infuser 30 g (1 oz) dans une tasse d'eau bouillante. Filtrez, mettez en flacon et utilisez votre lotion quotidiennement pour le visage.

Les parfums

❀ **Bien conserver un parfum.** Ne gardez pas un flacon de parfum neuf de réserve en évidence dans la salle de bains, car la lumière et la chaleur le dénatureraient. Rangez-le dans son emballage ou dans un lieu sombre, et si possible frais (au réfrigérateur, s'il fait très chaud).

❀ **Changement de flacon.** Si vous voulez transvaser du parfum dans un flacon qui a déjà servi, nettoyez-le soigneusement avec de l'eau chaude additionnée de liquide à vaisselle et de quelques gouttes d'ammoniaque. Rincez longuement et laissez s'égoutter. S'il reste de la buée ou des gouttelettes dans le flacon, faites-les disparaître en le rinçant à l'alcool à 90°.

❀ **Entonnoir de fortune.** Si vous n'avez pas de mini-entonnoir pour transvaser du parfum dans un flacon ou un atomiseur, fabriquez-en un avec une enveloppe de papier kraft dont vous aurez coupé un coin ou une coquille d'œuf vidée, lavée et percée.

❀ **Savoir se parfumer.** Appliquez le parfum en tapotant avec le bouchon (ou à l'aide d'un joli vaporisateur) dans le cou et derrière les oreilles, sur les poignets et au creux des coudes, entre les seins et sur les épaules. Comble du raffinement : parfumez l'intérieur de votre sac à main, une bouffée délicate s'en échappera à chaque fois que vous l'ouvrirez.

Les flacons de parfum sont si beaux et leur contenu a une si belle teinte qu'on aimerait les exposer, mais le parfum se détériore sous l'effet de la lumière. Qu'à cela ne tienne, autorisez-vous à les sortir de temps en temps : regroupez-les pour un soir sur un guéridon et ajoutez-leur des bibelots, un bouquet, des bijoux…

ATTENTION !

Mauvais mariages

Évitez de vaporiser un parfum directement sur de la soie ou de la laine de couleur pâle, ou encore sur de la fourrure, sous peine de voir apparaître de vilaines traces jaunes. Et n'aspergez surtout pas des perles fines, vous les feriez mourir.

TRADITION-HISTOIRE

Du naturel au synthétique

Ce sont des substances végétales – extraits de fleurs (rose, jasmin, iris, oranger…), de feuilles (mélisse, thym, lavande…), de racines (le vétiver, par exemple), d'épices (clou de girofle, cannelle, vanille… – ou animales (ambre, musc…) qui constituent depuis l'Antiquité la base de l'art du parfum. À la fin du XIXᵉ siècle, les recettes des parfums sont bouleversées par l'apparition de produits de synthèse : la vanilline, pour la senteur de la vanille ; l'eugénol, pour celle du clou de girofle ; l'ionone, pour celle de la violette. L'extraction traditionnelle par distillation cède le pas à l'extraction par des solvants volatils : les essences obtenues sont à la fois plus légères et plus tenaces.

Dès 1882, Houbigant utilise une note de coumarine synthétique dans *Fougère royale*, et en 1889, Guerlain mêle à la senteur lavandée de *Jicky* une note de vanilline. *N° 5*, créé en 1921 par Chanel, sera le plus célèbre de ces nouveaux parfums : les notes florales de la rose et du jasmin de Grasse, en France, sont soutenues par des senteurs fleuries et fruitées d'origine synthétique : les aldéhydes.

Extrait de Jasmin

❀ **Un parfum à l'odeur de violette.** Laissez macérer 30 g (1 oz) de poudre d'iris dans 250 ml d'alcool à 90° pendant une semaine. Filtrez et ajoutez 50 ml de teinture de benjoin. Mettez en flacon.

Si vous n'avez pas de coiffeuse, servez-vous de la tablette du lavabo pour y disposer une collection de jolis flacons vides ou de pots de crème : un élégant décor à portée de main.

UNE HERBORISTERIE CHEZ SOI

Depuis l'aube des temps, les hommes ont appris à se servir des plantes pour se soigner. Aujourd'hui, les scientifiques reconnaissent à celles que l'on nomme les simples des vertus indéniables. Renouez avec les infusions, les décoctions, les macérations, les sirops, les cataplasmes…

Des simples bienfaisants

❋ **Secret de récolte.** Les plantes ne se recueillent pas toutes au même moment. Tout dépend de la partie que vous devez utiliser. Choisissez la période où elle renferme le plus de principes actifs.

• Les feuilles se cueillent avant la floraison de la plante.

• N'attendez pas que les fleurs soient trop épanouies. Coupez-les en tout début de floraison.

• Récoltez les graines lorsque toute la plante est en train de sécher.

• Attendez la complète maturité des fruits.

• Les racines se déterrent en dehors de la période de végétation, au printemps ou à l'automne.

• Vous pouvez recueillir les écorces toute l'année.

❋ **Optimiser l'efficacité des plantes.** Cueillez les plantes dans la matinée, lorsque la rosée est dissipée et que le soleil commence à monter dans le ciel, ou juste avant la tombée de la nuit. Ce sont les meilleurs moments de la journée car les plantes sont bien ouvertes et, si elles renferment des essences odorantes, celles-ci sont parvenues au maximum de leur pouvoir actif.

La cueillette de plantes médicinales

Cantonnez-vous aux espèces faciles à identifier. Méfiez-vous en particulier des ombellifères, car rien ne ressemble plus à de la carotte sauvage que la terrible ciguë, contenant des alcaloïdes pouvant entraîner la mort. Munissez-vous d'une flore illustrée, indispensable pour éviter les confusions dangereuses et bien reconnaître les lieux où les plantes poussent spontanément.
Ne ramassez pas de plantes en bordure de route, à proximité immédiate d'un champ cultivé et donc traité par des engrais ou des insecticides, ou dans des pâturages fréquentés par les troupeaux (en particulier les moutons), qui peuvent être porteurs de maladies.

❋ **Des plantes médicinales au jardin.** Les plantes sauvages sont souvent plus efficaces que leurs sœurs cultivées, habituées à des soins qui leur font perdre de leurs vertus primitives. Mais vous pouvez cultiver dans le potager un carré d'herbes bienfaisantes, comme la mélisse, la menthe, la camomille, la sauge officinale ou le thym. À défaut de jardin, faites pousser vos herbes médicinales dans une jardinière ou un gros pot sur le balcon.

❋ **Traiter les racines.** Nettoyez les racines à l'eau aussitôt après les avoir coupées. Séchez-les avec un linge et découpez-les en petits morceaux. Elles sécheront plus vite et seront plus faciles à stocker.

❋ **Faire sécher les plantes.** Suspendez les plantes attachées en petits bouquets, la tête en bas, dans un local bien aéré et à l'abri du soleil. Celui-ci détruit en effet les principes fragiles des plantes médicinales. Liez les tiges avec des élastiques et non de la ficelle ou du raphia, qui se rétractent en séchant.

✿ **Petit sac pour les graines.** Si vous faites sécher des plantes dont vous devez recueillir les graines (comme le fenouil, l'anis et bien d'autres ombellifères), enfermez les sommités fleuries dans un sac en papier que vous maintiendrez par un élastique. Les graines tomberont dans le sac au lieu de s'éparpiller ou de s'envoler !

✿ **L'art de la conservation.** Pour stocker vos récoltes, vous avez le choix :
• Les récipients en métal comme les boîtes à gâteaux sont idéals.
• Les bocaux en verre sont pratiques, à condition de les mettre à l'abri du soleil.
• Les sacs en papier kraft sont légers et peu encombrants, mais sensibles à l'humidité.

Lorsque vous achetez des plantes séchées, méfiez-vous de la présentation ; certaines sont séduisantes, mais éventent les propriétés des plantes (ci-dessus). Préférez plutôt les rares herboristeries qui existent encore (ci-contre).

✿ **Jolies étiquettes.** Une fois sèches, les plantes se conservent pendant un an. Au-delà, elles perdent leurs vertus médicinales et ne sont bonnes que pour les tisanes – et encore. Aussi, quel que soit le mode de conservation que vous avez choisi, étiquetez soigneusement les plantes, en précisant leur nom, la date et le lieu de la récolte. Cela vous aidera l'année suivante à faire le ménage dans vos herbes.

TRADITION-HISTOIRE

Des herbiers aussi vieux que les civilisations

Le premier herbier médicinal fut sans doute gravé il y a environ 3 000 ans sur des tablettes d'argile : il s'agit d'une liste de plantes employées par les Sumériens, parmi lesquelles se trouvent déjà le pavot, utilisé comme calmant et comme analgésique, et le fenouil, destiné à faciliter la digestion.
En Chine, la légende prête à l'empereur Shen-Nong la rédaction, près de 2 700 ans avant notre ère, du *Pen Tsao* – un répertoire de 252 plantes spécifiant la meilleure façon de les conserver et de les administrer.
Chez les Égyptiens, c'est l'architecte Imhotep qui recensa, environ 2 500 ans avant notre ère, près d'un millier d'espèces végétales, dont certaines étaient d'ailleurs largement utilisées pour l'embaumement des corps.

Les modes de préparation

❋ **Règles d'or pour une infusion.** Versez l'eau bouillante sur les fleurs ou les feuilles et laissez tremper pendant dix à vingt minutes avant de filtrer à travers une passoire. Généralement, les mesures pour une infusion sont de 30 g (1 oz) de plante séchée ou 75 g (2 1/2 oz) de plante fraîche pour 2 tasses d'eau. Respectez les doses prescrites, et n'essayez pas d'en mettre un peu plus, vous risqueriez de ne plus obtenir l'effet recherché.

❋ **Boisson toujours chaude.** Pour tenir leur tisane au chaud, nos grands-parents se servaient d'une tisanière. Le principe en était simple : un socle creux abritait une veilleuse dont la flamme chauffait doucement le liquide contenu dans une petite théière ou un bol. La boisson restait au chaud très longtemps et la veilleuse apportait un peu de lumière. Essayez d'en dénicher une ancienne dans une brocante ou rabattez-vous sur une copie moderne.

❋ **Tisanes plus efficaces.** N'employez pas de récipient en aluminium pour préparer vos tisanes, car ce métal altère les vertus des plantes. Préférez une théière en terre ou en verre, que vous réserverez à ce seul usage (thé et infusions ne font pas bon ménage).

❋ **Décoctions anciennes contre le rhume.** Pendant l'hiver canadien, nos ancêtres avaient recours à toute une pharmacopée populaire qu'on se transmettait de génération en génération. Un sirop contre le rhume s'appelait le « carabé d'or ». Il fallait recueillir 10 à 15 têtes de vinaigrier, que l'on recouvrait d'eau froide. On faisait bouillir un quart d'heure et on coulait. Pour 2 tasses de ce liquide, on ajoutait 2 tasses de miel et 2 tasses de sucre, puis on laissait bouillir le tout doucement, 20 minutes, avant d'ajouter une demi-tasse de vin.

• Contre la toux, on concoctait un sirop à base d'écorce d'épinettes que l'on coupait à l'automne. On en mettait dans 1 pinte (ou 1 litre) d'eau en ajoutant du sucre d'érable au goût. Il fallait laisser bouillir jusqu'à ce que le liquide diminue de moitié. Par la suite, on prenait le soir 2 cuillerées à soupe de ce sirop.

❋ **Préparer une décoction et une macération.** Si vous voulez extraire les principes actifs d'éléments solides, durs ou épais (baies, graines, racines, rhizome, écorce...), ne vous contentez pas de les plonger dans l'eau bouillante. Ce ne serait pas suffisant. Recourez à la décoction ou à la macération.

• Pour une décoction, plongez la plante dans l'eau froide, que vous laisserez bouillir quelques minutes avant de filtrer. On compte 30 g (1 oz) de plante séchée ou 60 g (2 oz) de plante fraîche dans 3 tasses d'eau pour obtenir après réduction 2 tasses de liquide.

• Pour une macération, immergez la plante dans de l'eau, de l'alcool, du vin ou de l'huile et laissez-la tremper plusieurs heures, une nuit, quelques jours ou quelques semaines, afin que les principes actifs se dissolvent dans le liquide employé. Filtrez en ayant soin d'exprimer le jus qui reste dans la plante avec un linge propre.

Boire une tisane est une façon très agréable de profiter des vertus des plantes.

La camomille était autrefois considérée comme un médicament précieux. Prenez-la en infusion en cas de digestion difficile ou d'insomnie. Massez-vous avec de l'huile de camomille si vous avez des crampes ou des rhumatismes. Buvez du vin de camomille en digestif.

ATTENTION !

Les huiles essentielles

Vendues dans des petits flacons souvent dénués de notice explicative, les huiles essentielles extraites des plantes ne sont pas inoffensives. Utilisées pures, les huiles de verveine et de cannelle, par exemple, peuvent entraîner de graves irritations de la peau ou provoquer des désordres digestifs ou nerveux. Demandez conseil à votre pharmacien ou à un phytothérapeute avant tout usage externe ou interne.

TRADITION-HISTOIRE

La légende du vinaigre des quatre voleurs

L ors des grandes épidémies de peste qui ravageaient encore la France au XVIIᵉ siècle, quatre détrousseurs de cadavres furent arrêtés à Toulouse. Comme ils paraissaient se rire de la contagion, ils furent interrogés et, sous la question, livrèrent leur secret : ils se frottaient entièrement le corps et le visage avec un vinaigre antiseptique à base de plantes aromatiques. Condamnés tout d'abord à être brûlés vifs, ils virent leur supplice « adouci » en une simple pendaison pour avoir livré la recette de ce fameux vinaigre.

✿ **Compresse et cataplasme.** Pour accélérer la guérison d'une affection musculaire, trempez une gaze chirurgicale ou un morceau de tissu très propre dans une décoction ou une infusion chaude. Tordez la compresse pour éliminer l'excès de liquide et appliquez-la sur la zone affectée. Quand la compresse est froide ou sèche, trempez-la de nouveau dans le liquide chaud pour une nouvelle application.

• Le cataplasme a une action comparable à celle d'une compresse, mais on applique alors non pas un extrait liquide mais la plante elle-même. Hachez la plante fraîche au mélangeur pendant quelques secondes. Faites-la bouillir, pressez-la pour éliminer l'excès de liquide. Disposez-la sur la zone affectée après avoir graissé la peau avec un peu d'huile pour que le cataplasme ne colle pas. Appliquez une bande de gaze pour maintenir le cataplasme en place. Remplacez-le toutes les deux heures. Attention de ne pas vous brûler ni ébouillanter votre malade en appliquant des compresses ou des cataplasmes brûlants.

Le savoir des grands-mères concernant les plantes médicinales a du mal à se transmettre, dans un temps où l'on est toujours pressé, mais là encore faites l'effort de découvrir les bienfaits de quelques plantes qui, utilisées avec sagesse, contribueront quotidiennement à votre bien-être.

❀**Sirop maison.** Faites chauffer 500 ml d'infusion ou de décoction. Ajoutez 500 g (1 3/4 tasse) de miel et remuez jusqu'à ce qu'il soit dissous. Laissez refroidir. Versez dans une bouteille et fermez avec un bouchon.

❀**Donner meilleur goût à une infusion.** Certaines plantes sont fades, voire peu agréables à boire (la camomille par exemple). Associez-leur une plante qui se marie bien avec d'autres espèces, comme la mélisse, au goût de citronnelle, la verveine, la menthe ou le tilleul.

• Pensez également aux épices (cannelle, vanille, cardamome, anis étoilé). Elles apportent une saveur originale et peuvent même posséder leurs propres vertus médicinales. L'anis étoilé, ou badiane (ci-contre), facilite la digestion ; la cannelle, à la fois tonique et astringeante, est à conseiller en cas de désordres digestifs.

❀**Vins médicinaux.** Nos aïeux croyaient aux vertus du vin, en particulier des bordeaux et du porto. Ils les employaient souvent pour des macérations aux propriétés toniques ou digestives. Parmi les plantes le plus couramment employées, on retrouvait la sauge, l'oignon, la camomille ou l'écorce d'orange. Retrouvez cette tradition. Laissez macérer pendant une semaine 90 g (3 oz) de camomille sèche dans 1 litre de très bon vin blanc ; vous obtiendrez, après l'avoir filtré, une boisson à prendre après le repas pour faciliter la digestion (comptez la valeur d'un verre à liqueur).

Pour sucrer vos infusions, préférez le miel au sucre, car ses vertus s'ajouteront à celles de la plante que vous avez choisie. En outre, il existe une telle variété de miels butinés sur des plantes bienfaisantes !

UNE HUILE DE MASSAGE À LA LAVANDE

Si vous laissez macérer de la lavande dans de l'huile, vous obtiendrez une huile de massage pour délasser et dénouer les muscles. Vous pouvez simplifier en mêlant huile essentielle de lavande et huile d'amandes douces.

FOURNITURES

1 botte de lavande
huile d'olive ou d'amandes douces
filtre à café
flacon

1 - Prenez des brins de lavande récoltés avant le plein épanouissement de leur floraison. Séparez les sommités fleuries de leur tige et déposez-les dans une coupelle.

2 - Ajoutez l'huile d'olive ou l'huile d'amandes douces – comptez 1 litre d'huile pour une poignée de fleurs. Laissez macérer au soleil pendant 3 jours.

3 - Filtrez et versez dans un flacon. Pour une huile plus parfumée, remettez de nouvelles fleurs après avoir filtré et laissez encore 3 jours, puis filtrez et mettez en bouteille.

LES PETITS MAUX ET LEURS REMÈDES

Chaque famille avait jadis ses recettes pour guérir les maladies bénignes. Irritation de la peau ou des yeux, maux de gorge, indigestion, jambes lourdes ou insomnie passagère étaient traités en douceur. Alors, essayez ces remèdes de bonne femme, mais n'hésitez pas à consulter un médecin si les symptômes persistent.

La peau

❁ **Coupures et blessures.** Nos grands-pères ne se trouvaient pas pris au dépourvu lorsqu'ils se blessaient dans les bois puisqu'ils savaient qu'ils pouvaient appliquer de la gomme de sapin pour panser leurs plaies. Cela permettait de prévenir l'infection de celles-ci et facilitait la cicatrisation rapide.

❁ **Croyances et superstitions.** Elles s'entremêlaient quelquefois avec les usages de soins de nos ancêtres. C'est le cas pour les verrues que l'on frottait avec un oignon tranché en deux; on devait lancer l'oignon par-dessus l'épaule, loin derrière soi, sans regarder où il allait tomber. On disait que la personne qui ramasserait le morceau d'oignon attraperait cette verrue et que l'autre en serait guérie. Si personne ne trouvait l'oignon, la personne atteinte ne serait guérie que lorsque l'oignon serait séché et décomposé.

❁ **Verrues difficiles.** La chélidoine, aussi appelée herbe-aux-verrues, est une petite plante sauvage aux fleurs jaunes que l'on retrouve dans le voisinage immédiat des habitations. Si vous cassez sa tige, il en sort un suc orangé qui a la réputation de venir à bout des verrues difficiles.

Appliquez le suc frais directement sur la verrue et renouvelez ce traitement quotidiennement jusqu'à sa disparition. Mettez de la vaseline autour pour ne pas brûler la peau saine.

Pour soigner un cor au pied, découpez un morceau d'ail à la dimension exacte du cor et fixez-le directement dessus avec un sparadrap. Renouvelez les applications en surveillant votre peau pour éviter les brûlures autour du cor.

❁ **Engelures.** Si vous souffrez d'engelures, posez sur la partie atteinte un cataplasme tiède de pulpe de céleri cuit. Faites tenir avec une compresse et un pansement adhésif. Renouvelez ce cataplasme au moins une fois par jour.

❁ **Brûlures légères.** Certaines personnes possèdent une plante d'aloès chez elles pour sa fonction décorative mais ignorent qu'elle a également des pouvoirs médicinaux. En effet, vous pouvez soulager la sensation de brûlure en appliquant le jus qui jaillit d'une tige d'aloès fraîchement coupée. Cette propriété de l'aloès est d'ailleurs reconnue officiellement puisque l'on retrouve sur les étagères de nos pharmacies des crèmes à base d'aloès, à concentration plus ou moins forte, certaines étant d'ailleurs recommandées pour soulager la peau des coups de soleil.

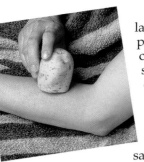

✿ **Coup de soleil.** Pour apaiser la sensation brûlante, massez votre peau avec une pomme de terre crue coupée en deux. Vous pouvez aussi appliquer de la pulpe de melon, de carotte, de céleri ou de concombre passée au mélangeur.

✿ **Huile de millepertuis.** C'est en été que fleurit le millepertuis sauvage, utilisé depuis des centaines d'années pour soigner les petits maux de la peau grâce à ses vertus antiseptiques et cicatrisantes.

Versez 1 litre d'huile d'olive sur 500 g (18 oz) de feuilles et de fleurs de millepertuis fraîches. Bouchez et laissez macérer, de préférence au soleil, pendant quinze jours. L'huile prend alors une belle coloration rouge sombre. Filtrez et mettez en flacon hermétique.

✿ **Piqûres d'abeille ou de guêpe.** La peau démange mais la piqûre n'est pas importante ? Frottez-la avec trois herbes différentes, fraîchement cueillies.

• La douleur est violente ? Frottez la peau avec du vinaigre, du jus de citron ou bien encore avec un oignon coupé en deux ou une feuille de poireau fraîchement coupée.

• Autre astuce pour les fumeurs : stoppez la diffusion du venin en plaçant le bout incandescent d'une cigarette le plus près possible de la piqûre. Laissez chauffer l'épiderme quelques secondes (sans le brûler !). La douleur disparaît.

✿ **Fesses rouges.** Pour éviter que les fesses de bébé soient rouges, massez-les avec de l'huile d'amandes douces ou du jus de concombre frais (il suffit de passer la pulpe au mélangeur).

• Autre solution classique : le talc. Le meilleur pour la peau est le talc officinal sans parfum ni additif. Si vous n'en avez plus, vous pouvez le remplacer par de la farine de maïs, très douce et fine.

• Vous pouvez également acheter chez un herboriste de la poudre de lycopode (sorte de lichen) ou de saule blanc et en saupoudrer l'épiderme irrité de votre enfant.

L'HUILE DE SOUCI

Par ses vertus anti-inflammatoires et cicatrisantes, le souci (le Calendula bien connu en homéopathie) est parfait pour apaiser les coups de soleil.

INGRÉDIENTS

une poignée de pétales de souci fraîchement cueillis

1 tasse d'huile d'olive ou d'amandes douces

1 - Placez les fleurs dans un récipient en verre et versez l'huile par-dessus. Bouchez et laissez macérer, de préférence au soleil, pendant 15 jours.
2 - Filtrez et mettez en flacon hermétique.
3 - Appliquez sur l'érythème ou le coup de soleil en massant.

L'huile d'amandes douces est la meilleure alliée naturelle d'une belle peau, en particulier si elle est trop sèche, s'irrite facilement et est sujette aux démangeaisons. Massez quotidiennement votre bébé après le bain avec de l'huile d'amandes douces.

Le nez, la gorge et les oreilles

Pour lutter contre un début de bronchite, la confiture de mûres sauvages est un excellent remède, à raison d'une cuillerée à café toutes les heures.

❀ **Début de rhume.** Faites une cure de thym, citron et sureau. Le thym désinfecte, le citron apporte de la vitamine C et le sureau aide à éliminer les toxines. Préparez-vous 1 litre d'infusion avec une poignée de thym, une rondelle de citron et une bonne pincée de fleurs de sureau. Sucrez si vous le voulez avec du miel, et buvez de cette tisane, chaude ou froide, tout au long de la journée.

❀ **Toux sèche.** Faites-vous un sirop de poireau. Laissez cuire 150 g (1/3 lb) de feuilles de poireau dans 1 litre d'eau pendant une demi-heure. Ajoutez au jus de cuisson la même quantité de miel ou de sucre. Mettez en bouteille. Buvez-en deux cuillerées à soupe au moment des quintes de toux.

❀ **Saignement de nez.** Appliquez dans la nuque une clé en métal de grande taille et bien froide.

❀ **Nez bouché.** Fabriquez-vous une poudre odorante que vous inhalerez plusieurs fois par jour pour vous dégager le nez. Pilez ou passez au mélangeur des feuilles séchées de basilic et de bétoine (en vente en herboristerie).

❀ **Nez qui coule.** Nettoyez-vous le nez avec de l'eau salée. Faites dissoudre 2 cuillerées à thé de gros sel marin dans un verre d'eau distillée ou d'eau minérale tiède. Mouchez-vous puis instillez le liquide dans chaque narine avec un compte-gouttes.

❀ **Début d'angine.** Essayez le cataplasme de poireau copieusement poivré. Appliquez sur votre gorge une large compresse recouverte d'une bonne couche de poireaux cuits encore tièdes. Faites tenir avec un foulard et laissez agir au moins dix minutes.

❀ **Une bonne ponce.** Ce remède de nos grands-parents pour combattre les malaises de la grippe se compose de 1 tasse d'eau bouillante, d'une grosse cuillerée à thé de miel, de citron et de 30 à 60 ml (1-2 oz) de gin. Le tout fait transpirer et aide à soulager la grippe.

❀ **Début de bronchite.** Le cataplasme à la moutarde, que l'on trouve en pharmacie, vient d'un remède maison. Mélangez 1 cuillerée à thé de moutarde sèche avec de l'eau ou de la mélasse. Étendez cette préparation sur un linge ou du papier brun (vous jetterez le tout par la suite) et appliquez sur la poitrine ou dans le dos une quinzaine de minutes ou jusqu'à ce que ça chauffe. C'est efficace, mais une application prolongée peut brûler la peau.

❀ **Bouchon de cérumen.** Instillez dans le conduit auditif quelques gouttes d'huile d'amandes douces tiédie.

LE SIROP DE RADIS NOIR

Contre les toux sèches, préparez du sirop de radis noir, à prendre à raison de 2 cuillerées à soupe pendant les quintes de toux.

FOURNITURES

radis noir
sucre semoule
passoire
flacon

1 - Coupez le légume en tranches fines sans l'éplucher. Mettez les tranches dans une passoire avec un saladier en dessous.

2 - Saupoudrez-les de sucre. Il faut le même poids de sucre que de radis. Laissez dégorger 2 h. Recueillez le jus obtenu et mettez-le en flacon.

Pour déboucher le nez et désinfecter les voies aériennes, faites des inhalations à base d'eucalyptus et de thym. Mettez une pincée de thym et une pincée d'eucalyptus frais dans un bol d'eau bouillante (ou quelques gouttes d'huile essentielle). Restez la tête au-dessus du bol pendant au moins dix minutes en essayant de respirer à fond.

Les yeux

❀ **Yeux fatigués.** La centaurée-bleuet est surnommée en Bretagne casse-lunettes, car l'infusion de ses jolies fleurs utilisée en lotion ou en compresse sur les yeux fatigués y est utilisée depuis le Moyen Âge. Il faut 40 g (1 1/3 oz) de fleurs pour 1 litre d'eau bouillante.

TRADITION-HISTOIRE
Drôles de remèdes contre les orgelets

L'orgelet est une sorte de furoncle installé sur le bord de la paupière. À la campagne, il existe encore certaines traditions aussi tenaces qu'insolites pour faire disparaître ce petit bouton douloureux et gênant.

On dit qu'il suffit de frotter une alliance sur la paupière atteinte ou de tracer trois croix avec un anneau d'or à l'endroit infecté pendant trois soirs de suite. Certains préféreront toutefois appliquer un cataplasme de mie de pain trempée dans du lait chauffé mais pas bouilli. Ces pratiques sont inoffensives, mais comme l'orgelet est d'origine microbienne il vaut mieux consulter un médecin pour le soigner !

❀ **Mieux voir.** Vous améliorerez votre vision de jour et de nuit en buvant régulièrement des tisanes de graines de carotte. Faites bouillir quelques minutes les graines de carotte dans de l'eau. Passez à la passoire fine.

Faites également une grande consommation de carottes dans votre alimentation quotidienne.

❀ **Contre les cernes et les paupières gonflées.** Pour reposer cette zone fragile, faites des applications matin et soir de rondelles de pomme de terre fraîches.

❀ **Yeux rouges.** Pour soulager des yeux rouges et larmoyants, extrayez le suc de tiges de persil frais (vous en obtiendrez facilement avec une centrifugeuse). Versez-en régulièrement quelques gouttes dans vos yeux. Veillez à n'utiliser que du suc fraîchement extrait et ne le conservez pas.

Les yeux clairs sont encore plus fragiles que les autres. Ils réclament de bonnes lunettes de soleil dès que la luminosité est vive. Les lotions à base de plantes sont idéales pour les apaiser.

Les conjonctivites

ATTENTION !

Les conjonctivites sont des affections microbiennes et contagieuses. Votre ophtalmologiste vous prescrira un collyre à base d'antibiotique. Une fois ouvert, le flacon ne se conserve que quelques jours (pas question de le réutiliser quelques mois après). Si vous vous maquillez, cessez d'utiliser votre mascara pendant tout le temps de l'inflammation et, si vous vous en êtes servie avant de savoir que vous aviez une conjonctivite, il ne vous reste plus qu'à le jeter, sous peine d'être à nouveau contaminée.

❀ **Yeux irrités.** Pour reposer les yeux fatigués et irrités, préparez une infusion de camomille (six fleurs pour 1/2 tasse d'eau). Appliquez cette lotion sur vos paupières avec un coton.

• Préparez de la même façon des infusions de guimauve.

• Le plantain est aussi une plante qui apaise les irritations et les yeux rougis par le soleil. Appliquez l'infusion froide en bain oculaire ou en compresse sur vos paupières.

• L'eau de rose en compresse sur les paupières est également très efficace.

Les maux de ventre

❀ **Intestin paresseux.** Buvez à jeun en vous levant un verre d'eau tiède dans lequel vous aurez ajouté une pincée de sel marin et le jus d'un citron.

• Le soir au coucher, mangez cinq pruneaux ou quatre figues sèches.

❀ **Nausées et vomissements.** Lorsque vous ne vous sentez pas très bien et que vous êtes nauséeux, buvez une boisson au cola bien glacée. Ce remède peu coûteux des grands-mères modernes est efficace pour les adultes mais aussi pour les enfants, dont il est très apprécié.

❀ **Diarrhée.** En pâte, en compote ou en gelée, le coing (ci-contre) est particulièrement recommandé, ainsi que les bleuets (myrtilles).

• Buvez de l'eau de riz légèrement sucrée ou des infusions de pelure de pomme.

• Faites une décoction de rhizomes et de feuilles de fraises des champs, à raison de 60 à 80 g (2-3 oz) par litre d'eau. Le pouvoir des plants de fraises est d'ailleurs reconnu officiellement puisque l'on retrouve également en pharmacie un produit commercialisé depuis plusieurs années sous le nom de Extrait de fraises.

Si vous êtes sujet aux malaises, en particulier dans les transports, ayez toujours sur vous un petit flacon d'alcool de menthe ou d'eau de mélisse. Quelques gouttes sur un sucre vous aideront à conserver vos esprits.

L'EAU DE MÉLISSE

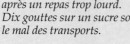

Une cuillerée à thé de cet alcoolat dans un verre d'eau apaise les troubles digestifs après un repas trop lourd.
Dix gouttes sur un sucre soulagent le mal des transports.

INGRÉDIENTS

1 litre d'eau-de-vie à 45°
60 g (2 oz) de feuilles de mélisse fraîches finement hachées
le zeste de 1/2 citron
15 g (1/2 oz) de noix de muscade râpée
15 g (1/2 oz) de graines de coriandre grossièrement écrasées
7 g (1/4 oz) de clous de girofle
7 g (1/4 oz) de cannelle écrasée

1 - Versez l'alcool dans un bocal en verre et ajoutez tous les ingrédients.
2 - Laissez macérer pendant 1 semaine.
3 - Filtrez et mettez en flacon bien bouché.

❀ **Règles douloureuses.** Certaines plantes sont réputées depuis des siècles pour soulager les malaises dus aux règles. Buvez des infusions ou des décoctions d'achillée millefeuille, d'armoise, d'absinthe ou d'estragon deux à trois fois par jour. Comptez 20 g (3/4 oz) de plante sèche pour 1 litre d'eau.

❀ **Vers intestinaux.** Préparez-vous un vermifuge naturel. Passez trois gousses d'ail cru au mélangeur et incorporez cette pulpe à un bol de lait tiède et sucré. Avalez la boisson au réveil pendant quelques semaines.

• Autre remède traditionnel : les graines de courge. Broyez 60 g (2 oz) de graines séchées au moulin à café, mélangez-les à du miel jusqu'à obtenir une pâte onctueuse et prenez 1 cuillerée à thé de ce remède tous les matins à jeun.

❀ **Foie engorgé.** Voici une recette de coureurs des bois : il s'agit de préparer une tisane à base de branches de sapin qu'on a fait bouillir pendant 20 minutes.

• Cette autre recette fait appel aux vertus de l'herboristerie : mélangez à parts égales angélique, basilic, graines d'anis étoilé, hysope, matricaire et verveine séchés. Faites infuser 1 cuillerée à soupe par tasse d'eau bouillante.

Les troubles de la circulation

❀ **Jambes lourdes.** Surélevez votre lit afin de dormir en ayant toujours les pieds plus hauts que la tête. Prenez l'habitude de placer un dictionnaire, un annuaire ou un gros livre sous vos pieds lorsque vous êtes en position assise. Si vous le pouvez, faites le poirier (se tenir en équilibre la tête au sol) quelques minutes chaque jour.

❀ **Jambes fatiguées.** Vous avez piétiné ou êtes resté trop longtemps debout et vos jambes n'en peuvent plus ? Effectuez un massage relaxant de la pointe des pieds en remontant vers les genoux. Si vous employez une huile d'olive ou d'amandes douces additionnée de quelques gouttes d'essence de romarin, de lavande, de thuya ou de cyprès, ce massage n'en sera que plus bénéfique. Terminez par une petite douche froide sur les jambes, toujours des pieds aux genoux, allongez-vous ensuite avec les pieds surélevés pendant quelques minutes.

❀ **Fluidifier le sang.** Les capucines ne sont pas que des plantes d'ornement. Vous pouvez en utiliser les fleurs dans vos salades comme condiment coloré, riche en sels minéraux – dont le soufre, réputé pour fluidifier le sang. Les feuilles fraîches se consomment en tisane. Laissez-en infuser 30 g (1 oz) dans 1 litre d'eau bouillante et sucrez largement au miel.

• Plusieurs savoirs nous ont été transmis par les Amérindiens. Ainsi, pour purifier le sang, ils utilisaient des rognons de castor, coupés en morceaux et macérés dans une bouteille de gin ou de whisky. On prenait par la suite 1 cuillerée à soupe de la mixture dans un verre d'eau.

Les cinq meilleures plantes pour soigner la circulation sont le marron d'Inde, le cyprès, la vigne rouge, le cassis et la viorne (ci-contre) : ils sont largement utilisés aussi bien en pharmacopée traditionnelle qu'en phytothérapie.

❀ **Hémorroïdes.** Lors d'une crise douloureuse, prenez des infusions de plantes comme le lamier blanc, la mauve ou le bouillon-blanc.

• Le marron d'Inde est très efficace mais sa terrible amertume le rend redoutable en infusion : préférez-le en gélules.

• Sur les hémorroïdes elles-mêmes, vous pouvez appliquer des cataplasmes de feuilles de molène (tabac-du-diable) cuites dans du lait ou des compresses trempées dans du jus de poireau.

LE VIN D'AMOUR-EN-CAGE

L'alkékenge – cerise de terre ou amour-en-cage – sert depuis l'Antiquité contre rhumatismes, œdèmes et troubles circulatoires.

INGRÉDIENTS

1 litre de bon vin blanc sec

30 g (1 oz) de feuilles, de tiges et de baies fraîches d'alkékenge récoltées à l'automne

1 - Laissez macérer l'alkékenge dans le vin pendant 10 jours en remuant de temps en temps.
2 - Filtrez et mettez en bouteille.

Vous avez fréquemment les jambes lourdes ? Surélevez-les le plus souvent possible, en les appuyant contre un mur, afin de stimuler la circulation de retour.

Certains aliments et nutriments favorisent un bon sommeil : les féculents, le magnésium, le lait, les tisanes, le miel…

Le stress et les troubles du sommeil

❀ **Nervosité.** Si vous vous sentez nerveux, massez-vous le ventre au niveau du plexus solaire (un endroit généralement douloureux lorsqu'on est stressé) en tournant dans le sens des aiguilles d'une montre. Ce truc sera encore plus efficace si vous utilisez cinq ou six gouttes d'essence de marjolaine.

• Si vous vous sentez très contracté, mettez-vous, une fois couché, une bouillotte chaude sous les genoux (ci-contre, vieille bouillotte en métal à utiliser enveloppée d'un linge épais).

TRADITION-HISTOIRE

La médecine des humeurs

Pour les médecins de l'Antiquité, dont le Grec Hippocrate, le bon fonctionnement du corps humain dépendait de quatre substances essentielles ou humeurs : le sang, la bile, l'atrabile (ou bile noire) et la pituite. Les médecins classaient leurs patients en fonction de l'humeur dominante qui les régissait et les soignaient avec des plantes dites chaudes, froides, humides ou sèches, accordées à leur tempérament. Nous avons conservé de cette théorie une expression courante, « être d'une humeur noire ».

❀ **Bain déstressant.** Si vous avez du mal à faire le vide, délassez-vous dans un bain chaud (mais pas trop). Ajoutez à l'eau du bain un sachet de fleurs de tilleul, de passiflore, d'aubépine ou bien un verre d'eau de fleur d'oranger. Ne vous séchez pas mais enfilez encore mouillé un peignoir et mettez-vous au lit.

❀ **Endormissement difficile.** Vous dormez moins bien ? Cette boisson du soir dispose à un sommeil réparateur : versez une cuillerée à thé d'eau de fleur d'oranger dans un verre d'eau bouillante très sucrée.

❀ **Pas d'excès de tilleul.** L'infusion de tilleul est réputée favoriser le sommeil, mais ne pensez pas qu'elle sera plus efficace si vous forcez sur la dose de fleurs. Au contraire, à trop en mettre vous obtiendrez l'effet inverse : un peu de nervosité à la place du sommeil tant attendu. Aussi comptez 20 g (3/4 oz) de fleurs au maximum par litre d'eau bouillante.

❀ **Surmenage et anxiété.** L'infusion de passiflore (ci-contre) est conseillée au coucher à tous les surmenés et à tous les anxieux – 30 g (1 oz) de fleurs pour 1 litre d'eau. Elle peut être éventuellement mélangée avec de l'aubépine, qui est une autre fleur calmante.

Jardins
d'antan

JARDINER SELON LES RYTHMES NATURELS

Connaître le temps qu'il va faire, respecter le rythme des saisons, semer et planter « avec la lune », profiter des richesses que prodigue la nature autour du jardin… Tout cela faisait partie, il n'y a pas si longtemps, de la vie quotidienne. Si nos aïeux, pour la plupart, vivaient de la terre, il reste en chacun d'entre nous un peu de cette âme terrienne. Mais le savoir des paysans, transmis par voie orale souvent sous la forme de dictons, s'est en partie perdu. Redécouvrez-en les aspects les plus intéressants et les plus actuels.

« Arc-en-ciel du matin, plui sans fin, arc-en-ciel du soir, sign d'espoir. » En effet, l'arc-en-cie apparaît toujours du côté oppos au soleil. Ainsi, le matin, il es visible à l'ouest, or c'est de l'oues qu'arrivent, chez nous, la plupar des perturbations. Au contrair l'arc-en-ciel du soir, à l'es montre que les nuage s'éloignent..

Prévoir le temps

❋ **La couleur du ciel.** Rien de plus facile que de regarder le ciel, et c'est en général un bon indice de l'évolution du temps. La teinte du ciel varie en effet avec le degré d'humidité de l'atmosphère et sa teneur en poussières.
- Ciel bleu clair : beau temps.
- Ciel bleu foncé : en montagne, beau temps ; en plaine, temps instable.
- Ciel rouge au lever ou au coucher du soleil : mauvais temps.
- Ciel jaune ou blanc au crépuscule : mauvais temps.
- Ciel blanc le matin : beau temps.
- Soleil rouge et ciel vert le soir : beau temps.
- Nuages jaunes : tempête ou neige.

POURQUOI ÇA MARCHE

DES PLANTES QUI EN DISENT LONG

Chacun connaît la « pomme de pin baromètre », qui s'ouvre quand il fait beau et se referme s'il fait mauvais. Clouée sur une porte de grange, la carline – un gros chardon plat – sert elle aussi traditionnellement à prévoir le temps : il suffit de voir si son capitule est ouvert ou fermé.
En fait, pomme de pin et carline sont plutôt des hygromètres, c'est-à-dire des témoins de l'humidité de l'air. Elles nous disent le temps qu'il fait plus que celui qu'il va faire !
Mais le mécanisme est intéressant. Les écailles de la pomme de pin et les feuilles de la carline renferment des sortes de muscles végétaux, en réalité des fibres de cellulose ou de lignine.

Ces fibres sont, en gros, disposées en deux couches : dans l'une elles sont orientées dans le sens de la longueur, dans l'autre dans le sens de la largeur. Les variations d'humidité jouent sur la souplesse de ces fibres. En séchant, les fibres longitudinales se tendent, faisant se courber les écailles ou les feuilles.

ALLÔ, ENVIRONNEMENT CANADA

MODERNE ET PRATIQUE Un des moyens les plus simples et les plus fiables de prévoir le temps consiste à se référer aux prédictions d'Environnement Canada que l'on retrouve soit au bout du fil, soit dans nos médias écrits et sonores, soit dans les canaux de télévision spécialisés. Nos météorologistes nationaux émettent des prédictions sur des bases de vingt-quatre à quarante-huit heures et se permettent même des prévisions à long terme. La technologie de pointe est devenue leur alliée avec principalement les images satellites.

❋ **Collaborateurs ailés.** Qui sait observer le comportement des oiseaux peut se risquer à prédire le temps qu'il fera. En effet, nos ancêtres avaient l'habitude de dire que la pluie s'en vient lorsque les hirondelles rasent le sol ou se posent en ligne sur les fils des poteaux électriques. Par ailleurs, le hululement de la chouette annonce très souvent du beau temps pour le lendemain. Enfin, l'arrivée du merle d'Amérique annonce le printemps, de même que les premiers voiliers d'outardes qui passent au-dessus de nos têtes en lançant leurs jappements si particuliers.

❀ « Hirondelle volant bas, bientôt il pleuvra. »
Lorsque la pluie menace, les hirondelles descendent. Au contraire, quand elles montent au nuage, il y a de l'orage dans l'air...

L'explication de ce phénomène est simple : les orages sont causés par une brusque ascension de l'air chaud, liée à une surchauffe locale ou à l'arrivée d'une perturbation. Les minuscules insectes volants qui servent de nourriture aux hirondelles sont entraînés par l'air ascendant, et les hirondelles, attirées par eux, les suivent en hauteur. Fiez-vous à ces sympathiques oiseaux qui nichent souvent sous les toits.

❀ « La lune est dans l'eau », dit-on parfois. Façon imagée de décrire notre satellite lorsqu'il est entouré d'une sorte de halo brumeux au lieu d'être parfaitement net. Sachez que c'est le signe de l'arrivée de cirrus dans la haute atmosphère. Ces nuages sont les précurseurs d'une perturbation qui a toutes les chances d'apporter de la pluie.
Une précision : il serait plus exact de dire que la lune est « dans la glace », car les cirrus sont formés de cristaux et non de gouttelettes d'eau !

❀ L'hiver sera-t-il rude ? Chaque automne amène son lot de discussions quant à l'hiver qui approche et qui est le fléau pour plusieurs d'entre nous, du moins ceux qui n'ont su l'apprivoiser grâce aux sports hivernaux. Certains y vont de leurs pronostics en se basant sur l'*Almanach du Peuple* ou le *Bulletin des agriculteurs*. Mais s'aventurer à prévoir la situation climatique plusieurs mois à l'avance relève, selon les spécialistes, de la météo-fiction. Pourtant nos ancêtres n'hésitaient pas à se lancer dans de tels pronostics. Ils étaient pour cela attentifs aux signes du règne végétal. Sans doute se disaient-ils que la nature avait prévu des mécanismes spéciaux pour permettre à la vie de résister aux hivers les plus rigoureux. Retrouvez ici quelques-uns de leurs dictons :

• Si l'on retrouve beaucoup de fruits aux branches du cormier, on aura un gros hiver.

• Pendant l'été, si les nids de guêpes sont hauts, l'hiver sera rude. S'ils sont bas, l'hiver ne sera pas rigoureux.

• À l'automne, au moment de la récolte, si les pelures d'oignons sont minces, on aura peu de neige à l'hiver. Par contre, si elles sont épaisses, cela signifie que la neige sera abondante. (La même chose s'applique aux pelures du maïs.)

• Quand les lièvres blanchissent de bonne heure, la neige arrive de bonne heure également. S'ils sont blancs à la Toussaint, l'hiver sera long.

• Quand l'Avent est doux, l'hiver est dur.

• L'hiver ne prend jamais au croissant de la lune, mais à son décours.

• À la Chandeleur (le 2 février), la neige est à sa hauteur et l'hiver est fini ou bien il rempire.

C'est d'ailleurs pourquoi on a recours en Amérique aux services de la marmotte pour prédire la fin de l'hiver. Pour ce faire, on sort la marmotte de son hibernation, si elle voit son ombre (temps ensoleillé), elle rentre dans son trou pour quarante jours (soit dans la semaine de l'arrivée officielle du printemps...). Si elle ne la voit pas (temps couvert), cela signifie que le printemps sera hâtif.

TRADITION-HISTOIRE

Des prévisions folkloriques

Une « petite année » se trouverait cachée dans notre année normale, juste entre Noël et l'Épiphanie. Nos aïeux – qui en possédaient le secret – pouvaient ainsi connaître le climat de chaque mois de l'année à venir. Il leur suffisait de noter le temps qu'il faisait le lendemain de Noël pour savoir le temps qu'il ferait en janvier, et ainsi de suite pour chacun des onze jours suivants.

D'autres signes de la nature permettaient de prédire le temps et plusieurs sont encore utilisés. Par exemple, on peut noter que la température est généralement plus froide pendant la pleine lune. Ainsi, si le temps froid hivernal ne débute pas avec la pleine lune actuelle, on est bon pour avoir encore trois autres semaines de beau temps, jusqu'à la prochaine lune. Si on observe un cercle autour de l'astre lunaire, c'est signe de mauvais temps. Par contre les étoiles sont signe de beau temps. Enfin, l'on peut toujours se rabattre sur le dicton voulant que le trois fait le mois et le cinq le défait. Certains soulignent que le sept le refait.

En suivant les saisons et la lune

❋ **L'aubépine et le lilas : précieux repères.** Le printemps peut être en avance, à l'heure ou… en retard. Un décalage qui atteint parfois plusieurs semaines d'une année sur l'autre. De quoi être perdu, au point de planter trop tôt ou trop tard par rapport à la situation climatique réelle. Les jardiniers d'autrefois avaient un truc pour jardiner en temps et heure : ils observaient l'évolution des arbres et arbustes environnants. Dès l'épanouissement des premiers lilas, ils plantaient leurs pommes de terre. La floraison de l'aubépine était, quant à elle, un signal pour planter les tomates.

TRADITION-HISTOIRE

La bénédiction des grains à la Saint-Marc

On retrouve à la campagne, encore de nos jours, une manifestation religieuse qui montre bien l'importance de la terre et des bonnes récoltes pour les agriculteurs. Il s'agit de la fête de Saint-Marc (le 25 avril, bien que parfois on procède à cette bénédiction lors des Rogations, soit 36 jours après Pâques) pendant laquelle le prêtre de la paroisse bénit les semences afin de favoriser les récoltes pour l'année à venir. Cette fête, parvenue en terre d'Amérique, dès la colonisation, a toutefois dû à l'occasion exclure la pratique des processions pour la bénédiction des terres puisque, au Québec, comparativement à la France, bien des chemins étaient encore à cette date impraticables.

Ce sont généralement les agriculteurs eux-mêmes qui apportent les grains à l'église, dans de petits sacs, parfois en les mélangeant, d'autres fois en les séparant. Dans certaines paroisses, un grand panier rempli de graines bénies est déposé dans le chœur et les paroissiens sont invités à en prendre. Ces grains bénis, mélangés aux grains des semailles, attirent la protection divine et assurent la fécondité des récoltes. D'autres préféreront les faire mettre en terre par un enfant ou les répandre dans un champ déjà ensemencé.

❋ **Aide-mémoire pour jardinier futé.** Notez tout, comme le faisaient certains anciens, parfois sur de simples morceaux de carton épinglés dans leur cabane de jardin. Pourquoi croyez-vous qu'on ait inventé agendas et almanachs ? Comment se rappeler la date de plantation de tel arbre fruitier ? La grande vague de froid, c'était en 1996 ou en 1997 ? À quelle époque ai-je fait mes pommes de terre l'an dernier ?

À consigner en priorité : les dates de semis et plantations, de floraison de certains arbres ou arbustes (lilas, aubépine, etc.), d'arrivée des hirondelles ; les variétés semées ou plantées, le nombre de rangs, le rendement approximatif… C'est ainsi que vous deviendrez un excellent jardinier !

❋ **Semer et planter « avec la lune ».** Grande tradition que celle-là ! Mais parfois un peu confuse. Les contradictions que l'on peut observer d'une région à l'autre peuvent s'expliquer par des différences de sol et de climat. Ce qui suit vaut donc pour un sol riche et un climat humide.

Semez et plantez en « cours » (lune croissante, entre nouvelle lune et pleine lune) les carottes et autres racines s'enfonçant en terre. Semez et plantez en « décours » (lune décroissante, entre pleine lune et nouvelle lune) ce qui forme une boule (oignon, échalote, chou pommé, etc.) et ce qui doit donner beaucoup de fruits (pois, haricot, etc.).

❋ **Le temps des sucres.** Sitôt qu'arrivent les premières journées chaudes du printemps, se produit un phénomène dont les Amérindiens nous ont livré le secret : la combinaison des journées au-dessus  du point de congélation et des nuits froides favorise la production de sève dans les érables à sucre et les érables rouges (plaines). Même si les acériculteurs sont passés de la goutterelle de bois à la tubulure de plastique, du chaudron à la bouilloire au propane, ils se fient encore sur la nature : si on entaille dans le croissant de la lune, les érables coulent plus ; mais quand les merles arrivent, on peut tout ranger – les sucres sont finis.

Pour les jardiniers d'antan, la floraison du lilas était un point de repère pour leurs plantations.

✾ **La lune exerce son influence en cuisine aussi.** S'il y a une période à éviter pour toutes les opérations de conservation, c'est bien celle de la lune croissante, qui va de la nouvelle lune à la pleine lune. Le cidre mis en bouteilles se troublerait aux lunaisons suivantes, les conserves fermenteraient, le sucre des confitures remonterait à la surface et la choucroute pourrirait !

✾ **La lune, oui, mais…** Suivre le cours de la lune pour réaliser tous les travaux du jardin peut être intéressant, mais n'oubliez pas le reste ! En admettant que notre satellite exerce une quelconque influence sur les cultures (ce qui n'est pas prouvé), celle-ci n'est pas le seul facteur à prendre en considération, ni le plus important. Gardez toujours à l'esprit le pense-bête de tout bon jardinier :

• Ne travaillez la terre que si elle n'est ni trop sèche ni trop humide.

• Apportez le plus grand soin au choix des variétés potagères ou florales.

• Veillez à entretenir la fertilité du sol par des apports réguliers de fumier ou de compost.

• Protégez les plantes fragiles contre les gelées de mai et de début juin.

✾ **Encore la lune.** Le grand défi des jardiniers au Québec consiste à trouver le juste milieu entre planter trop tôt et risquer de voir geler ses plants, ou alors planter trop tard et être en retard sur les potagers du voisin ! Plusieurs utilisent comme alliée la lune afin de déterminer le bon temps pour les semences. En fait, il faut attendre que la pleine lune soit passée pour mettre les graines en terre par crainte de les voir geler. Si on sème dans le décours, les plants seront courts et productifs ; par contre si on sème dans le croissant, les plants seront longs et peu productifs. Ils « pousseront en orgueil » comme diraient nos mères.

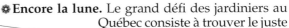

POURQUOI ÇA MARCHE

« CE NE SERA PAS UNE ANNÉE À FRUITS »

Il ne s'agit pas de divination mais d'observation : les aléas climatiques font et défont les récoltes et la floraison des arbres fruitiers (à la mi-mai) peut être affectée par un printemps pluvieux, d'où le dicton.
Comme souvent, le mystère n'est pas grand : s'il pleut au moment de la pleine floraison, les abeilles, restant à la ruche, ne peuvent assurer l'indispensable fécondation des fleurs. Or les arbres fruitiers, tels poiriers, pommiers, pruniers ou abricotiers, sont des plantes dioïques (ou autostériles), c'est-à-dire qu'elles présentent des fleurs mâles et des fleurs femelles sur deux pieds différents. Dans ce cas, les abeilles sont responsa-bles du résultat de la fécondation : les fruits.
Mais il existe des variétés auto-fertiles de pruniers, d'abricotiers et de cerisiers : leurs fleurs n'ont donc pas besoin des abeilles pour être pollinisées… à envisager pour les régions pluvieuses.

La nature autour du jardin

❀ **Fruits sauvages.** Vous avez la chance d'avoir un bois à proximité de votre jardin ? Faites des promenades intéressantes, courez les lisières de bois.

• Le fruit de l'amélanchier, nommé « petite poire » de par sa ressemblance à ce fruit, est de couleur pourpre foncé à maturité, en août; mais, en fait, il ressemble plutôt à un gros bleuet. Cet arbuste, omniprésent dans le paysage québécois, pousse naturellement en talle, et est donc ainsi facile à repérer. Les « petites poires » sont des baies pruineuses, juteuses et sucrées, possédant un goût très agréable. On peut les utiliser dans la confection de desserts. On en fait aussi des compotes ou des confitures savoureuses.

• Si vous passez par une friche riche en églantiers, faites provision de cynorhodons ou « gratte-culs ». Ces petits fruits, quand ils ont été ramollis par les gels d'automne, font des gelées délicieuses riches en vitamine C. Lavez les fruits, fendez-les et mettez-les dans une terrine. Couvrez-les de vin blanc. Laissez mariner une semaine en remuant tous les jours.

Au bout de huit jours, faites cuire le contenu de la terrine pendant une heure. Extrayez le jus des fruits en les passant au moulin à légumes. Mesurez le jus obtenu et ajoutez la même quantité de sucre et du jus de citron. Faites cuire le sirop une vingtaine de minutes et mettez en pots.

❀ **Les bonnes salades dépuratives!** La nature a tout prévu, même de nous débarrasser en fin d'hiver des toxines accumulées par notre corps. C'est au printemps qu'il faut partir, panier au bras et couteau à la main, sur les chemins de campagne. Selon les régions et les milieux vous trouverez : le classique pissenlit – préférez des rosettes très découpées, aux boutons non épanouis ; la grande oseille ; la véronique *beccabunga*, dont les jeunes pousses remplacent bien le cresson officinal ; les fleurs et les feuilles des violettes, à saveur douce ; la fougère-à-l'autruche pour ses jeunes frondes (les crosses de violon).

❀ **Connaître la nature du sol grâce à la flore spontanée.** Autrefois les paysans n'avaient pas la possibilité de faire analyser le sol. Cependant, d'un seul coup d'œil autour de leurs champs, ils savaient en jauger la terre. La ronce prospérait-elle dans le voisinage? C'était bon signe. En revanche, un envahissement par la fougère-aigle signalait un sol excessivement acide, donc médiocre. Comme eux, regardez donc les plantes sauvages autour de votre jardin. Vous en tirerez facilement un enseignement.

• Plantes révélant un sol très humide : viorne cassinoïde, consoude, lobélie, reine-des-prés (ci-dessus, à droite).
• Plante révélant un sol sec : cardinale, achillée millefeuille.
• Plantes révélant un sol acide : petite oseille, kalmia, bruyère, airelles.
• Plantes signes d'un sol calcaire : chicorée sauvage (voir fleur ci-contre), sureau yèble, tussilage pas-d'âne, symphorine blanche, molène vulgaire, verge d'or.
• Plantes révélant un sol fertile : ortie, lentago, viorne.

Les bords de chemin (à dr.) sont souvent le lieu idéal pour ramasser des fruits sauvages. Après les gelées, ne négligez pas les fruits des sorbiers (1), qui donnent un vin ou une liqueur, et les fruits du pimbina (2), qui font une délicieuse gelée. En été, régalez-vous de mûres (3), nature, en tarte ou en confiture.

Le sureau blanc (à g.), dont les baies sont mûres en août-septembre, indique un sol humide.

✤ **Trouver des psalliotes des prés.** L'agaric champêtre, autrement dit le psalliote des prés, n'est plus aussi abondant qu'autrefois car il ne peut se satisfaire des nitrates chimiques. Aussi recherchez-le dans les prés pâturés, en particulier par les chevaux, et ne recevant pas trop d'engrais.

Lorsque vous cueillez un champignon – psalliote des prés (en haut), morille (en bas) –, détachez-le en le coupant à la base. Si vous l'arrachez, vous détruisez le mycélium souterrain, compromettant ainsi les prochaines récoltes.

✤ **Bien cueillir les champignons.** Ne mettez pas le fruit de votre cueillette dans un sac en plastique. Les champignons, serrés les uns contre les autres, sans air, auraient vite fait de s'abîmer, voire d'être réduits en bouillie. Munissez-vous d'un panier à fond plat, que vous capitonnerez avec de la mousse. Avant d'y poser vos champignons, débarrassez-les de leur partie terreuse.

LES BASSINS D'EAU

MODERNE ET PRATIQUE Ah! les bassins d'eau… Dans certaines régions, ils ont presque disparu. Pourtant, on commence à les regretter car ils n'avaient pas leur pareil pour recueillir les eaux de pluie et donner de la vie: dans les campagnes, en particulier, ils attiraient la sauvagine lors des migrations. On les établissait aux endroits où le sol était argileux, donc naturellement imperméable. On tassait, piétinait longuement le fond pour le rendre encore plus étanche – selon une opération baptisée corroyage.
La tendance est maintenant à recréer des bassins appréciés pour leur côté naturel. Même dans les jardins, et même là où le sol n'est pas argileux. En effet, des matériaux modernes permettent d'étanchéifier facilement n'importe quel substrat. C'est le cas, par exemple, de la bentonite, une sorte d'argile gonflante qu'il suffit d'étendre au fond du bassin avant de le mettre en eau.
Mais on emploie surtout de grandes bâches en plastique spécial, très résistant, appelées membranes géotextiles.
Pour créer l'écosystème, on installe dans l'eau du bassin quelques plantes oxygénantes comme des fougères d'eau qui contribuent à la purification. On ajoute quelques nénuphars et des quenouilles pour la beauté, sans oublier les poissons.

✤ **Les bons coins à morilles.** Les morilles – toutes espèces confondues – apparaissent au printemps, mais pas n'importe où… La morille vulgaire, la plus répandue, est l'hôte des sous-bois clairs et des bords des chemins. Recherchez-la sous les frênes, arbres avec lesquels le champignon entretient une relation privilégiée, mais aussi près des ruines, et là où le terrain a été remué (bords des terriers, etc.). D'autres morilles sont opportunistes. C'est le cas de la morille ronde, également très commune. Elle apparaît souvent là où on ne l'attend pas: sous un pommier, près d'un vieux matelas abandonné, sur une pelouse… D'autres encore éclosent dans les dunes, voire… sur les dépôts d'ordures.

LE MYSTÈRE DES « RONDS DE SORCIÈRE »

Certains champignons poussent en groupes, dessinant des cercles presque parfaits. L'herbe est brûlée à l'intérieur des cercles, et… très vigoureuse juste à la périphérie. Ces bizarreries n'ont pas manqué de susciter des superstitions. On y a vu l'intervention des fées et des sorcières, d'où l'appellation de « ronds de sorcière » donnée à ces cercles surnaturels.
Le botaniste Molliard a donné la clé du mystère: quand une spore germe, donnant naissance à un champignon, elle développe dans toutes les directions un mycélium souterrain. Celui-ci libère des sels nutritifs qui sont un véritable engrais pour l'herbe. Simultanément, le mycélium dégage des substances toxiques, stérilisant le terrain tout autour du champignon.
Voilà pourquoi les nouveaux champignons ne peuvent se développer qu'à une certaine distance du pied mère, délimitée par un cercle.

✤ **Les ressources de la forêt.** Sachez que vous pouvez vous y approvisionner en un tas de choses qui vous seront utiles au jardin. Le noisetier et le charme donnent des rames idéales pour les petits pois. Les fougères sèches protègent les cultures du gel: vous ne trouverez pas de paillis plus économique. La mousse est pratique pour les compositions et les suspensions fleuries. Ne commencez pas la cueillette sur un terrain privé sans avoir demandé au préalable l'autorisation du propriétaire.

TOURS DE MAIN D'AUTREFOIS

L es jardiniers des siècles passés ont été de grands créateurs et de grands inventeurs. À partir des ressources de la nature et de leur environnement, ils ont tout simplement créé la beauté des jardins. Une beauté qui nous fait encore vibrer aujourd'hui… Ils ont inventé des techniques astucieuses pour tirer parti de la terre, souvent ingrate. Toujours par des moyens modestes, parfois avec leurs seules mains et de pauvres matériaux. Qu'il s'agisse de décorer ou de bricoler, de travailler la terre ou d'entretenir le jardin, marchez dans leurs traces…

La décoration et le bricolage

Pour égayer un pan de mur un peu terne, vous pouvez y accrocher de vieilles théières ébréchées ou des pots en fer blanc, ou les aligner simplement le long de ce mur. Plantez-y géraniums, pétunias, bégonias tubéreux, fuchsias retombants et autres plantes de jardinière.

❀ **Ornements recyclés.** Les pots en terre cuite, en plastique ou en pierre reconstituée sont chers, et leur style souvent italien ne convient pas à tous les environnements. Voulez-vous donner un côté sans-façon à votre jardin ? Collectionnez les vieux récipients : soupières, bassines émaillées ou en zinc, cocottes, etc. Peignez-les éventuellement de manière amusante.

Seul point un peu délicat: la réalisation d'un trou, indispensable pour l'évacuation de l'eau d'arrosage. Faites-vous aider par un bricoleur bien équipé, pour ne pas briser les matériaux délicats ou, au contraire, pour perforer ceux qui sont très résistants.

TRADITION-HISTOIRE

Hymne aux nains de jardin

N e riez plus des nains de jardin. Ces symboles du kitch pavillonnaire ont quelques bonnes raisons d'exister. D'abord, le goût, ça ne se discute pas. Ensuite, ces sympathiques figurines vivement colorées, en plastique ou en terre cuite, seraient bel et bien les vestiges des gnomes, anciennes divinités de la terre. Et les sarcasmes des jardiniers antinains de jardin n'y pourront rien changer !
Au Québec et dans l'est du Canada, les sculptures de jardin représentent surtout des animaux de notre faune. Ainsi, il n'est pas rare de voir se côtoyer sur les parterres faons, canards, écureuils et bernaches, la plupart très colorés. À l'occasion, on rencontre aussi des figurines sorties de la littérature traditionnelle comme les gnomes et les schtroumph ! Ceux-ci restent grandement appréciés des tout-petits…
Quant aux faux champignons et aux faux puits, ils trouvent encore une place dans certains aménagements. Comme dit si bien le proverbe: «Des goûts et des couleurs il ne faut pas disputer». Ou encore cet autre: «Tous les goûts sont dans la nature».

Huile protectrice, certes, mais…

La meilleure huile pour protéger le bois de l'humidité, c'est l'huile de lin. Elle est malheureusement chère, ce qui est un inconvénient lorsqu'on a de grandes surfaces à traiter (clôture, cabane, etc.). Vous pouvez la remplacer par de l'huile de vidange, celle de votre tondeuse, par exemple. Une façon de la recycler !

Mais attention : n'utilisez pas l'huile de vidange sur des bois que vous serez amené à manipuler souvent, comme des manches d'outil, des sièges, des jeux pour enfants ou certaines parties de portillon. En effet, cette huile renferme des particules métalliques nocives, à la longue, pour la peau. L'huile de vidange s'utilise, comme l'huile de lin, en trempage ou badigeonnages répétés, sur matériau sec.

❋ **Clôtures et portillons.** Chaque région a son style de maisons, mais cette spécificité locale vaut également pour tous les éléments du petit patrimoine rural. C'est le cas, en particulier, des clôtures et des portillons. Si vous regrettez la banalisation du paysage, ne cédez pas hâtivement à la tentation d'une clôture en kit, modèle passe-partout. En vous promenant, repérez les plus jolis portillons, parfois vermoulus mais tellement charmants. Fabriqués avec quelques simples morceaux de bois, ils ne sont ni coûteux, ni difficiles à faire. Pour une grande durabilité, préférez le bois de cèdre, ou bien badigeonnez vos matériaux avec de l'huile de lin.

MOSAÏQUE POUR UNE JARDINIÈRE

Souci de récupération et créativité font tout le charme des objets de jardin rococo. Cette jardinière est décorée à l'aide de tessons de faïence multicolores. Pour les obtenir, mettez de la vaisselle et des carreaux abîmés dans un sac en toile forte, puis frappez à l'aide d'un marteau.

FOURNITURES

jardinière en terre cuite

ciment-colle

spatule, éponge

vaisselle et carreaux de faïence abîmés

ciment à joints pour carrelage

pigment acrylique (couleur au choix)

1 - Étalez le ciment-colle en fine couche avec la spatule. N'encollez pas tout mais procédez par petites surfaces pour pouvoir réaliser votre fresque avant qu'il ne sèche.

2 - Disposez les morceaux de faïence sur le ciment, selon votre inspiration, en les espaçant au minimum de 3 à 5 mm. Appuyez pour faire adhérer.

3 - Lorsque le motif est terminé, laissez sécher 12 h environ. Puis préparez dans une terrine une petite quantité de ciment à joints avec de l'eau, en lui incorporant le pigment.

4 - Le ciment coloré doit être bien lisse, sans être trop liquide. Étalez-le avec la spatule de manière à bien remplir les joints entre les morceaux. N'hésitez pas à tout recouvrir.

5 - Laissez sécher 2 h avant d'ôter délicatement l'excès de ciment avec une éponge humide. Nettoyez bien chaque morceau de cette mosaïque. Laisser durcir complètement.

Un bassin, même petit, donne toujours au jardin un charme supplémentaire, surtout s'il est agrémenté de plantes aquatiques.

❀ **Très décoratives : les lattes en bois de cèdre.** Les lattis et les treillis ont été largement utilisés pour les ornements de jardin dans les siècles passés. Vous pouvez en voir actuellement des exemples dans les jardins médiévaux reconstitués.

On les redécouvre pour leur beauté décorative et leurs multiples utilisations : clôtures basses, croisillons, palissage de plantes grimpantes, arceaux, pergolas, colonnes, gloriettes, etc.

Les clôtures de pruche donneront aussi à votre décor un air d'antan : en effet, elles sont utilisées depuis très longtemps au Québec autour des terrains de même qu'autour des potagers.

❀ **Massifs : le bon profil.** Pour produire le meilleur effet, un massif de fleurs doit être légèrement bombé. Pour parvenir à ce résultat, préparez le terrain au préalable : bêchez le contour du futur massif et entassez la terre des bords au milieu du massif pour former une butte. Modelez ensuite à l'aide d'un râteau de manière à obtenir un profil légèrement arrondi.

❀ **Du bon usage du carré.** Aussi loin que l'on remonte dans l'histoire des jardins, on retrouve le carré. Observez, pour vous en convaincre, les jardins médiévaux reconstitués, ou ceux de la Renaissance, comme le potager fleuri de Villandry, ou bien encore les parcs à la française. Cette figure géométrique est à la fois pratique et harmonieuse. Elle s'adapte particulièrement bien au potager, au jardin d'herbes et à la roseraie. Mais pas du tout, évidemment, au tracé tout en courbes des jardins d'ornement modernes, inspiré des parcs à l'anglaise.

Si votre terrain s'y prête, partagez-le en quatre carrés (ou rectangles), séparés par des allées. Prévoyez également une allée sur le pourtour. Au centre, à la croisée des allées, il faut placer un élément décoratif fort : vasque fleurie, statue, bassin, puits, gloriette, rosier-tige, etc. Soulignez la bordure de chacun des quatre carrés à l'aide de buis taillé, de santoline, ou de cordons de poiriers et de pommiers.

Gloire à la gloriette ! C'est un petit pavillon couvert de verdure dans un jardin. Lieu de relaxation, d'intimité, de convivialité, elle est à nouveau à la mode, le jardin étant souvent conçu de nos jours comme une pièce supplémentaire de la maison. Il en est de simples et de sophistiquées, pour tous les styles.

❀ **Petite folie.** Pour peu que votre jardin comporte un coin reculé et ombragé, ajoutez-y une touche de mystère et de poésie en imitant à votre échelle les folies des riches jardins des XVIIe et XVIIIe siècles. À l'aide de simples roches cimentées entre elles, créez une petite grotte abritant une vasque ou un bassin, lui-même maçonné. Mousse et feuilles mortes viendront vite compléter ce tableau plein de nostalgie…

❀ **Pergola rétro : choisissez le métal.** Cet élément de charme de votre jardin doit s'harmoniser avec le style de la maison et du jardin. Les modèles en bois ont une allure massive et une ligne contemporaine. Ils nécessitent des traitements fréquents contre la pourriture.

Pour obtenir un style rétro, choisissez plutôt une structure fine et solide en fer. Faites-la éventuellement fabriquer par un artisan. Vous la protégerez durablement à l'aide d'une peinture antirouille et vous la fixerez dans le sol par des plots en ciment légèrement surélevés. Une telle pergola mettra merveilleusement en valeur un rosier grimpant.

Donnez un aspect rustique et soigné à une petite allée irrégulière conduisant à un banc en posant un dallage de bois.

POSE D'UN DALLAGE DE BRIQUES

Pour une terrasse extérieure, les briques permettent un dallage non cimenté, qui fait plus naturel. Les joints serrés et le sable suffisent à consolider l'ouvrage. De plus, vous pouvez les disposer de multiples façons : ici en rectangles formant des carrés, mais aussi en chevrons, en lignes à joints décalés. Il existe aussi des briques autoblocantes de diverses formes courbes et de coloris différents.

FOURNITURES

bêche

planches de coffrage

2 chevrons bien droits, l'un à la dimension de la future terrasse, l'autre plus grand

niveau à bulle

5 piquets de 30 cm environ

sable

râteau

briques

marteau

balai

1 - Aplanissez le terrain. Placez les planches sur le pourtour de manière que les chants supérieurs dépassent du sol de l'épaisseur d'une brique plus 3 cm. Vérifiez l'horizontalité à l'aide du niveau posé sur un chevron.

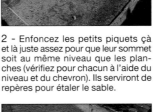

2 - Enfoncez les petits piquets çà et là juste assez pour que leur sommet soit au même niveau que les planches (vérifiez pour chacun à l'aide du niveau et du chevron). Ils serviront de repères pour étaler le sable.

3 - Répandez le sable de soubassement, qui servira de support au carrelage. À l'aide du râteau, étalez-le sur 3 cm d'épaisseur en vous aidant des petits piquets. Une fois ce nivelage terminé, ôtez les piquets.

4 - Nivelez soigneusement le sable en laissant l'épaisseur d'une brique au niveau du coffrage. Pour cela, tirez vers vous un chevron plus petit que le précédent, de la largeur intérieure du coffrage.

5 - Disposez les briques en commençant par celles du pourtour pour former une bordure. Ajustez-les bien horizontalement en les tapotant avec un marteau. Laissez un espace minimum entre les briques.

6 - Étalez du sable soigneusement de façon à combler tous les joints. Enlevez le surplus avec un balai. Laissez tasser quelques jours en arrosant ou en profitant de la pluie, puis enlevez les planches de coffrage.

Les outils et le matériel de jardinage

❀**La bonne brouette.** Investissez résolument dans une véritable brouette de jardinier, en bois, ou en bois avec structure métallique. Un tel engin est bien plus pratique pour les travaux de la terre que la brouette de terrassier en tôle, juste bonne pour le sable et le ciment !

Plus longue, la brouette de jardinier reste plus horizontale. Ses ridelles amovibles permettent de transporter des charges volumineuses. Et puis il faut admettre qu'elle est beaucoup plus décorative !

❀**Un manche bien en main.** Quoi de plus agréable qu'un manche d'outil doux à la main ! Si le bois n'est pas déjà patiné par l'usage, poncez-le avec du papier sablé fin. Ensuite enduisez-le d'huile de lin ou de paraffine.

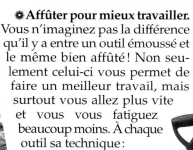

❀**Affûter pour mieux travailler.** Vous n'imaginez pas la différence qu'il y a entre un outil émoussé et le même bien affûté ! Non seulement celui-ci vous permet de faire un meilleur travail, mais surtout vous allez plus vite et vous vous fatiguez beaucoup moins. À chaque outil sa technique :

• pour la houe et le louchet (ci-contre), utilisez une grosse lime plate à métal ou une meule (régime lent) ;

• pour la binette ou la pelle : un tiers-point, une petite lime plate ou une meule (régime lent) ;

• pour le sécateur : un tiers-point, ou une pierre plate à eau ;

• pour la faux : un marteau et une enclume à battre, ou une pierre allongée spéciale.

❀**Savoir battre la faux.** Le but : aplatir le tranchant en le frappant à l'aide d'un marteau et d'une petite enclume spéciale que vous planterez dans le sol (cela amortit les chocs). Travaillez assis dans l'herbe, jambes écartées. Si votre enclume est carrée : battez à l'aide de la panne (partie opposée à la tête) du marteau, la lame étant présentée concavité vers le haut, tranchant vers vous. Si votre enclume est mince : battez avec la tête du marteau, la lame étant présentée concavité vers le bas, tranchant vers vous. Frappez le fer à petits coups réguliers orientés vers vous, en progressant peu à peu le long de la lame.

❀**Bêches régionales.** Saviez-vous que chaque région de France avait autrefois son modèle de bêche, fabriqué par les forgerons du cru en tenant compte des caractéristiques du terroir : sol léger ou lourd, profond ou superficiel… La bêche Senlis est devenue la plus classique, mais on trouve encore le modèle Vosges, au tranchant concave, le modèle Lorraine, pointu, le modèle Nantes, évasé, etc. En revanche, les bêches d'Avranches, du Mans, de Saumur, et bien d'autres encore, ne sont plus fabriquées.

❀ Éviter la rouille. L'oxydation est l'ennemie des outils de jardinage. Lorsque vous avez fini de travailler, nettoyez votre outil avec un chiffon ou une poignée d'herbes sèches, puis graissez le métal avec de l'huile de moteur.

ATTENTION !

Le tétanos

Trop de jardiniers ignorent encore qu'en se piquant avec une simple épine de rosier ou en se blessant même superficiellement avec un outil, ils peuvent attraper le ténanos.
Il vous est facile de vous prémunir contre cette maladie infectieuse très grave : mettez des gants spéciaux lorsque vous vous occupez de plantes épineuses et, surtout, tenez à jour votre carnet de vaccinations.
Un rappel du vaccin antitétanique est indispensable tous les dix ans.

❀ Le temps du labour. Ne vous trompez pas de saison pour empoigner la charrue ou la bêche : si votre sol est lourd, argileux, le labour – ou le bêchage – d'automne est indispensable. Il permettra à ce sol de subir l'effet bénéfique du gel, et vous le retrouverez émietté au printemps. Toutefois, attendez qu'il fasse froid, afin que les mauvais germes ne puissent plus pousser sur les mottes de terre retournée. En revanche, si votre sol est plutôt léger, facile à travailler, attendez le printemps, lorsque le sol sera asséché après la fonte des neiges.

❀ À quel moment travailler le sol au printemps ? Les paysans d'autrefois pressentaient, avec une grande clairvoyance, si la terre était dans le meilleur état pour être travaillée. Ils prenaient simplement une motte dans les mains et ils l'ouvraient. S'ils voyaient de nombreux petits germes blanchâtres (les futures mauvaises herbes), et si la terre se délitait volontiers en tendres grumeaux, c'était bon. À l'inverse, si le sol était compact, gras, d'apparence inerte, ils remettaient les travaux à plus tard.

❀ Le choix d'un sécateur. Le meilleur sécateur est un modèle simple, monobloc, en acier forgé. Il n'y a pas plus solide, et, de plus, vous pourrez l'affûter. Prenez un sécateur pourvu de butoirs en caoutchouc (pour amortir les chocs) et d'un ressort en boudin en Inox. S'il est de couleur vive, vous risquerez moins de l'égarer !

❀ Le sécateur dans le bon sens. Pour tailler, placez la contre-lame (non coupante) du sécateur du côté du bout de branche qui va tomber. La partie coupante réalisera une taille nette, sans bavure, du côté conservé.

FABRIQUER UN CHÂSSIS EN BOIS

Les châssis servaient autrefois aux horticulteurs pour protéger du froid les premiers semis et les boutures. Ils se composent de deux parties : le châssis vitré, qui est incliné et amovible, et le coffre, qui sert de support.

FOURNITURES

colle à bois, vis (35 mm)
4 planches de 19 mm : 117 x 35 cm pour l'avant 117 x 40 cm pour l'arrière 58 x 35 x 40 cm pour chacun des deux côtés
chevron 45 x 45 mm
2 tasseaux de 40 cm pour les béquilles
tasseau de 58 x 7,5 cm et tasseau de 59 x 1,5 cm pour l'entretoise
tasseaux à feuillure (feuillure de 12 mm) 4 de 58 x 7,5 cm et 4 de 65 x 7,5 cm pour les 2 châssis
2 crémaillères de 55 cm
4 charnières
2 vitres double épaisseur de 43 x 50 cm
1 planche de 117 x 8,5 cm

1 - Assemblez les deux côtés en collant et en vissant les tasseaux. Clouez le tasseau de 40 cm sur chaque panneau de côté en le laissant mobile, de façon qu'il fasse béquille. Assemblez les 4 côtés du coffre.

2 - Collez les 2 tasseaux de l'entretoise : celui de 58 cm à l'horizontale, et le deuxième, de 59 cm, centré à chant par-dessus. Découpez une mortaise au milieu des panneaux avant et arrière, et fixez-y l'entretoise.

3 - Fixez les charnières sur un des montants de châssis. Collez et vissez les crémaillères sur un côté. Assemblez par tenons et mortaises les tasseaux à feuillure des couvercles vitrés, en y insérant les vitres.

4 - Vissez les 4 charnières sur la barre transversale du fond. Fixez cette barre sur le coffre. Montez les châssis vitrés sur le coffre en les glissant dans les charnières. Peignez votre châssis.

❀ **Oubliée: la houe.** Ce fut, pendant des siècles et des siècles, un outil de base des jardiniers. Elle sert encore à piocher le sol dans certaines régions au sol léger, ce qui remplace le bêchage. La houe est idéale pour décaper un terrain encombré de nombreuses herbes. Elle sert également à butter les pommes de terre, les asperges, etc. Choisissez-la munie d'une lame plus longue que large, qui lui donnera «du coup». Et si vous prenez soin de l'affûter régulièrement, vous ne pourrez bientôt plus vous séparer de votre houe!

❀ **Pour pulvériser: la seringue.** Les jardiniers d'autrefois ne pouvaient pas toujours s'acheter un beau pulvérisateur à dos en cuivre. Ils vaporisaient leurs produits à l'aide d'une seringue, fonctionnant comme une pompe à vélo, alimentée grâce à un tuyau par un seau rempli du liquide à pulvériser.

DU VERRE AU POLYMÈRE

MODERNE ET PRATIQUE Si beaux qu'ils soient, cloches et châssis à l'ancienne n'en sont pas moins désespérément fragiles. Un chat turbulent, un caillou éjecté du motoculteur, un choc d'outil, et voilà mille morceaux de verre qui se répandent sur la terre. Rendons grâce au polycarbonate, un polymère récemment apparu dans les jardins, qui révolutionne la technique de l'effet de serre: ce plastique est rigide et aussi transparent que le verre, mais il a l'avantage d'être incassable, sauf, paraît-il, à très basse température. Mieux: assemblé en double vitrage ou structuré en alvéoles, il devient très isolant. Voilà pourquoi le polycarbonate fait merveille dans la confection des cloches continues (minitunnels rigides), des serres et des châssis.

❀ **Des cloches utiles.** Les cloches en verre d'autrefois, rondes ou oblongues, ont été remplacées par les tunnels en plastique. Pourtant, dans votre jardin, elles peuvent encore être utiles pour protéger certains plants et accélérer leur maturation. Fabriquez-les à partir d'un montant de bois carré sur lequel vous fixez deux arceaux de fil de fer croisés. Tendez un film plastique que vous agraferez sur le bois. Pensez à les entrebâiller en coinçant un petit bâton sous le bord pour ventiler la jeune pousse.

À la fin du siècle dernier, il n'y avait guère de grande maison bourgeoise qui ne soit pourvue d'une serre. Cela permettait au jardinier de semer «à chaud» toutes les fleurs des massifs et les plants du potager.

N'entassez pas vos outils pêle-mêle. Confectionnez un petit atelier de rangement, décoratif et utile, en perçant plusieurs rangées de trous espacés dans deux planches fixées assez bas au mur.

L'entretien et l'arrosage du jardin

❋ **Les engrais verts.** Il y a des plantes qui sont capables d'améliorer le sol du potager. Miracle? Non, c'est tout simplement naturel. Si vous avez un carré qui se libère en août, semez-y à la volée du trèfle, par exemple, à raison de 25 g pour 10 m². Aussitôt germées, les petites plantes à trois feuilles commenceront à travailler pour vous. Grâce à des bactéries vivant en association avec leurs racines, elles fixeront de l'azote puisé dans l'air circulant dans le sol… pour le restituer plus tard à la terre, et donc aux cultures suivantes. Un véritable engrais biologique! De plus, les racines de trèfle émietteront le sol mieux qu'un bêchage. Au printemps, alors que le trèfle épanouira ses belles fleurs (ci-dessus), vous faucherez, laisserez se décomposer deux semaines en surface, puis incorporerez cette fumure par bêchage.

❋ **Du bon usage des cendres de bois.** Riches en phosphore, potasse, calcium et oligoéléments, les cendres de bois sont un excellent engrais naturel et… gratuit. Épandez-les à toute époque de l'année sur la pelouse et ailleurs dans le jardin (dose : 0,5 à 1 kg pour 10 m²). Si la terre est nue, ne laissez pas les cendres en surface, car elles provoqueraient un compactage nocif. Enfouissez-les par bêchage ou d'un simple coup de râteau.

❋ **Précieux rameaux de buis.** On conte l'histoire de cette vieille femme du plateau du Larzac, en France, qui déposait au pied de ses tomates fraîchement repiquées une couche de rameaux de buis, pour conserver l'humidité, prétendait-elle. En fait, le buis agirait également contre les maladies. Et, dans le Vercors, les anciens mettaient beaucoup de feuilles de buis dans le trou de plantation des arbres fruitiers, afin qu'ils poussent mieux. (Le buis peut être cultivé dans la région de Montréal.)

❋ **Sus aux chardons!** Autrefois, on avait coutume de désigner le chardon comme «le sceau des terres mortes». En attendant de ressusciter votre terre par de bonnes fumures, éradiquez l'envahisseur. Selon le frère Marie-Victorin, c'est l'une des plus envahissantes mauvaises herbes de notre territoire. La meilleure méthode pour l'éradiquer consiste à faucher continuellement la plante, ce qui épuisera à moyen terme les rhizomes traçants et profonds de cette plante.

LES BIENFAITS DES ALGUES

MODERNE ET PRATIQUE De tous temps, les paysans du littoral breton, en France, ont ramassé les algues qui s'échouaient sur les plages. Après les avoir exposées à la pluie pour les dessaler, ils les épandaient dans leurs champs comme ils l'auraient fait avec du fumier. Les algues – brunes, rouges ou vertes –, en effet, sont un cocktail inimitable de composés éminemment fertilisants. Grâce à la présence de polysaccharides, elles concentrent jusqu'à 250 000 fois certains oligoéléments présents dans l'eau de mer.

Les industriels savent maintenant travailler les algues pour rendre leur utilisation possible à tous les agriculteurs et jardiniers. Ils pratiquent l'ultrafiltration, la centrifugation et d'autres techniques encore, pour extraire le meilleur des algues. Grâce à eux et à leurs extraits d'algues liquides, rien ne vous empêche plus d'offrir à votre jardin et à vos plantes vertes une véritable cure marine! Il est facile de se procurer des engrais d'algues liquides sur le marché au Canada. On trouve aussi de l'engrais combiné d'algues et d'émulsions de poissons...

❋ **Désherber à l'eau bouillante.** On dit que l'eau de cuisson des pommes de terre est un bon désherbant. En fait, c'est l'eau bouillante qui est fatale aux mauvaises herbes. Lorsque vous égouttez des pâtes, des haricots, des légumes secs, du riz ou tout autre aliment cuit à l'eau, profitez-en pour ébouillanter un coin d'allée ou de terrasse à nettoyer.

❋ **Éliminer les ronces.** Facile à dire, mais plus difficile à réaliser, tant ces arbustes sont pleins d'une vitalité mise au service de leur stratégie d'expansion. Coupées, les ronces ont tendance à refaire des pousses, appelées drageons. Sauf si… vous attendez, pour opérer, que vos ronces soient au plus bas de leurs réserves vitales. Ce stade intervient au cours de l'été, période où ces arbustes produisent leur abondante floraison. Les anciens recommandaient donc de rabattre les ronces entre le 31 juillet et le 7 août afin qu'elles s'affaiblissent d'année en année, jusqu'à disparaître.

❋ **Humus d'arbres creux.** Pour vos semis et vos rempotages, allez à la recherche du meilleur terreau qui soit, et aussi le plus naturel! Repérez un arbre creux, de préférence un vieux peuplier ou encore un saule, et récoltez le «poudron» accumulé au fond de la cavité. Cet humus parfumé et parfaitement sain est le produit de la décomposition du cœur de l'arbre… enrichi peu à peu des déjections des oiseaux qui sont venus se réfugier dans le trou.

Une terre bien enrichie et binée, un bon arrosage, tels sont les secrets du jardinier pour obtenir des produits savoureux.

« UN BINAGE VAUT DEUX ARROSAGES »

Voilà un dicton surpre-nant, mais pourtant plein de bon sens et de vérité scientifique !
Si vous observiez au micro-scope la terre de votre jardin, vous verriez qu'elle est sillon-née de minuscules galeries et fissures qui, partant des profondeurs, aboutissent en surface. Par ces cheminées s'évapore peu à peu l'eau du sol. Imaginez maintenant qu'un passage de binette ait ameubli la terre sur 1 ou 2 cm d'épaisseur. À l'échelle mi-croscopique, ce chambou-lement détruit les cheminées et bloque la fuite de l'eau venant du sous-sol. Seule la couche remuée se dessèche, ce qui a peu d'importance. Un conseil : quelque temps après avoir arrosé, « décroû-tez » la terre avec une bi-nette. Vous économiserez des arrosages. Et si vous ne pouvez pas arroser… binez !

FAIRE DU COMPOST

Ce qui vient de la terre doit retourner à la terre ! Récupérez vos déchets de jardin pour les transformer en compost, que vous incorporerez au sol du jardin ou que vous étalerez en surface, sous les arbustes. Il faut compter environ un an pour que les déchets se décomposent.

FOURNITURES

déchets de jardin (feuilles, tontes de gazon, fleurs fanées, etc.)
fourche
silo à compost
morceau de vieux tapis

1 - À l'aide d'une fourche, mettez les déchets de jardin dans le silo. Une petite quantité de déchets, si possible variés, suffit au départ. Le mélange de matériaux secs et humides, fins et grossiers, est indispensable à la réussite du compostage.

2 - Par la suite, remplissez le silo au fur et à mesure de la disponi-bilité des déchets. Arrosez le tas s'il vous semble sec.

3 - N'hésitez pas à recycler vos déchets de cuisine dans le tas de compost, comme autrefois ! Mélan-gez-les aux autres matériaux.

4 - Recouvrez le tas du morceau de tapis, afin de mieux conserver la chaleur produite par la fermentation naturelle du compost.

✿ Biner sous le soleil.
Dès que les mauvaises
herbes germent dans un
massif ou dans un carré
du potager, passez un
coup de griffe (cultivateur
à dents) rapide et super-
ficiel pour les déraciner.
Si vous opérez par grand
soleil, les plantules se des-
sècheront sans avoir le
temps de se réenraciner.

**✿ Les engrais inatten-
dus.** Faites comme les anciens, recyclez tout ce qui
peut être fertilisant :

• la suie issue du ramo-
nage de la cheminée, à
l'exclusion de la suie de
mazout. C'est un engrais
azoté ;

• le marc de café, car il a
la même composition que le fumier ;

• les plâtras issus de démolition, riches en calcium et
en soufre, qui ont la propriété de rendre plus savoureux
les légumes et les fruits du jardin. Réduisez-les en petits
morceaux avant de les incorporer au sol.

✿ Terreaux maison. Les terreaux de feuilles valent
bien, pour effectuer vos semis et rempotages, tous les
terreaux du commerce à base de tourbe. Et, contrairement au compost jardinier habituel, ils ne renferment
pas de graines de mauvaises herbes. Entassez toutes
vos feuilles mortes dans un coin ombragé du jardin.
Avec les pluies, elles vont se décomposer peu à peu.
Vous pouvez y mélanger de la terre. Au bout de six
mois, retravaillez le tas à la fourche. Au printemps suivant, le terreau sera prêt à être utilisé, après tamisage.

• Les meilleures feuilles pour le terreau : frêne, aulne,
tilleul, saule, noisetier.

• Les feuilles à décomposition plus lente : érable,
chêne, bouleau, marronnier.

LE PURIN D'ORTIES

INGRÉDIENTS

quelques brassées
d'orties

eau

1 - Mettez les orties, sans tasser,
dans un grand récipient non métallique, par exemple un fût en
plastique. Couvrez d'eau et ob-
turez l'ouverture du récipient.
2 - Brassez le mélange tous les
deux jours à l'aide d'un morceau
de bois. Au bout de deux semaines, le purin est prêt. D'ailleurs,
l'odeur ne laisse aucun doute à
ce sujet !
3 - Filtrez-le avant de le mettre
dans l'arrosoir, et diluez-le à
raison de 1 volume de purin pour
6 ou 7 volumes d'eau.

4 - Utilisez cette mixture pour
arroser vos jeunes plants, et,
d'une manière générale, tous les
végétaux qui ont besoin d'un
coup de fouet. Le purin d'orties
se conserve toute une saison.

LES PAILLIS

MODERNE ET PRATIQUE Avec sa consonance américaine, le mot «mulch» fait très nouveauté. Pourtant, si ce terme est effectivement tout neuf dans notre vocabulaire jardinier, la chose est fort ancienne et bien connue chez nous. «Paillis» et «paillage», vous connaissez. «Mulch» et «mulching», c'est à peu près la même chose.
À la nuance près que les Anglo-Saxons nous ont appris à couvrir le sol avec bien d'autres choses que de la paille ou du fumier pailleux. Ainsi, vous trouverez maintenant dans les rayons de jardinerie des produits inconnus de nos ancêtres (pour cet usage), comme les écorces de pin broyées, les copeaux de cèdre, voire des coques de cacao au parfum… de chocolat (voir ci-dessus).
Ces paillis sont des déchets tout à fait naturels de diverses industries, recyclés à l'usage des jardiniers. Vous les utiliserez en couche de 5 cm d'épaisseur environ au pied des rosiers, des arbustes, etc. Cela permettra d'économiser les arrosages et vous évitera les désherbages. De plus, cela donnera un petit air soigné à vos plantations.

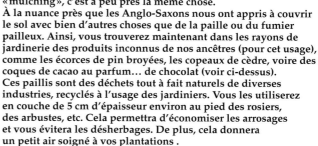

❀ **Un arrosage en profondeur pour les arbres.** Au pied des arbres, l'eau a souvent du mal à s'infiltrer car la terre est tassée. Avec une tarière, faites plusieurs trous de 20 cm de profondeur environ dans la zone occupée par chaque arbre. Vous y déverserez le contenu de votre arrosoir, au grand profit des racines les plus profondes.

❀ **«Dégourdir» les graines.** Si vous semez en terre sèche, donnez un arrosage en pluie fine juste après. Cet apport d'eau permettra d'accélérer la levée en réveillant – les vieux jardiniers disent «dégourdissant» – les semences. Mieux encore: après l'arrosage, couvrez le semis avec un sac de jute, jusqu'à la levée.

❀ **Arroser le matin… ou le soir?** Comme souvent en jardinage, il n'y a pas de vérité universelle. Cela dépend de la saison et du temps. Au printemps ou à l'automne, il fait plutôt frais: arrosez le matin afin que le refroidissement causé par l'apport d'eau soit vite compensé par le réchauffement de la journée. Ainsi les plantes arrosées ne souffriront pas.

En plein été, au contraire, arrosez plutôt le soir. Si vous le faisiez le matin, une bonne partie de l'eau apportée s'évaporerait durant la journée sans que vos plantes puissent en profiter.

❀ **Des idées… pour l'arrosage.** Rien de tel que l'arrosage goutte à goutte pour économiser l'eau. Vous pouvez trouver sur le marché des tuyaux d'arrosage perforés de minuscules trous sur toute la longueur. Ou vous pouvez récupérer vos vieux tuyaux et les perforer vous-même! Installez-les le long de vos haies ou dans vos massifs. Ils sont faciles à déplacer et, surtout, ils vous assurent un arrosage en profondeur, où pas une goutte n'est perdue.

POURQUOI ÇA MARCHE

DE VRAIES POTIONS MAGIQUES

Nul ne sait à quand remonte – ni comment s'est produite – l'invention du purin d'orties. Mais nos ancêtres n'ont pas attendu les explications de la science pour concocter cette potion aux vertus quasi miraculeuses. Assurément, les plantes arrosées avec le fameux purin sont plus vigoureuses, plus belles, plus résistantes.
Des chercheurs suédois ont, en 1981, comparé différentes cultures arrosées avec du purin d'orties ou avec une solution chimique de composition équivalente. Les rendements obtenus ont été supérieurs avec le purin, les racines des plantes étant alors plus longues qu'avec des engrais chimiques.

Pourtant, l'ortie n'est pas un engrais. Les teneurs du purin en azote, phosphore, potasse et autres éléments fertilisants sont trop faibles pour expliquer son effet coup de fouet. Il jouerait plutôt un rôle de stimulant biologique. Mais on ignore encore la nature exacte des substances actives, peut-être des hormones de croissance.
Plus récemment, des chercheurs allemands ont mis en évidence les effets bénéfiques d'une macération de compost de fumier bien mûr. Pulvérisé sur la vigne ou les pommes de terre, cet extrait les protégerait contre les maladies, peut-être grâce aux micro-organismes présents dans la mixture.

LA CHASSE AUX NUISIBLES

L e jardin est un de ces champs de bataille où l'homme combat éternellement les maladies, les chenilles et autres insectes, les limaces, les rongeurs ou les oiseaux. À force d'astuces et d'observations, les jardiniers ont fini par savoir ce qui marchait ou ne marchait pas. Qui sait si vous-même n'ajouterez pas votre pierre à cette science populaire ?

Les maladies

❋ **Les dangers du fumier frais.** Vos cultures sont fréquemment victimes de maladies ? À coup sûr, quelque chose ne va pas dans votre façon de fertiliser le terrain. L'erreur la plus fréquente consiste à enfouir du fumier frais au printemps. Le fumier doit être employé après une décomposition d'au moins six mois sinon il risque de provoquer des brûlures sur les racines et de favoriser le développement de maladies. Par précaution, n'épandez dans votre jardin que du fumier bien mûr ressemblant à du terreau.

❋ **Faire tourner les cultures.** Les bons cultivateurs pratiquent la rotation : une même culture ne revient sur une même parcelle qu'au bout de trois ans minimum, afin d'éviter certaines maladies dont les germes subsistent dans le sol. Au jardin, cette précaution est particulièrement importante pour les bulbes (poireau, ail, oignon, échalote) et les choux, et elle est bénéfique à la plupart des plantes.

LA DÉCOCTION DE PRÊLE

INGRÉDIENTS

100 g de prêle des champs fraîche (ou 15 g de plante sèche)

5 litres d'eau de pluie

1 - Faites tremper les plantes (sèches ou fraîches) dans 1 litre d'eau pendant 24 h.
2 - Faites bouillir 20 min, couvrez et laissez refroidir.
3 - Ajoutez 4 litres d'eau. Versez dans le pulvérisateur. Pulvérisez-en vos plantes préventivement, le matin, pour les protéger contre toutes les maladies (mildiou, rouille, oïdium, nodule noir, tavelure, cloque).

La seringue en cuivre reliée à un réservoir servait autrefois pour épandre la bouillie bordelaise.

❋ **Le charbon de bois qui assainit.** Rien de plus affligeant qu'une plantule qui dépérit quelques jours à peine après la levée ! C'est ce que les spécialistes appellent la fonte des semis. Cet incident, malheureusement courant, est causé par différents champignons pathogènes naturellement présents dans le sol et dans les terreaux. Pour neutraliser les germes nocifs, saupoudrez dans le sillon, au moment du semis, du charbon de bois réduit en poudre. Mélangez-en également, à volonté, aux terreaux dont vous garnissez godets et terrines.

Cuivre et soufre : traditionnels mais pas anodins

Utilisés depuis plus de un siècle, le soufre et les fongicides à base de cuivre (bouillie bordelaise, oxychlorure de cuivre, etc.) ont fait la preuve de leur innocuité pour les personnes qui effectuent les traitements comme pour les consommateurs des produits traités. Leur impact sur la faune est considéré comme faible.
Le seul risque lié à l'utilisation de ces produits est celui de leur phytotoxicité, c'est-à-dire de leur toxicité pour les plantes qu'ils doivent protéger contre les maladies. Celle-ci se manifeste par des brûlures du feuillage. Prenez donc quelques précautions :
• bouillie bordelaise et autres produits à base de cuivre : ne traitez pas les abricotiers, cerisiers, pêchers, poiriers, pommiers et pruniers au printemps et en été, lorsqu'ils ont des feuilles ;
• soufre : ne traitez pas lorsqu'il fait plus de 28 °C.

❀ **Soufrer les plantes qui souffrent.** Un bon vieux produit, et pas cher de surcroît ! Dès qu'il fait plus de 16 °C, le soufre dégage une vapeur qui tue les champignons pathogènes, cause de maladies comme l'oïdium (ou «blanc») sévissant sur la vigne, les rosiers, les courgettes, les melons, etc., ou bien la tavelure du pommier et du poirier. Le «soufrage» traditionnel est un poudrage réalisé avec du soufre en fleur. Il existe maintenant des soufres à pulvériser en mélange avec de l'eau. Le soufre est préventif et curatif.

❀ **Coupe salutaire.** Une maladie se déclare sur un arbre, un arbuste, un plant de fleur ou de légume, une plante verte ? N'hésitez pas : tranchez dans le vif. Ôtez à l'aide de ciseaux ou d'un sécateur tout organe malade et, si possible, brûlez-le. En tout cas, ne le laissez pas traîner à proximité, car il consitue une source potentielle de contamination. Ce conseil vaut pour la plupart des maladies : mildiou, oïdium, rouille, moniliose, etc. Il permet au moins de ralentir la progression du mal et ne cause aucune pollution.

❀ **Bouillie bordelaise : la panacée... ou presque !** Découverte en 1882, la précieuse mixture bleue mérite toujours autant d'être pulvérisée préventivement sur vos plantes pour les protéger :
• vigne, tomate et pomme de terre contre le mildiou ;
• ail, échalote, céleri, endive, laitue, chou, haricot, chicorée frisée et scarole, mâche, oignon et poireau contre la rouille et autres maladies ;
• les rosiers contre la maladie des taches noires ;
• les conifères d'ornement contre le dépérissement ;
• les arbres fruitiers contre la tavelure, la cloque, la criblure du prunier, le chancre, etc.
Vous trouverez la bouillie bordelaise dans les jardineries. Respectez les doses indiquées par le fabricant.

❀ **Gommer la gomme.** Certains arbres – cerisiers, pêchers, abricotiers en particulier – présentent des écoulements d'un liquide poisseux jaunâtre ou brunâtre. L'apparition de cette gomme est liée soit à une maladie, soit à de mauvaises conditions de milieu auxquelles il est difficile de remédier. Pour faire cesser cet épanchement, il existe un moyen tout à fait naturel : ôtez d'abord la masse gluante, puis frictionnez la plaie avec une poignée d'oseille. L'acide oxalique contenu dans cette plante a pour effet de cautériser les tissus à vif de l'arbre.

Les insectes

❀ **Parasites souterrains.** Vers gris et vers blancs menacent vos jeunes plants fraîchement repiqués. Pour les neutraliser, sinon les détruire, arrosez le sol avec de l'eau dans laquelle vous aurez fait macérer pendant plusieurs jours des feuilles fraîches de noyer ou des écorces vertes de noix.

❀ **Lutter contre les fourmis.** Éloignez-les en plaçant sur leur chemin des fleurs de tanaisie (une fleur sauvage, ci-contre) ou des feuilles de basilic, de menthe, de lavande ou d'absinthe.

Si cette méthode douce ne suffit pas, proposez aux indésirables hyménoptères du sucre en poudre imbibé d'essence de térébenthine, mélange qui leur sera fatal.

❀ **Chauves-souris gourmandes.** «Il faut bien se garder de détruire les chauves-souris, car elles font la chasse aux insectes et en détruisent une grande quantité.» Tout est dit, dans cet extrait d'un vieux livre de jardinage, sur le rôle fondamental des prédateurs dans la prévention des pullulations de nuisibles. Personne ne niera, aujourd'hui, que les chauves-souris sont grosses consommatrices de papillons nocturnes, comme celui de la tordeuse des bourgeons de l'épinette dont la chenille abonde, à intervalles réguliers, dans certaines de nos forêts.

COCCINELLES À VENDRE

MODERNE ET PRATIQUE Nul doute que si les coccinelles portent le nom populaire de «bêtes à bon Dieu», c'est que leur rôle bienfaisant dans les jardins est reconnu depuis longtemps. Chacun sait, en effet, que ces coléoptères sont les ennemis naturels jurés des pucerons. Mais jusqu'à une date récente, les jardiniers ne pouvaient que... prier le bon Dieu pour que ces petites bêtes veuillent bien les délivrer des envahisseurs de leurs rosiers.

Trop souvent, hélas – question de température –, les coccinelles arrivaient trop tard pour juguler la pullulation. Maintenant, grâce aux travaux des entomologistes, tout un chacun peut se procurer dans certaines jardineries, au printemps, des coccinelles. Il suffit d'en relâcher une ou deux dans chaque colonie de pucerons pour que la lutte biologique se mette en branle.

Leurs larves sont élevées en insectarium et nourries de pucerons eux-mêmes élevés sur des plants de fève. Une nouvelle coccinelle, d'origine asiatique, va jusqu'à accepter un régime à base de vers de farine, plus faciles à élever que les pucerons. Mais si vous la lâchez dans votre jardin, elle retrouvera son instinct de prédatrice de pucerons.

❀ **Plantes odorantes.** Beaucoup plus que nous, les insectes sont sensibles aux odeurs. Et pour cause : c'est principalement l'odorat qui les guide dans la quête de leur nourriture. Ils recherchent en général telle plante, et pas une autre. Au jardin, amusez-vous à brouiller les pistes ! À l'occasion, déposez sur les feuilles de vos choux des gourmands de tomate fraîchement taillés, ou des rameaux de genêt ou de thuya. Vous tiendrez ainsi à l'écart les papillons, comme la piéride du chou, parents des redoutables chenilles (ci-dessus). De la même façon, le sureau protégera vos semis (radis, navets, etc.) des attaques de l'altise, un coléoptère qui perfore les jeunes feuilles.

❀ **Piège à guêpes traditionnel.** Tant qu'elles se contentent de chasser d'autres insectes, les guêpes ne nous causent guère de soucis. Mais, dès que les premiers fruits mûrissent, les voilà qui fréquentent assidûment vergers et treilles pour les piller. Il n'y a guère qu'une solution radicale pour sauver les récoltes : suspendez aux arbres des bouteilles contenant un peu d'eau miellée. Préférant le miel aux fruits, les guêpes iront s'y noyer.

❀ **Poudrage antipucerons.** Insectes suceurs, les pucerons ont au moins une qualité : ils sévissent groupés, en général au bout des tiges, là où la sève est la plus nutritive et la plus accessible. Cette concentration de l'ennemi est une aubaine : projetez sur chaque colonie une poignée de cendre de bois, ou saupoudrez un peu de talc. Ce poudrage les asphyxiera, car ils respirent par de petits orifices situés le long de leur abdomen. Si la pluie lessive le produit, recommencez. C'est simple, et garanti non polluant !

❀ **Recyclage des mégots.** Bien que «nuisant gravement à la santé» du fumeur, le tabac possède au moins une vertu aux yeux du jardinier : c'est un très bon insecticide naturel. Faites macérer le contenu d'un paquet de tabac gris (ou l'équivalent en mégots) dans 10 litres d'eau pendant une à deux semaines. Filtrez et pulvérisez sur les plantes envahies de pucerons.

❀ **L'utilité des oiseaux.** Ne chassez pas trop vite les oiseaux de votre jardin. Ils peuvent certes y faire des dégâts, mais n'oubliez pas que beaucoup sont insectivores. Si vous voulez les inciter à venir picorer les coléoptères et autres indésirables, offrez-leur le gîte en installant un nichoir.

Naturels mais allergisants

ATTENTION !

Les insecticides naturels à base de pyrèthre sont à la fois efficaces contre les insectes et dénués de toxicité pour les animaux à sang chaud et pour l'homme. On a pu éprouver ces qualités tout au long d'un bon siècle d'utilisation dans les jardins. Cependant, ces produits, extraits d'une sorte de chrysanthème, peuvent déclencher des crises chez les personnes allergiques. Prudence, donc, si vous êtes de celles-là.

❀ **Nuisibles d'autrefois.** Les vieux livres de jardinage font grand cas de la courtilière (ci-dessus), la taupe-grillon aux redoutables mandibules. On ne savait pas quoi inventer pour en débarrasser son jardin. Eh bien, de nos jours, il n'y a presque plus de courtilières. De récentes enquêtes l'ont montré. D'autres insectes autrefois considérés comme des plaies se font maintenant discrets, sans que l'on sache l'expliquer. C'est le cas, entre autres, du porte-queue machaon (ci-contre) – un magnifique papillon dont les chenilles dévorent les carottes –, des hannetons et des cétoines.

❀ **Bande engluée.** Nombre d'insectes nuisibles montent tout simplement le long du tronc pour envahir les arbres. C'est le cas, en particulier, de certaines chenilles et des fourmis « éleveuses » de pucerons. Barrez-leur la route en plaçant à mi-hauteur sur le tronc une bande enduite de glu. On en trouve maintenant dans le commerce qui sont prêtes à l'emploi.

Protégez vos jeunes fruits (poires, raisins…) des insectes volants en les ensachant dans un tissu léger. Les beaux fruits que vous récolterez vous récompenseront de ce travail de patience !

Les autres animaux

❋ Herbivores à dissuader. Ils ont de longues incisives et sont déterminés à s'en servir… à vos dépens ! Mais chevreuils, lapins et marmottes ont un talon d'Achille : ils n'aiment ni l'odeur de l'urine ni celle du sang. Répandez, autour des parcelles à protéger, du sang desséché du commerce (un engrais). Quant à l'urine, voyez ce qu'il vous reste à faire !

❋ Lapins trop gourmands. Si les habitants de la garenne voisine prennent goût aux petits légumes de votre potager, pratiquez une méthode non violente mais très dissuasive. Saupoudrez du soufre sur le pourtour de votre jardin et autour des plantes les plus attractives. Cela marche quand il fait plus de 16 °C, température nécessaire pour que le soufre se volatilise.

❋ Des palmipèdes au potager. Si vous élevez des canards, lâchez-les de temps en temps dans le potager, par temps humide, car ils se nourrissent des limaces. Rentrez-les au poulailler dès qu'ils paraissent s'intéresser à vos salades.

❋ Des répulsifs pour les écureuils. Les prolifiques écureuils causent de nombreux dégâts dans nos jardins. Des répulsifs tels poivre de Cayenne, sang séché et grains de poivre peuvent les éloigner. Répandez autour des plants par temps sec et répétez l'opération après une pluie. Les oignons, l'ail et l'urine humaine sont aussi des répulsifs convaincants pour écureuils, chats et chiens.

S'il est un domaine où l'imagination n'a pas de limites, c'est bien celui des épouvantails. De par leur fabrication, il ne peut y en avoir deux pareils. Et heureusement ! La durée d'efficacité d'un épouvantail est très courte. Quelques semaines dans le meilleur des cas, car les oiseaux s'habituent. Donc changez souvent d'épouvantail si vous voulez qu'il continue… d'épouvanter.

✲ Feuilles de noyer contre les campagnols. Quand ils s'y mettent, les mulots ne font pas de détail. Rien de ce qui est savoureux, charnu, nutritif, et qui se trouve en terre n'échappe à leurs dents : bulbes à fleurs, pissenlits, topinambours, endives, carottes, etc.

Vous repousserez ces désastreux rongeurs en creusant à l'automne un petit fossé (à peine un fer de bêche) tout autour des parcelles menacées et en le remplissant de feuilles de noyer.

Si possible, couvrez entièrement le carré avec ces mêmes feuilles séchées, aux vertus répulsives.

Histoire de taupiers

Autrefois, en France, des hommes faisaient métier de détruire les taupes. Les taupiers allaient de ferme en ferme, vendant leurs services. Tous les jours au printemps, de 10 heures à midi, ils se promenaient dans les champs et les prés hérissés de taupinières. Dès qu'ils la voyaient la terre se soulever, ils donnaient un coup de bêche en travers de la galerie, tuant ainsi l'animal. On conte que les plus roublards se gardaient bien de tuer toutes les taupes d'une ferme. Ils prenaient soin de laisser au moins une belle femelle pour assurer la reproduction de l'espèce, et donc sauvegarder leur gagne-pain !

Il n'y a plus de taupiers, et les prés sont de nouveau hérissés de petits monticules de terre. Mais les agriculteurs s'en accommodent. Ils ont compris que la taupe, en drainant la terre et en dévorant les vers blancs, avait aussi son utilité.

✲ Barrière antilimace. Pour protéger vos plantes délicates de l'appétit des mollusques, entourez-les simplement d'un cordon de cendre de bois ou de suie. Les sels caustiques de la cendre et de la suie sont très dissuasifs pour les limaces, au pied sensible. Pensez à renouveler l'opération après des pluies importantes.

✲ Recherche répulsifs désespérément. Saviez-vous que les merles et étourneaux qui pillent vos cerisiers ont un point faible : ils ont, si l'on peut dire, le nez fin ! Les odeurs désagréables les repoussent. Suspendez dans vos arbres des boules de naphtaline ou un… hareng saur.

✲ Piège à limaces. Voici un procédé infaillible, mais qui ne peut être pratiqué que pendant quelques jours au printemps (en juin). Entassez dans divers coins du jardin des fleurs du robinier faux-acacia et recouvrez les tas de feuilles du même arbre. Les limaces sont très friandes de ces fleurs et arrivent de tous les côtés la nuit. Le matin, il ne vous reste plus qu'à les ramasser et à les détruire, par exemple en les noyant dans un seau d'eau.

✲ Truc infaillible et écologique. Broyez finement des coquilles d'œufs séchées. Répandez-les autour des plants : les limaces détestent ces morceaux piquants qui leur collent au ventre. Cette arme infaillible est en plus écologique parce que les coquilles broyées sont un bon engrais azoté.

ILS N'AIMENT PAS LES INFRASONS

MODERNE ET PRATIQUE Les musaraignes et les campagnols, animaux souterrains, sont sensibles aux vibrations du sol. Ces dernières les avertissent de l'arrivée, en surface, d'un gros animal, peut-être un ennemi. Et s'ils sont souvent dérangés durant leur repos, les hôtes des galeries finissent par lever le camp, en quête de lieux plus tranquilles.

Il existe de petits appareils très astucieux : ils émettent des infrasons dans le sol. À la différence des ultrasons, ce sont des vibrations à basse fréquence imitant celles causées par le pas de l'homme. Les meilleurs émetteurs vibrent à intervalles irréguliers, afin de ne pas créer d'accoutumance chez les animaux.

FLEURS ET PLANTES MULTICOLORES

Il y a toujours eu dans les jardins des rosiers, des fleurs, des arbres et des arbustes d'ornement. Mais nulle époque n'a, plus que la nôtre, offert aux jardiniers une telle profusion. Que faire de tant de richesses? Nombreux sont les amateurs avides de redécouvrir les anciennes variétés, les antiques façons d'arranger et de faire pousser les végétaux qui font la beauté du jardin.

Les roses anciennes ont un charme fou. Parmi les quelques centaines de variétés, voici trois valeurs sûres. La Centfeuilles (Rosa centifolia), zone 4 : la « rose chou » aux pétales arrangés en quartiers, c'est elle (1) ! La rose de Provins (Rosa gallica), zone 4 : la fleur, agréablement parfumée, est médicinale (2). La Cuisse de nymphe (3), zone 3, la plus célèbre : son buisson fait environ 1,80 m de hauteur.

Les rosiers

❀ **Bouturage express.** On vous a offert un bouquet de roses rustiques, et vous aimeriez faire pousser les mêmes dans votre jardin. Sacrifiez quelques roses de votre bouquet en y laissant deux à quatre feuilles et trois bourgeons. Trempez-les dans de l'hormone d'enracinement et repiquez-les dans un substrat très léger. Vaporisez-les régulièrement. Lorsqu'elles sont enracinées, plantez-les au jardin à la mi-ombre. Au printemps suivant, elles pourront rejoindre leur place définitive.

❀ **Contrer les attaques d'oïdium et de tache noire.** Pulvérisez préventivement toutes les semaines une solution contenant du bicarbonate de soude dont voici les proportions : dans 4 litres d'eau, diluez 1 cuillerée à soupe de bicarbonate de soude avec quelques gouttes de savon insecticide. Cette solution basique décourage l'apparition des champignons responsables de ces maladies.

❀ **Une meilleure floraison.** Coupez très régulièrement les roses fanées ou tachées. Ainsi, vos rosiers réserveront des forces pour de futures fleurs. Dans le même but, supprimez toutes les fleurs la veille de votre départ en vacances. À votre retour, vous retrouverez des rosiers tout frais fleuris !

TRADITION-HISTOIRE

La première roseraie

La première grande collection non commerciale de roses fut constituée par l'impératrice Joséphine à la Malmaison, en France, dans les premières années du XIXe siècle. Elle aurait disparu si Jules Gravereaux, autre grand collectionneur, n'avait pu en récupérer une partie – soit près de deux cents espèces et variétés – pour la replanter dans sa propriété de L'Haÿ-les-Roses, au sud de Paris, qui est ouverte au public. Les rosiers de L'Haÿ (ci-dessous) essaimeront ensuite vers d'autres roseraies, notamment celle de Bagatelle, dans le bois de Boulogne, en France, créée en 1905. L'heureuse sauvegarde a même permis de reconstituer la roseraie de la Malmaison en 1980! Au Québec, la roseraie du Jardin botanique de Montréal a été inaugurée en 1976. Comme dit le poète : « Mignonne, allons voir si la rose... »

Les rosiers tiges furent très à la mode dans le passé. Leur style un peu artificiel convient en plantation isolée ou en alignement. Taillez-les très rigoureusement chaque année, en mai, en ne laissant à chaque branche que trois, quatre ou cinq yeux au-dessus de son point d'origine.

LES ROSIERS NOUVEAUX SONT ARRIVÉS

MODERNE ET PRATIQUE Les jardins changent. Les rosiers aussi ! Les rosiéristes en proposent chaque année de nouvelles variétés. Nouveaux coloris, nouveaux parfums, certes. Mais surtout nouvelle utilisation des rosiers.

Récemment encore, ils étaient cantonnés aux plates-bandes, et condamnés à l'alignement. À présent, le rosier a sa place partout : le rosier grimpant habillera, par exemple, un vieil arbre ; le rosier arbuste ou rosier buisson s'intégrera facilement à une haie ; le rosier couvre-sol saura occuper en beauté un talus...

Tous ces nouveaux rosiers sont des surdoués si on les compare aux anciens : ils ne réclament qu'une taille et des traitements réduits, tout en offrant une durée record de floraison.

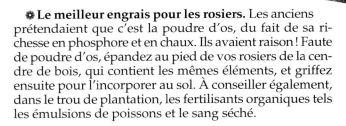

❀ **Cohabitation utile.** Certaines plantes protègent les rosiers. Il suffit de les planter ou de les semer à leur pied.
- La lavande, la capucine, le cresson de jardin éloignent les pucerons.
- L'ail est bénéfique contre les maladies.

❀ **Le meilleur engrais pour les rosiers.** Les anciens prétendaient que c'est la poudre d'os, du fait de sa richesse en phosphore et en chaux. Ils avaient raison ! Faute de poudre d'os, épandez au pied de vos rosiers de la cendre de bois, qui contient les mêmes éléments, et griffez ensuite pour l'incorporer au sol. À conseiller également, dans le trou de plantation, les fertilisants organiques tels les émulsions de poissons et le sang séché.

Le rosier grimpant pourra s'enrouler autour d'un arbre et créer un superbe effet, plus naturel et désordonné que le rosier tige. Il ne nécessite qu'une taille réduite.

❀ **Améliorer la terre.** Les rosiers sont sensibles à la nature du sol dans lequel ils sont plantés.
- Votre sol est argileux ? Mélangez à la terre du trou de plantation du sable et du terreau de fumier de cheval (ou de mouton).
- Votre sol est calcaire ? Les rosiers aiment cela, et leurs roses sont alors spécialement parfumées et d'un coloris très pur. Mais veillez à couvrir le sol d'un épais paillis au printemps pour lui conserver sa fraîcheur et prolonger la floraison.
- Votre sol est sableux ? Ajoutez dans le trou de plantation de la bonne terre et paillez ensuite avec du fumier de vache.

BOUTURER UN ROSIER

Le bouturage permet de reproduire à l'identique une variété de rosier rustique à partir d'un simple tronçon de tige. Opérez vers la fin juin.

FOURNITURES

sécateur

bonne terre de jardin

sable

pot en terre

hormone d'enracinement

1 - À l'aide d'un sécateur, coupez des pousses latérales du rosier à multiplier, non porteuses de fleurs, en tronçons de 25 à 30 cm. Taillez toujours en biseau. Supprimez une partie des feuilles.

2 - Remplissez un pot en terre avec un mélange à parts égales de terre de jardin et de sable. Prévoyez assez de pots pour mettre deux ou trois boutures au maximum par pot.

3 - Trempez l'extrémité des boutures dans de la poudre d'hormone d'enracinement, afin de favoriser la pousse de racines. Mais secouez bien le surplus, car il pourrait empêcher le développement des racines.

4 - Piquez les boutures dans le pot à quelques centimètres les unes des autres, en les enfonçant bien. Placez le pot à l'ombre légère et arrosez régulièrement. Plantez vos petits rosiers au printemps suivant.

Les fleurs

❋ **Les leçons de Dame Nature.** La nature sait orner les rocailles avec les plus belles et les plus sobres de ses fleurs. Regardez par exemple les ruines, les vieux murs. Inspirez-vous-en pour fleurir un muret.

Il suffit de quelques interstices entre les pierres pour y glisser de-ci de-là des plants (en godets) : corbeille d'argent, petite pervenche, céraiste tomenteux, cotonéaster rampant, campanule des Carpates.

N'oubliez pas les sempervivum et les sédums, plantes grasses adaptées à l'aridité, qui sont plus discrets mais remarquablement tapissants.

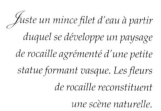

Juste un mince filet d'eau à partir duquel se développe un paysage de rocaille agrémenté d'une petite statue formant vasque. Les fleurs de rocaille reconstituent une scène naturelle.

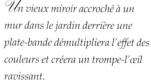

Un vieux miroir accroché à un mur dans le jardin derrière une plate-bande démultipliera l'effet des couleurs et créera un trompe-l'œil ravissant.

❋ **Dahlias records.** Pour qu'ils fassent des fleurs géantes, pincez entre le pouce et l'index (ou à l'aide du sécateur) toutes les pousses latérales de vos dahlias cactus, au fur et à mesure qu'elles apparaissent. Et n'oubliez pas de ficher en terre un solide tuteur au moment de la plantation.

❋ **Secret de plantation pour les bulbeuses.** Enterrez les bulbes à une profondeur équivalant au double de leur diamètre. C'est l'assurance d'une bonne floraison.

❋ **Une note régionale.** Pour être sûr de réussir l'intégration de votre jardin dans le paysage local, n'hésitez pas à copier ! Repérez les fleurs traditionnelles, celles qui créent discrètement l'ambiance végétale de votre région, et plantez-en chez vous en sélectionnant quelques plants d'une talle : fougères, tiarelle, véronique, sceau-de-Salomon pour le printemps ; myosotis, marguerite, campanule, centaurée bleuet pour l'été ; aster, verge-d'or et immortelle en automne.

❋ **Vos iris ne fleurissent plus ?** Inutile de chercher bien loin la cause de cet épuisement apparent : ils ont simplement besoin d'être divisés. Procédez en été. Déterrez les souches à la bêche. Ne conservez ensuite que les portions de rhizomes (tiges rampantes renflées pourvues de racines) munis d'une petite touffe de feuilles. Jetez les vieux rhizomes, qui ont déjà porté des fleurs. Après avoir raccourci les feuilles d'un coup de sécateur, plantez vos petits iris en les recouvrant à peine de terre, à 25 cm de distance les uns des autres.

❋ **Tapis de crocus.** Pour qu'ils produisent le meilleur effet dans une pelouse, les crocus doivent être plantés relativement groupés. Répartissez les bulbes au hasard pour que le futur massif ait un air naturel. En effet, il n'y a rien de plus désastreux, dans ce cas, qu'une plantation au cordeau. Jetez les bulbes par grosses poignées et… plantez-les à l'endroit où ils sont tombés, directement dans le gazon.

Les indésirables

Comment une plante peut-elle être interdite de jardin ? Cette question paraîtra naïve à qui n'a jamais eu affaire à l'un de ces végétaux infernaux qui n'ont de cesse de coloniser le terrain et qui repoussent toujours. La renouée d'Orient (Polygonum cuspidatum, ou sa sœur P. sachalinense), malencontreusement importée du Japon au siècle dernier dans tout l'Occident, est de ceux-là. Il paraît que ses graines pouvaient servir à nourrir les volailles et ses feuilles à emballer le beurre ! En tout cas, ses rhizomes (tiges souterraines) sont indestructibles, et la partie aérienne fort encombrante quoique assez décorative.

Méfiez-vous aussi du panais sauvage (Pastinaca sativa), une ombellifère dont les feuilles provoquent, par simple contact, des irritations cutanées très désagréables, similaires à celles provoquées par l'herbe à puce. Quant à l'herbe aux goutteux (Aegopodium podagraria), ne vous avisez pas de la transplanter dans vos massifs de fleurs. Cette vivace (ci-contre) forme de grandes colonies qui empêchent la croissance des plantes voisines. L'envahissement rapide de l'herbe aux goutteux en fait très vite une indésirable difficile à éradiquer.

❀ **Tuteurs pour pois de senteur.** Avec ses fleurs en camaïeu de rose et de pourpre, le pois de senteur (ci-contre) est un incontournable du jardin traditionnel. Mais attention : il lui faut impérativement un support où il puisse accrocher ses vrilles. À moins que vous ne lui fassiez escalader un grillage, proposez-lui simplement des ramilles bien rigides et ramifiées (de noisetier, par exemple), que vous piquerez en terre autour des jeunes plantes à peine sorties de terre, en formant une sorte de pyramide.

❀ **De beaux dahlias d'une année à l'autre.** Si vous gardez les tubercules de dahlia, ne commettez pas l'erreur de replanter la souche entière. La touffe serait bien trop dense pour donner de belles fleurs. Séparez les différents tubercules avec un couteau. Ne replantez que ceux qui sont pourvus d'un bourgeon.

❀ **Redécouvrir le bégonia Bertini pour orner plates-bandes et jardinières.** Il ne mérite pas d'être tombé quelque peu dans l'oubli, avec sa profusion de fleurs simples (ci-contre) et son feuillage joliment dentelé. C'est un rustique appartenant à la catégorie des bégonias tubéreux. Pensez à acheter les tubercules tôt en saison (février-mars) de manière à les mettre en végétation en vue d'une plantation en mai.

❀ **Des massifs de tulipes ou de jacinthes éclatants.** Choisissez les plus gros bulbes car la beauté de la floraison dépend des réserves nutritives emmagasinées dans l'oignon. Pour les jacinthes, préférez les bulbes qui ont la base la plus large.

❀ **Le roi glaïeul.** Les anciens en plantaient un rang au potager pour assurer de spectaculaires bouquets les jours de fête. Renouez avec cette jolie tradition. Maintenez le sol humide, mais dès que les fleurs apparaissent, cessez d'utiliser le jet d'eau car les gouttes abîment les pétales. Arrosez au goulot, au pied de chaque plant.

❀ **Le grand ennemi des dianthus, c'est l'humidité.** Voici donc une astuce qui prolongera l'existence de vos œillets de poète, si votre sol n'est pas très sain : recouvrez-le d'une couche de graviers de plusieurs centimètres après avoir mis en terre vos plants. En se développant, les tiges s'étaleront et reposeront sur un substrat toujours bien drainé.

❀ **Hivernage pour les géraniums.** Pour conserver vos géraniums pendant l'hiver, vous n'avez besoin que d'un local frais, faiblement éclairé ou obscur. Ils y mèneront une vie ralentie. En octobre, arrachez-les et placez les mottes des racines dans des pots plutôt petits. L'astuce, pour assurer leur survie, consiste à supprimer toutes les grandes feuilles. Coupez les branches vigoureuses juste au-dessus d'un bourgeon latéral. Maintenez la terre légèrement humide. Recommencez à arroser copieusement à partir de mai. Sortez vos géraniums en juin.

❀ **Été au sec pour les narcisses et les tulipes.** Ces fleurs connaissent une période de repos naturel en été, après leur floraison. Dès que le feuillage a jauni, déterrez les bulbes. Sélectionnez les plus gros en vue de vos prochaines plantations et stockez-les au sec. Cela leur permettra de parfaire leur maturation pour la saison suivante. On peut aussi les laisser en terre en plantant autour des annuelles et des vivaces qui prendront le relais pour la belle saison.

Ce massif joue sur le contraste des couleurs très vives:
le jaune orangé des boules du pyracantha, le jaune vif des feuilles
luisantes du choisya Sundance, le rouge écarlate des cannas
et le violet du caryopteris, au premier plan.

❀ **Le charme des fleurs simples.** Quoi de plus naturel que des plantes qui poussent toutes seules! Fidèles au rendez-vous, d'année en année, elles fleurissent, font des graines, germent, poussent de nouveau, etc. Bref, vous n'avez qu'une seule chose à faire: les semer la première (et la dernière) fois dans vos plates-bandes ou dans le potager. Et ne craignez pas qu'elles vous envahissent; si vous les trouvez trop nombreuses, un coup de binette suffit à régler le problème.

Nos suggestions pour l'est du Canada: myosotis, pensée, datura, rose trémière (près d'un mur), pavot d'Islande, digitale, œillet de poète, monnaie-du-pape, gloire du matin, pâquerette.

Les arbres et arbustes d'ornement

❈ **Investir dans les arbres.** Nos ancêtres avaient les pieds sur terre : s'ils possédaient un bout de terrain à la campagne, ils n'hésitaient pas à le faire fructifier en y plantant les arbres de meilleur rapport. Ils plaçaient à long terme, vingt, trente, quarante ans ou plus… Pensez à vos enfants et petits-enfants et plantez, si le terrain s'y prête, les essences les plus précieuses : érable à sucre, chêne blanc, noyer cendré.

• Si, en revanche, vous souhaitez du bois de chauffage, plantez du robinier, arbre à croissance très rapide.

❈ **Saule ou osier : rien de plus simple à multiplier !** Ces arbres au bois tendre sont faciles à bouturer. En fin d'hiver, coupez de grandes pousses de l'année précédente en les taillant en biseau. Enfoncez-les le plus profond possible dans le sol à l'endroit où vous voulez les voir pousser. C'est tout !

Vous pouvez ainsi orner le bord d'un ruisseau ou d'une pièce d'eau, ou créer rapidement une haie. Un an plus tard, sectionnez le jeune tronc à 1 ou 2 m de hauteur. Vous n'aurez plus, les années suivantes, qu'à raccourcir toutes les jeunes pousses apparues au sommet. C'est ainsi que l'on forme les saules têtards, à la silhouette si poétique.

Petit arbre deviendra grand

Ne commettez pas l'erreur de planter trop près de votre maison un arbre destiné à devenir très grand. Vous – ou vos successeurs – seriez obligé de l'abattre prématurément.

Les anciens jardiniers distinguaient les arbres de « première grandeur » (les plus petits), ceux de « deuxième grandeur », ceux de « troisième grandeur », etc. Ils savaient ainsi que tel arbre pouvait convenir pour un petit jardin ou que tel autre devait être réservé à un grand parc. Profitez de leur classification avant d'acheter.

• Arbres de moins de 10 m : amélanchier, aubépine, bouleau pleureur, cerisier à grappes, cèdre fastigié, érable de Norvège 'Drummondii', lilas japonais 'Ivory Silk', magnolia, marronnier rouge, olivier de Bohême, pommetier, sorbier à feuilles de chêne.

• Arbres entre 10 et 20 m : bouleau, catalpa, charme, chêne pyramidal, érable champêtre, févier, frêne, ginkgo, marronnier de Baumann, marronnier rose, mûrier blanc, noisetier de Byzance, saule pleureur, sorbier, tilleul à petites feuilles, thuya occidental.

• Arbres de plus de 20 m : chêne, épinette, érable de Norvège, érable à sucre, frêne, hêtre à grandes feuilles, marronnier d'Inde, mélèze du Japon, micocoulier, noyer cendré, peuplier de Lombardie, pin blanc, pruche de l'Est, robinier faux-acacia, sapin, tilleul.

ATTENTION !

Avant de planter des arbres, choisissez-les aussi en fonction de leur silhouette. Les arbres à port pleureur (saule, bouleau) conviennent parfaitement à l'ambiance d'un bassin (ci-dessus). Les arbres à port boule (ci-contre) dégagent la vue horizontalement sous leur ramure, tandis que les arbres en colonne l'attirent vers le ciel.

❈ **Planter un magnolia.** Opérez en avril, mai ou septembre s'il s'agit d'une variété à feuilles caduques. Ces arbres aux racines molles et charnues sont sensibles à la pourriture.

Pour ce qui est du magnolia grandiflora, à feuilles persistantes, n'hésitez pas à le mettre en place en pleine belle saison, de mai à août. Il appréciera un sol réchauffé, et les grosses chaleurs ne seront pas un obstacle à sa reprise si vous l'arrosez régulièrement. Mais il n'est pas rustique dans nos régions : il faut le rentrer pour l'hiver.

❀**Un arbre qui ne s'enfonce pas.** Lors de la plantation, si vous voulez éviter de voir votre arbre ou votre arbuste s'enfoncer dans la terre au fur et à mesure du tassement de celle-ci, placez une grosse pierre sous les racines. Il ne bougera pas.

❀**Marcotter à tout va!** Quel plaisir de pouvoir offrir une plante grimpante maison! Le marcottage est un procédé traditionnel très simple pour multiplier les plantes ligneuses: lierre de Boston, hydrangée ou chèvrefeuille grimpant, aristoloche, glycine, clématite, jasmin de Virginie, vigne vierge, etc. Pour réaliser une marcotte, il suffit de coucher une branche, sans la séparer de la plante mère, dans une petite tranchée creusée dans le sol. Si nécessaire, fixez la branche avec un morceau de bois fourchu fiché en terre. Rebouchez la tranchée en laissant l'extrémité du rameau à l'air libre. Si vous le faites au printemps, la marcotte s'enracinera au cours de l'été. À ce moment, sevrez-la, autrement dit séparez-la du pied mère. Vous pourrez l'arracher à l'automne.

❀**Tailler des arbustes à fleurs… en faisant des bouquets!** N'hésitez pas à couper de grandes brassées de boule-de-neige, seringat, weigelia, deutzia, forsythia, lilas, spirée, hamamélis et autres arbustes à fleurs. C'est la meilleure façon de les obliger à faire du jeune bois, autrement dit de nouvelles pousses qui fleuriront l'année suivante. Cette taille au moment de la floraison permettra à vos arbustes de rester longtemps au mieux de leur beauté.

❀**Retrouver le pimbina.** Cet arbuste indigène, également appelé viorne trilobée, trouve une place toute désignée dans le jardin naturel. Sa grande adaptabilité aux conditions les plus diverses n'est que l'un de ses attraits… Ses fleurs printanières remarquables (ci-contre), d'un blanc pur, sont suivies en juillet de nombreux fruits en grappes, d'un rouge écarlate, qui persistent tout l'hiver. Son feuillage devient rouge bronzé à l'automne. Nos grands-mères faisaient une gelée de ses fruits mûrs. Pensez-y…

> **POURQUOI ÇA MARCHE**
>
> ### HYDRANGÉE BLEUE
>
> Cultivée dans un sol ordinaire, neutre ou légèrement calcaire, l'hydrangée (que l'on appelle aussi hortensia) donne des fleurs rouges, roses ou blanches. Mais dans une terre acide, une hydrangée habituellement rouge donne des fleurs bleues.
>
> Explication: le pigment des pétales change de couleur selon le pH (acidité ou alcalinité) du milieu.
>
> Aussi, si vous aimez les hydrangées bleues et que votre sol ne soit pas assez acide pour cela, arrosez régulièrement les plants avec de l'eau additionnée d'une solution d'alun (sulfate d'alumine). Vous les verrez virer au bleu.

LES ARBUSTES NAINS OBTENUS PAR MUTATION

MODERNE ET PRATIQUE Les « manipulations génétiques » n'ont pas bonne presse. Pourtant, la nature, dans le cadre de l'évolution des espèces, ne procède pas autrement, en faisant muter des gènes (supports de l'hérédité). Les chercheurs ne font finalement que lui donner un coup de pouce. Récemment, ils ont entrepris d'améliorer certains arbustes ornementaux.

En faisant agir la colchicine – une substance extraite du colchique – sur des plantules de weigelia cultivées en éprouvettes, ils ont créé de nouveaux weigelias débarrassés des défauts des variétés traditionnelles : ils ne donnent pas de fruits (laids), mais offrent une profusion de grandes fleurs aux coloris attrayants (ci-dessous) et qui ne sont pas brûlées par le soleil ; leurs pousses sont raccourcies, ce qui convient aux plus petits jardins et aux balcons. Savez-vous que l'on trouve aujourd'hui des variétés d'arbres fruitiers nains qui répondent parfaitement aux besoins des petits jardins ? D'autres aussi peuvent être cultivés en contenants.

❉ Économie à l'achat. Chez le pépiniériste ou en jardinerie, préférez les plants d'arbuste peu développés. Ils sont beaucoup moins chers que les plants « forts ». Et rassurez-vous, les arbustes, même petits au départ, se développent très vite.

❉ Faire reverdir les arbustes souffrant de chlorose. Le rhododendron, la glycine et certaines autres espèces voient leur feuillage virer au jaune pâle en terrain calcaire, qui bloque l'absorption du fer par les racines. L'ancien remède consiste à arroser régulièrement avec de l'eau additionnée de 10 à 15 g de sulfate de fer (produit antimousse) par litre.

❉ Habiller un coin mal exposé. Vous désespérez de voir un jour pousser des arbustes dans un coin d'ombre de votre jardin ? Faites appel aux grands classiques d'autrefois.

• La symphorine, aux rameaux grêles et retombants, qui offre pendant une partie de l'hiver le spectacle de ses fruits blancs ou roses.

• Le mahonie à feuilles de houx offre une floraison jaune en épis, suivie de beaux fruits bleu foncé. Son feuillage persistant, pourpré au printemps, devient orange cuivré à l'automne.

• Le houx, dont les fruits très décoratifs persistent sur l'arbuste jusqu'en janvier. N'oubliez pas de choisir un plan femelle et un plan mâle.

• L'hydrangée, à condition de lui offrir un sol non calcaire.

❉ Une haie d'arbustes traditionnels. La « thuyamanie » a eu pour conséquence de nous ensevelir sous un véritable « béton vert », froid et monotone. Avec le risque de voir les arbustes dépérir un à un, ce qui est du plus sinistre effet. Si vous voulez un écran végétal strict, donc taillé, pourquoi ne pas planter un mélange d'arbustes feuillus, caducs et persistants ?

Observez quelles sont les essences traditionnellement utilisées dans la région, et sélectionnez les plus faciles à tailler : saule arctique nain, caraganier de Sibérie, fusain ailé, cornouiller, viorne, sureau, seringat, troène ou encore genévrier, if du Canada, if du Japon, buis sont quelques exemples d'essences adaptées à notre climat.

LA FORMATION D'UN BUIS EN TOPIAIRE

L'art topiaire typique des parcs à la française, qui consiste à sculpter les arbres, peut trouver sa place dans votre jardin.

FOURNITURES

touffe de buis

pot de 30 à 50 cm de haut

quelques tuteurs

sécateur

1 - Plantez votre buis (zone 5) dans le pot de 30 à 50 cm de haut. Lorsqu'il a atteint une belle taille, commencez la formation de la boule, en avril-mai. Matérialisez l'axe vertical en plantant un tuteur.

2 - Enfoncez plusieurs tuteurs de part en part dans le feuillage. Ils vous serviront de repères pour tailler votre buis de manière symétrique, afin d'obtenir une boule parfaite.

3 - Taillez le bout du feuillage avec le sécateur, en commençant au niveau des tuteurs, de manière que l'épaisseur du buis soit égale de part et d'autre de l'axe central. Puis égalisez entre les tuteurs.

4 - Retirez les tuteurs et vérifiez la silhouette de la boule. Par la suite, vous pratiquerez une taille légère à la cisaille en août et à l'automne, pour conserver à votre buis une forme irréprochable.

Les plantes grimpantes ont l'avantage d'habiller une façade de maison. Clématite, chèvrefeuille, jasmin de Virginie, aristoloche, hydrangée grimpante, lierre de Boston, vigne vierge couvrent les murs et font corps avec la maison.

LES RICHESSES DU VERGER ET DU POTAGER

Faire pousser ses propres fruits et légumes, quelle fierté quand on est jardinier! Ce qui était autrefois une nécessité est devenu un plaisir aux nombreuses facettes: plaisir de se sentir capable de tirer de la terre sa propre subsistance; plaisir d'offrir à ses proches de délicieux produits naturels; enfin, plaisir de maîtriser toujours mieux un savoir-faire ancestral… en attendant de le transmettre à son tour.

Les arbres et arbustes fruitiers

Pour laisser mûrir vos pommes et vos poires, fabriquez-vous un fruitier à l'ancienne dans un coin de cave, avec des palettes posées à l'envers. Pour que les poires ne s'abîment pas au contact l'une de l'autre, emballez-en une sur deux dans du papier journal.

❁ **De bons abricots de père en fils.** Enfouissez les noyaux de bons abricots (ci-dessus) dans un pot rempli de sable légèrement humide, afin de faciliter leur future germination. Placez ce pot au frais. En mai, plantez ces noyaux dans un coin du jardin, à 4 cm de profondeur environ. Désherbez en cours de saison. À l'automne suivant, vous pourrez déjà transplanter un petit abricotier (zones 3 à 5 selon la variété), qui vous donnera des fruits identiques à l'« abricot père », ou peut-être meilleurs.

❁ **Une noix pour un beau noyer.** Conservez quelques noix fraîches tout l'hiver dans un pot plein de sable humide – que vous rangerez dans un endroit froid – pour faciliter leur germination. En juin, enfoncez simplement une noix (ou plusieurs, par précaution) à 4 cm de profondeur environ. En semant ainsi votre noyer, vous obtiendrez un arbre plus solide, vigoureux et résistant car il conservera sa fameuse racine pivotante, qui s'enfonce verticalement dans les profondeurs du sol. N'arrachez pas le jeune arbre pour le replanter ailleurs, le pivot se briserait.

POURQUOI ÇA MARCHE

DES CÉRÉALES POUR STIMULER LES ARBRES

Autrefois, pour assurer une meilleure reprise à l'arbre qu'ils plantaient, certains jardiniers jetaient dans le trou de plantation une poignée d'orge. De même, ils inséraient le grain d'une céréale dans une fente pratiquée à l'extrémité enterrée de leurs boutures.
De fait, cela valait toutes les hormones de bouturage d'aujourd'hui. La raison en est simple: les graines, en germant dans le sol, sécrètent des hormones végétales qui profitent aux racines des arbres ou aux boutures en cours de reprise.

❀ **Tronc débridé, cerisier généreux.** Le cerisier – en particulier quand il est jeune – est souvent à l'étroit dans son corset d'écorce aux fibres circulaires. En débridant son tronc, vous l'aiderez à se développer et il en deviendra d'autant plus généreux.

Au printemps ou en été, pratiquez à l'aide d'un exacto ou d'un couteau bien aiguisé une fente superficielle de quelques dizaines de centimètres. Renouvelez cette incision à deux ou trois endroits autour du tronc, à mi-hauteur. En quelques jours, vous verrez les fentes se dilater, une nouvelle écorce se former et le tronc augmenter de diamètre !

❀ **Des cerises en climat froid.** Il existe deux types de cerisiers ; les cerisiers doux, dont les fruits sont tendres et sucrés, et les cerisiers acides, aux fruits moins sucrés mais parfaits pour la cuisson.

Les cerisiers doux ne sont rustiques qu'à partir de la zone 5 et ils dépendent de la pollinisation pour l'obtention de fruits. Les cerisiers acides, quant à eux, sont autofertiles : ils n'ont donc pas besoin des abeilles pour obtenir une fructification. De plus, leur rusticité jusqu'en zone 2 présente un intérêt certain.

Pensez à sélectionner des cerisiers acides aux variétés hâtives, mi-tardives et tardives : vous aurez ainsi la joie de récolter vos fruits de la mi-juillet à la fin août.

❀ **Des pommes plus belles.** Éclaircissez les fruits des pommiers en formes basses (cordons, palmettes, quenouilles, etc.). Ainsi, les pommes qui resteront deviendront plus grosses et plus colorées. Cela concerne certaines variétés comme Délicieuse jaune, Délicieuse rouge, Empire, Cortland.

Attendez que se soit produite la chute naturelle des fruits. Vers le quarantième jour à partir de la pleine floraison, donc au cours de la troisième semaine de juin, sacrifiez tous les fruits d'un même bouquet sauf un, le fruit central, en les coupant en deux au sécateur. Si vous les supprimiez entièrement, cela pourrait entraîner la chute des autres petites pommes, du fait d'un brutal afflux de sève.

❀ **Cloque ? Ail !** On a observé que les pêchers (certaines variétés sont rustiques en zone 5) au pied desquels poussait l'ail souffraient moins de la cloque (maladie du feuillage). Rien de plus simple que d'essayer cette technique ! Celle-ci se justifie par le fait que l'ail possède des vertus fongistatiques qui pourraient se transmettre par les racines.

❀ **Délicieuses framboises.** Songez aux framboises pour agrémenter les abords de votre potager. Cultivez-les en haie : celle-ci deviendra compacte et défensive et vous fournira multitude de petits fruits.

Choisissez des variétés remontantes, c'est-à-dire celles qui fructifient deux fois au cours de la belle saison. Vous aurez ainsi une première récolte en juillet et une seconde en août-septembre. Saviez-vous que l'on trouve sur le marché des variétés à fruits rouges, bien sûr, mais aussi à fruits jaunes et à fruits pourpres ? Quelle agréable et bonne façon de décorer vos desserts…

Les vignobles québécois

À la suite des tentatives infructueuses de Champlain pour implanter des plants de vignes qui ne résistaient pas à notre hiver rigoureux, on a longtemps cru que toute tentative de viticulture au Québec était exclue. On s'est alors rabattu sur des vins maison issus de divers fruits tels cormier, gadelles, cerises à grappes, etc. La culture de la vigne n'a réussi que vers la fin des années 1850 lorsque l'on eut recours à des plants hybrides venus des États-Unis. Quelques individus et des communautés religieuses s'aventurèrent alors dans la production du vin.

Depuis une vingtaine d'années, on voit émerger de plus en plus de vignobles. On les retrouve principalement en Estrie, qui a sa « route des vins », en Montérégie et près de Québec. Les vignerons québécois utilisent des cépages hybrides qui atteignent leur maturité plus vite que ceux de nos cousins français et ainsi mieux adaptés au climat nord-américain.

❋ **Rends-toi, prunier, tu es cerné !** Si votre prunier produit beaucoup de branches et peu de fruits, c'est qu'il souffre d'un excès de vigueur. Paradoxalement, l'abondance de sève n'entraîne pas de belles récoltes, au contraire ! Limitez les ardeurs de votre arbre en agissant au niveau de ses racines. Creusez à la bêche une petite tranchée à l'aplomb de sa couronne, sur le quart environ de sa circonférence. Sectionnez les quelques grosses racines que vous découvrez. Votre prunier se calmera et se remettra à donner beaucoup de prunes.

❋ **Groseilles exceptionnelles.** Taillez les plus vieilles branches de votre groseillier en automne. Au printemps, coupez les petites pousses bien tendres au fur et à mesure qu'elles apparaissent le long des branches, là où s'épanouissent les fleurs. Laissez juste trois feuilles : vous obtiendrez des groseilles de qualité incomparable.

❋ **Des poires dans une prison de verre.** Courant juillet, après la chute naturelle des fruits excédentaires, choisissez quelques poirettes dont la maturité est prévue en août ou en automne (par exemple Anjou ou Beauté Flamande). Emprisonnez chacune d'elles dans une carafe en la faisant passer délicatement par le goulot. Fixez les flacons au poirier à l'aide de ficelle en les inclinant pour que la pluie ne puisse y pénétrer. Il ne vous reste plus qu'à attendre que les poires soient mûres et se détachent. Remplissez les flacons avec de l'eau-de-vie. Bouchez et attendez quelques semaines avant de déguster.

GREFFER EN COURONNE

La forme la plus simple et la plus ancienne des arbres fruitiers est sans doute la forme en haute tige (comme dans ce champ de cerisiers), dite aussi plein vent. Les poiriers et les pommiers sont traditionnellement taillés en cordon horizontal (1), en espalier ou en palmette (2). On rencontrait également autrefois des formes parfois fantaisistes : cordons obliques, gobelets, croisillons, chandelles, cordons sinueux, et même queues-de-paon !

Voulez-vous avoir chez vous ce pommier, ce prunier ou ce cerisier que vous avez repéré chez un ami ? Il vous suffit de le multiplier par greffage. Le greffage en couronne (ou greffe sous écorce) n'est pas difficile, surtout pratiqué au printemps, et il nécessite d'avoir un arbre porte-greffe au tronc déjà assez gros (5 cm de diamètre environ), et… déjà planté.

FOURNITURES

scie de jardinier
couteau très affûté
raphia
mastic à greffer

1 - Au printemps, sciez le tronc du porte-greffe à sa partie supérieure. Incisez l'écorce verticalement sur 5 cm en trois endroits.

2 - Taillez trois greffons sur l'arbre à multiplier. Ce sont de petites branchettes comportant chacune trois feuilles. Coupez la base en biseau.

3 - Après avoir enlevé les feuilles en laissant juste un morceau du pétiole, soulevez l'écorce à l'endroit des incisions et insérez les greffons.

4 - Ligaturez avec le raphia et enduisez de mastic. Au printemps suivant, vous ne garderez qu'un seul greffon, et vous sectionnerez le raphia.

Les plantes potagères

❀ **La bette à carde, un classique.** Les légumes d'autrefois sont à la mode. Vous n'aurez donc aucun mal à trouver dans le commerce des graines de bette à carde. Elle a l'avantage de tolérer la chaleur (contrairement à l'épinard qui, en été, monte facilement en graines) et elle produit tout l'été jusqu'en automne. Cueillez les feuilles extérieures du plant au cours de la saison, ce qui prolongera votre récolte. Il existe une bette à carde rouge clair, très ornementale, qui apportera à votre potager une touche spéciale. Verte ou rouge, la bette à carde est très décorative.

❀ **Haricots secs: éviter la bruche.** Pour conserver les haricots en Colombie-Britannique et en climat tempéré, il faut éliminer les larves de la bruche, ce qui est inutile dans l'est du Canada.

La façon la plus simple consiste à faire subir aux grains une fois écossés un passage d'une journée au congélateur, afin de tuer les œufs de bruche. On peut aussi suspendre les bottes de haricots dans un endroit très froid.

Faites l'expérience de cultiver, même dans un tout petit carré bien ordonné, quelques légumes courants: poireau, rhubarbe, épinard, tomate, pomme de terre, oignon, salade, concombre, carotte…

Avec ses formes géométriques, ses reliefs et ses tons nuancés, un jardin potager est très esthétique. Ajoutez à son charme en y plantant aussi des fleurs, en bordures ou en touffes. Elles seront en plus très utiles, puisqu'elles attireront les insectes ennemis des pucerons et des chenilles.

❀ **Des carottes sans vers.** Les solutions ne manquent pas pour détourner la nocive mouche de vos carottes. Il s'agit de brouiller les pistes olfactives, car l'insecte repère à l'odorat sa plante hôte.

Lors du semis, mêlez quelques graines de coriandre – une aromatique – à celles de carotte. Et puis, juste après avoir refermé le sillon, répandez sur le sol de la suie, des algues marines, ou bien des fragments de tanaisie, une plante au parfum amer commune au bord des chemins.

❀ **«Le haricot doit voir partir le semeur.»** C'est un truc à se rappeler au moment de semer. L'expression est à double sens: cela veut dire, d'abord, que le semis ne doit pas être trop profond (2 ou 3 cm), et, d'autre part, qu'il doit avoir lieu dans les meilleures conditions climatiques (temps doux et humide), de manière à obtenir une levée ultrarapide.

❀ **Associer le haricot au maïs.** Les jardiniers du sud-ouest de la France, traditionnellement, cultivent ensemble le haricot (celui du cassoulet!) et le maïs (pour les volailles). Le maïs profite de l'azote puisé dans l'air par le haricot, et celui-ci se sert de la tige rigide du maïs comme tuteur. C'est un bon compagnonnage: semez d'abord le maïs (potager ou fourrager), puis, lorsqu'il a quelques feuilles, semez des haricots grimpants entre les plants.

❀ **À redécouvrir: les fèves.** Elles furent pendant des siècles l'un des aliments de base de nos ancêtres. Dégustez-les crues, lorsque le grain est encore tendre et juteux, à la croque-au-sel, avec du pain beurré. Mûres, elles feront des soupes délectables, aromatisées avec quelques feuilles de sarriette. Il faut les semer au début de l'été, une graine tous les 5 cm, à 5 cm de profondeur.

❀ Bouturer les tomates.
Vous savez qu'il est bon de pincer les pieds de tomate, ce qui consiste à couper les pousses qui apparaissent à l'aisselle des feuilles.

Faites l'expérience de piquer en terre les plus gros de ces gourmands. Si vous les arrosez régulièrement, vous les verrez pousser puis donner des tomates comme des pieds normaux, simplement un peu plus tard en saison.

❀ Tomates enterrées. Lors de la plantation, enterrez partiellement les tiges en les couchant dans une tranchée. De nouvelles racines (adventives) apparaîtront sur ces tiges, et vos tomates seront mieux nourries.

❀ Contre le ver du poireau. Cela ressemble à de la magie de fête foraine, mais ça marche! Dès que vos poireaux sont repiqués, plantez quelques bâtons de-ci de-là sur la parcelle et coiffez chacun d'eux d'une coquille d'œuf.

Personne ne peut expliquer par quel miracle ces petits dômes blancs dissuadent les papillons de la teigne de venir pondre au cœur de vos poireaux. Ce stratagème aura le mérite supplémentaire de rendre perplexes les visiteurs de votre jardin!

❀ Semer les courgettes comme les jardiniers d'autrefois. En avril-mai (15 °C), creusez autant de trous que vous voulez avoir de pieds de courgette, de 30 à 40 cm en tous sens. Remplissez ces poches de fumier (ou de compost) bien mûr, et semez-y quelques graines.

Après la levée, vous ne conserverez qu'un plant par emplacement. Couvrez de cloches ou d'abris en plastique transparent jusqu'à la fin des gelées.

❀ Pailler les fraisiers. Pour avoir des fraises propres, non terreuses et savoureuses, épandez sous vos fraisiers, dès la fin de la floraison, une couche de paille (non traitée aux herbicides).

TRADITION-HISTOIRE

Les caveaux à légumes

Peut-être avez-vous déjà observé, en sillonnant les routes de l'est du Québec, plus particulièrement sur la Côte-de-Beaupré, la présence de petites dépendances, très basses, au ras du sol. De forme triangulaire, carrée ou ronde, la porte d'entrée de ces petites maisons semble donner directement accès au sol, ce qui est effectivement le cas. Il s'agit en fait de caveaux à légumes – que d'aucuns appelleront cavreau –, qui ont été populaires dans certaines régions du Québec, et qui servaient à conserver les légumes au lieu de les mettre dans la cave. Avant les récoltes, le caveau est ouvert, aéré et passé à la chaux. On recouvre également le sol d'un paillis.
Ici, photo d'un caveau à légumes de Château-Richer (sur la Côte-de-Beaupré), prise par le célèbre photographe Omer Beaudoin en 1948.

287

DIVISER UN PIED DE RHUBARBE

Diviser un gros pied de rhubarbe est bien le meilleur moyen de le multiplier. En effet, si vous procédez à la bonne époque – en avril-mai –, vous êtes certain de récolter de beaux pétioles bien juteux un ou deux mois plus tard. En revanche, si vous plantiez de jeunes plants en godets, il vous faudrait attendre plusieurs années pour les voir atteindre une belle taille ! Prenez garde à espacer vos plants de 1 m environ, car ils se développent en largeur.

FOURNITURES

bêche

griffe à main

1 - Déterrez, avec la bêche, l'ensemble de la souche en dégageant le plus possible de racines.

2 - Ôtez la terre qui est restée entre les racines avec la griffe à main, sans les abîmer.

3 - Éclatez la souche en plusieurs morceaux, de manière que chacun de ceux-ci comporte à la fois de belles racines et des bourgeons.

4 - Plantez chaque éclat dans une terre riche et plutôt humide, à une profondeur telle que les bourgeons soient à leur niveau naturel. Arrosez.

❀ **L'art de repiquer la laitue.** Ne commettez pas l'erreur – hélas courante ! – de trop enterrer vos plants de salade. Pour qu'ils se développent vite, veillez à ce que la rosette de feuilles soit bien dégagée. Le plant doit flotter au vent tel un drapeau.

DES LAITUES QUI NE MONTENT VRAIMENT PAS

MODERNE ET PRATIQUE Les variétés potagères traditionnelles ont leurs inconditionnels, mais il y a des cas où il faut savoir tourner le dos au passé si l'on veut éviter certains problèmes, eux aussi traditionnels. La laitue en est le parfait exemple. Cette salade se met parfois à monter par rangs entiers, avant même que l'on ait pu en goûter une seule. Si une telle mésaventure vous est arrivée, vous avez sûrement recherché sur les catalogues les références de laitues «lentes à monter», telle la feuille de chêne rouge et verte.
Une seule solution pour être sûr de son coup : outre les laitues-feuilles, pensez à semer les laitues Boston, romaine ou pommée. Des variétés telles 'Sangria' (Boston rouge), 'Ithaca' (pommée très frisée) ou 'Majestic Red Cos' (romaine rouge et verte) seront des valeurs ornementales sûres dans votre potager.
Pensez aussi à récolter des salades en automne en cultivant des plants de chicorée et de scarole.

Pour repiquer les jeunes plants de laitue, utilisez un plantoir assez mince pour faire juste le trou de la grandeur nécessaire. Parmi tous ces plantoirs anciens, le plus simple est encore une branche de bois fourchu polie et huilée.

Faites à proximité de la maison (ou sur une terrasse) un minijardin d'herbes aromatiques : thym, sauge, persil, mélisse, origan, laurier…

❀ **Persil : accélérer la levée.** Si vous ne faites rien pour les aider, vos graines de persil vont mettre une éternité à germer. Disons trois semaines au minimum. Or rien n'est plus facile que de leur donner un coup de pouce : faites tremper les semences pendant vingt-quatre heures dans de l'eau tiède, puis essuyez-les rapidement avec du papier absorbant avant de les semer.

Les plantes aromatiques

❀ **Boutures de thym.** Faire cadeau d'une plante, voilà une tradition sympathique qu'il faut perpétuer ! Si vous possédez une touffe de thym, faites autant de boutures que vous avez d'amis à combler. Découpez des tiges de thym de 5 cm environ, en taillant dans la partie semi-ligneuse (ni verte, ni bois). Piquez presque entièrement ces tronçons dans des godets de 10 cm remplis de terreau, en les espaçant de quelques centimètres. Arrosez régulièrement. L'enracinement se produit en un mois et demi au maximum.

❀ **Bien planter l'échalote.** Voici le secret d'un vieux jardinier : pour chaque plant, il faisait d'abord un trou assez profond (10 cm environ) à l'aide d'un morceau de bois un peu moins gros que le plant, puis enfonçait ce dernier de manière à ce que la pointe dépasse. En procédant ainsi, l'échalote est obligée de s'enraciner latéralement, puisqu'il n'y a que du vide dessous. Autrement, les racines pousseraient naturellement… vers le bas, ce qui aurait tendance à repousser le plant hors de terre. Ce désagrément est courant.

❀ **Oignons : à coucher.** L'approche de la maturité est une période délicate dans la culture de l'oignon. Si le temps est chaud et sec, pas de problème, le feuillage s'affaisse de lui-même, puis jaunit. Il n'y a plus alors qu'à arracher. Mais sous des climats frais et humides, les bulbes n'en finissent pas de pousser et de faire des feuilles… au lieu de mûrir.

Mettez un terme à cet emballement inutile de la végétation en couchant les feuilles de vos oignons : passez simplement le dos de votre râteau sur les rangs d'oignons.

TRADITION-HISTOIRE

L'ail des bois

L'ail trilobé, communément appelé l'ail des bois, est maintenant une espèce protégée au Québec et en Ontario à cause de l'imprudence de l'homme.
En effet, les récoltes massives et irrespectueuses de cette plante ont contribué à menacer sa survie. Cette plante sauvage, dont le bulbe ne vient à maturité qu'après sept à neuf ans, se retrouve dans la nature principalement dans les érablières.
Cueillir l'ail des bois occasionne automatiquement la mort du plan puisque le bulbe tant recherché est en fait la base du plan. La précarité de l'ail des bois est due à l'engouement des consommateurs puisque les amateurs de cette plante bulbeuse et les commerçants se sont lancés à sa quête sans trop prendre soin de sa préservation.
On peut ici faire un parallèle avec le triste sort du ginseng qui est devenu très rare au Québec et dans l'est du Canada suite à l'exploitation commerciale de sa racine vers 1716.

DES PLANTES DANS LA MAISON

La mode des plantes d'intérieur n'est pas très ancienne. Jusqu'à la Seconde Guerre mondiale, les manuels de jardinage ne traitaient des plantes vertes, cactées et plantes fleuries non rustiques que dans le cadre du chapitre «Serre chaude». C'est au cours des années 50 et 60 que les plantes d'intérieur ont fait leur apparition dans tous les foyers.

Les plantes vertes

❀ **L'art du rempotage.** Pour rempoter une plante, ne prenez pas un pot trop grand. Il doit juste y avoir l'épaisseur d'un doigt entre la motte et la paroi du nouveau pot. Entaillez légèrement le fond de la motte avec des ciseaux pour que les racines se dénouent et se redéploient plus facilement.

❀ **Adoucir l'eau calcaire.** Si vous voulez adoucir une eau calcaire, versez simplement quelques gouttes de vinaigre dans chaque petit arrosoir. Mais sachez qu'elle n'est pas si mauvaise qu'on le dit pour l'arrosage des plantes d'intérieur. La plupart de ces dernières s'en accommodent très bien, même si elles préfèrent une eau douce, comme l'eau de pluie.

ATTENTION !

Les dangers des plantes d'intérieur

Si l'histoire des mygales cachées dans les yuccas n'est qu'une rumeur, prenez garde cependant à cette plante : la pointe qui termine ses feuilles est dangereuse pour les yeux. Pensez à la sectionner d'un coup de ciseaux. Sachez également que certaines plantes sont toxiques ou irritantes, à éloigner de la portée des petits enfants. Voici les principales : acalypha, amaryllis, anthurium, browallia, cerisier (ou pommier) d'amour, clivia, couronne-du-Christ, croton, datura (brugmansia), dieffenbachia, gloriosa, lantana, lierre, piment d'ornement, poinsettia, primevère.

❀ **Réellement increvable : l'aspidistra.** Elle mérite bien ses surnoms de «plante de belle-mère» et de «plante en fer forgé». Pensez, elle résiste même dans la pénombre des appartements sans lumière ! Adoptez cette belle plante au feuillage vernissé (ci-contre sur l'étagère du haut) si vous voulez mettre une note de verdure dans un local peu éclairé, sec ou enfumé. Elle ne craint que le plein soleil et l'excès d'arrosage.

Rassemblez vos plantes vertes dans un espace réservé, en mêlant fleurs et plantes vertes autour d'un mobilier en rotin. L'effet de verdure en sera renforcé et créera le charme d'un petit jardin d'intérieur.

Les cactées et les plantes fleuries

❁ **Faire fleurir des cactées.** Pour fleurir, les cactées doivent subir une période de repos en hiver. Placez-les dans un local très bien éclairé mais non chauffé (10-15 °C). Cette saison fraîche leur rappellera le climat qui règne dans leur pays d'origine. Le printemps revenu, assurez-leur une ambiance autour de 20 °C.

❁ **Jardin japonais miniature.** Rappelez-vous ces petites terrines laquées plantées de minuscules cactées de diverses formes. Reconstituez ce paysage miniature désuet en plantant des cactées dans un terreau riche en sable recouvert de graviers de couleurs vives (pour aquariums), ou bien d'éclats de verre coloré, ou bien encore de minuscules coquillages. Pour parfaire la scène, demandez à vos enfants de fabriquer un petit pont de style oriental qui enjambera une rivière en papier d'argent !

❁ **Un été à l'extérieur.** Si vous voulez voir refleurir vos azalées des Indes, épiphyllums, cyclamens, etc., offrez-leur un stage dans le jardin entre juin et septembre. Placez-les simplement dans un endroit ombragé où elles pourront néanmoins recevoir de bénéfiques ondées. Ce traitement profite à la plupart des plantes d'intérieur.

❁ **Faire refleurir l'amaryllis.** Cette magnifique bulbeuse s'épanouit en général au cours de la mauvaise saison. Ce n'est qu'après l'apparition des feuilles que l'oignon va emmagasiner des réserves en prévision d'une prochaine floraison. Poursuivez les arrosages et nourrissez la plante par des apports d'engrais.

Sortez-la dans le jardin à partir de juin, car elle exige de la lumière. Les feuilles vont peu à peu jaunir au cours de l'été. C'est normal : l'amaryllis a besoin de repos. Ne l'arrosez plus. À l'automne, avant les gelées, rentrez-la dans un endroit bien éclairé de la maison, rempotez-la et reprenez peu à peu les arrosages. Si elle ne refleurit pas la première fois, patientez jusqu'à l'année suivante !

❁ **Des fleurs à Noël.** Début octobre, achetez de gros oignons de jacinthe et des oignons de narcisses et plantez-les dans un pot rempli de terreau. Enterrez-le dans le jardin sous une butte de terre de 15 à 20 cm. Faute de jardin, placez le pot dans un endroit frais et obscur (cave, cellier, garage…), en veillant à ce que le terreau reste humide. Entre le 25 novembre et le 1er décembre, rentrez le pot dans la maison ou l'appartement, et recouvrez les bourgeons d'un cornet fait de feuilles mortes attachées entre elles à l'aide d'aiguilles de pin. Au bout d'une à deux semaines, exposez votre pot à la lumière et arrosez régulièrement. Vos efforts seront récompensés au moment des fêtes lorsque vous verrez s'épanouir des fleurs délicieusement parfumées !

TRADITION-HISTOIRE

Les orchidées

Outre leur beauté incontestable, les orchidées sont remarquables par la passion que ces fleurs suscitent régulièrement depuis leur introduction en Occident, à la fin du XVIIIe siècle, grâce à des navigateurs et à des botanistes – espèces venues de Chine, de Colombie, du Japon, des Antilles, etc. Fin du XIXe siècle : la culture des orchidées tropicales connaît son apogée en Occident puis diminue. Fin du XXe siècle : grâce aux progrès des techniques de culture, les orchidées se sont démocratisées et ont regagné la faveur du public, qui les aime tant en fleurs coupées qu'en plantes en pot. Au Québec, la culture des orchidées est très répandue. Le Jardin botanique de Montréal en présente une superbe collection. De plus, une exposition internationale d'orchidées se déroule chaque année, au mois de mars, au Cégep de Maisonneuve… Plaisir garanti pour orchidophiles ou non.

Guide d'achat

Vous souhaitez mettre en pratique une astuce du livre ou réaliser une recette et vous vous demandez où trouver un ingrédient. Grâce à ce guide d'achat, vous saurez dans quel type de magasin vous adresser pour vous procurer les produits les plus rares cités dans les différents chapitres.

acétone : *pharmacie, quincaillerie, magasin de matériaux de construction*

acide chlorhydrique : *pharmacie*

acide oxalique : *pharmacie*

aiguille de matelassier : *magasin de matelas*

aiguille à tapisserie : *boutique de laine*

alcool à brûler : *pharmacie*

alcool camphré : *pharmacie*

alun (pierre d') : *pharmacie*

alun (poudre d') : *pharmacie*

amidon : *pharmacie*

ammoniaque : *pharmacie, marché d'alimentation*

argile : *pharmacie, magasin de produits naturels*

attaches parisiennes : *papeterie, magasin de fournitures de bureau*

benjoin (teinture de) : *pharmacie, magasin d'aliments diététiques et naturels*

bentonite : *jardinerie*

benzine désodorisée : *quincaillerie*

bicarbonate de soude : *marché d'alimentation, pharmacie*

bisulfure d'étain : *quincaillerie (rayon de restauration de meubles)*

blanc d'Espagne ou blanc de Meudon : *quincaillerie, magasin d'arts graphiques*

blanc de titane : *magasin d'arts graphiques*

bleu d'outremer : *magasin d'arts graphiques*

bois de Panama : *certaines herboristeries*

bouillie bordelaise : *jardinerie*

bronze (poudre de) : *magasin d'arts graphiques*

brosse à maroufler : *magasin de papier peint, quincaillerie*

brosse à pochoir : *magasin d'arts graphiques*

brou de noix : *magasin de produits de restauration de meubles et de peinture décorative*

carbonate de soude : *pharmacie*

chaux éteinte : *jardinerie, magasin de matériaux de construction*

chevrons : *magasin de matériaux de construction*

chlorpyrifos : *jardinerie*

ciment-colle, ciment à joints : *magasin de matériaux de construction*

cire d'abeille : *quincaillerie, magasin de produits de bricolage et d'artisanat*

cire à bougie : *magasin de produits de bricolage et d'artisanat*

cire à cacheter : *magasin d'arts graphiques*

cire à dorer : *magasin de produits de bricolage et d'artisanat*

citronnelle : *épicerie fine, épicerie asiatique*

colle à base de cyanoacrylate (Krazy Glue) : *quincaillerie, grand magasin*

colle à base de résine : *magasin de matériaux de construction*

colle époxy : *quincaillerie*

colle à papier peint : *magasin de matériaux de construction, magasin de papier peint*

colle de peau de lapin : *magasin d'arts graphiques*

colle repositionable : *papeterie, magasin d'arts graphiques, magasin de produits de bricolage et d'artisanat*

coton à tricoter : *boutique de laine*

couteau de peintre : *magasin d'arts graphiques, quincaillerie*

crème à polir pour coutellerie : *quincaillerie*

crème de tartre : *marché d'alimentation*

cristal déodorant : *rayon de produits de beauté*

eau déminéralisée : *pharmacie*

eau de fleur d'oranger : *boutique de produits naturels*

eau de rose, d'hamamélis : *boutique de produits naturels*

émail à froid : *magasin de produits de bricolage et d'artisanat*

encre à l'eau : *magasin d'arts graphiques*

essence minérale : *quincaillerie*

essence de thérébenthine : *quincaillerie, magasin de matériaux de construction*

essences de plantes : voir *huiles essentielles*

éther : *pharmacie*

feutrine : *magasin de produits de bricolage et d'artisanat*

fil à tiger : *jardinerie*

fraise diamantée : *quincaillerie*

galon mural : *quincaillerie, magasin de matériaux de construction*

galon de tapissier : *quincaillerie*

gel de silice : *pharmacie*

gélatine : *marché d'alimentation*

glacis : *quincaillerie, magasin de peinture*

glycérine : *pharmacie*

gomme-laque : *quincaillerie*

grillage : *jardinerie, quincaillerie, magasin de matériaux de construction*

henné : *magasin de diététique et de produits naturels, pharmacie*

herbe à chat : *marché d'alimentation*

hormones d'enracinement : *jardinerie*

houseaux (épingles à longue tête) : *magasin de tissu*

huile d'amandes douces : *magasin de diététique et de produits naturels, pharmacie*

huile de carotte : *herboristerie, boutique de produits naturels*

huile de jojoba : *pharmacie*

huile de lin : *magasin d'arts graphiques, quincaillerie*

huile de ricin : *pharmacie*

huile de teck : *quincaillerie*

huiles essentielles : *boutique de produits de soins corporels, magasin de diététique et de produits naturels*

iris (poudre d') : *herboristerie*

karité (beurre de) : *magasin de diététique et de produits naturels, pharmacie*

lame de parquet : *magasin de matériaux de construction*

laque glycérophtalique : *magasin de peinture, quincaillerie*

lycopode (poudre de) : *herboristerie*

magnésie : *pharmacie*

marteau de tapissier : *quincaillerie*

mèche de rembourrage : *boutique de laine*

membrane géotextile : *magasin de matériaux de construction, jardinerie*

métier à broder : *boutique de laine*

meule pour limer le verre : *quincaillerie*

minigraveuse électrique : *quincaillerie, magasin de matériaux de construction*

mousse synthétique pour composition florale : *jardinerie, fleuriste*

myrrhe : *herboristerie*

napperons en papier : *grand magasin (rayon articles de cuisine)*

néroli (ou essence de fleur d'oranger) : *herboristerie*

nettoyant TSP (phosphate trisodique) : *quincaillerie*

niveau à bulle : *quincaillerie*

odorant à bougie : *magasin de produits de bricolage et d'artisanat*

papier d'Arménie : *magasin de diététique et de produits naturels, pharmacie*

papier artisanal : *papeterie*

papier de soie : *papeterie, grand magasin*

paraffine : *marché d'alimentation, pharmacie*

pastilles de sérail : *certains magasins de diététique et de produits naturels*

patchouli : *magasin de diététique et de produits naturels, herboristerie*

pâte à bois : *quincaillerie, magasin de matériaux de construction*

peinture émail : *magasin d'arts graphiques, magasin de fourniture pour artisanat*

permanganate de potassium : *pharmacie*

peroxyde d'hydrogène : *pharmacie*

pétrole désodorisé (diluant à peinture désodorisé) : *quincaillerie, magasin de matériaux de construction*

pigments pour peinture : *quincaillerie, grande surface (rayon peinture)*

pince à tailler le carrelage : *quincaillerie*

plantes médicinales séchées : *herboristerie*

plâtre de Paris : *quincaillerie, magasin de matériaux de construction*

pochoir : *papeterie, magasin d'arts graphiques, magasin de fournitures pour artisanat*

pointe à tracer : *quincaillerie*

poudre de bronze : *magasin de fournitures pour artisanat*

poudre de marbre blanc : *magasin de briques et pierres*

pyrèthre : *jardinerie*

raphia : *magasin de fournitures pour artisanat, jardinerie*

roulette à raccords : *quincaillerie*

ruban adhésif double face : *quincaillerie, grand magasin*

santal (bois de) : *herboristerie*

saule blanc (poudre de) : *herboristerie*

savon en cristaux : *pharmacie, grande surface*

savon Fells : *quincaillerie*

savon noir liquide : *certains marchés d'alimentation*

savon spécial pour carrelage : *magasin de carreaux et céramique*

sciure de bois : *magasin de matériaux de construction, animalerie*

seringue jetable : *pharmacie*

serre-joint : *quincaillerie, magasin de matériaux de construction*

silicate de soude : *pharmacie*

silo à compost : *jardinerie, grande surface*

soluté physiologique (Salinex) : *pharmacie*

solvant dégraisseur : *quincaillerie*

soude (cristaux de) : *pharmacie*

soufre : *jardinerie*

sulfate de cuivre : *jardinerie*

sulfate de fer : *jardinerie*

talc officinal : *pharmacie*

taloche : *quincaillerie*

tambour à broder : *boutique de laine*

terre de Sienne : *magasin d'arts graphiques*

terre de Sommières : *magasin de mobilier de cuir*

thermomètre long : *pharmacie*

toile métallique perforée : *quincaillerie*

TSP (nettoyant) : *quincaillerie*

trichloréthylène : *quincaillerie*

vernis : *magasin d'arts graphiques*

vétiver : *herboristerie*

white-spirit (Varsol) : *quincaillerie*

Index

*Les chiffres en caractères maigres (25) renvoient aux noms cités dans les textes. Ceux en gras **(38)** correspondent aux sujets développés et illustrés, ceux en italique (45) renvoient aux légendes des illustrations, ceux suivis d'un astérisque (75*) aux rubriques* Attention *et* Moderne et pratique, *aux encadrés* Tradition-histoire *et* Pourquoi ça marche, *aux recettes sur fond gris et aux réalisations photographiées étape par étape.*

Crédits photographiques

h : haut, m : milieu, b : bas, g : gauche, d : droite, step : réalisation photographiée étape par étape, step final : réalisation terminée.

Couverture : fond : MARIE CLAIRE IDÉES/P. Hussenot. Stylisme : P. Chastres/C. Lancrenon ; hg : MARIE CLAIRE IDÉES/L. Gaillard. Stylisme : P. Chastres ; bd : CUISINE ET VINS DE FRANCE/J. F. Rivière. Stylisme : S. Bendavid/M. Mourgues ; md : S.A. VERNIN, CARREAUX D'APT. Bonnieux ; bg : MARIE CLAIRE IDÉES/B. Maltaverne. Stylisme : M. Faver ; bd : *LA MAISON AU NATUREL,* Éd. GRUND/Pia Tryde. Robert Harding Picture Library, Londres. **Sommaire :** P. Ginet. Stylisme : C. Drin. MAP/F. Strauss. MARIE CLAIRE IDÉES/L. Rouvrais. Stylisme : C. Lancrenon ; E. Chauvin. Stylisme : P. Chombart de Lauwe ; M. Schwartz. Stylisme : C. Lancrenon. INSIDE/C. Panchout. **8-9 :** TOP/P. Chevallier. **10** hg : COLLINS AND BROWNS/G. Dann. *Traditional Paints and Finishes ;* hd : RUSTICA/N. Thibaut ; step : QUARTO PUBLISHING/J. Wyland. *Encyclopedia of Decorative Paints Effects.* **11** h : Ph. LOUZON. M. Joubert/Château de Gignac ; mg : COLLINS AND BROWNS/G. Dann. *Traditional Paints and Finishes ;* bd : MARIE CLAIRE IDÉES/G. de Chabaneix. Stylisme : C. de Chabaneix ; cadre : Ph. LOUZON. **12** hg : Ph. LOUZON. M. Joubert/Château de Gignac ; hd, cadre : COLLINS AND BROWNS/G. Dann. *Traditional Paints and Finishes ;* bg : S.R.D./O. Beuve-Mery. **13 :** Ambiance Quiétude provençale. PIERRE FREY. Paris. M. Gibert. **14** hd : COLLINS AND BROWNS/G. Dann. *Traditional Paints and Finishes ;* b : MARIE CLAIRE MAISON/R. Beaufre. Stylisme : L. Fasoli. **15** hg : G. Guérin ; hd : MANUEL CANOVAS/B. Clergue ; mg : A.P.S. Photothèque-Arcaid/J. Cockayne ; bg : INSIDE/I. Terestchenko ; cadre : G. GUÉRIN. **16** hd : MARIE CLAIRE MAISON/J. P. Verger. Stylisme : B. Jacquelin ; hg : LORENZ BOOK/ANNESS PUBLISHING/J. Freeman. *Diy and Decorating ;* bg : MARIE CLAIRE IDÉES/C. Fleurent. Stylisme : P. Chastres/C. Lancrenon ; bd : MARIE CLAIRE IDÉES/G. de Chabaneix. Stylisme : C. de Chabaneix ; bm : ELIZABETH WHITING & Associates. **17** cadre, encadré : Coll. Papiers Peints Mauny ; hd : LORENZ BOOK/ANNESS PUBLISHING/J. Freeman. *Diy and Decorating ;* b : MARIE CLAIRE IDÉES/L. Gaillard. Stylisme : D. Skawinski /M. Thiébaut-Morelle. **18** hd : TOP/P. Chevallier. Chez Manuel Canovas ; bg : TOP/R. Beaufre. Décorateur : J. L. Riccardi ; m : FLAMMARION/LA MAISON RUSTIQUE/F. Morellec. *Pose du tissu mural.* **19** hd : ELIZABETH WHITING & Associates ; encadré : TISSU SOULEIADO Toile de Jouy « L'Empereur » ; cadre : MADAME FIGARO/J. M. Palisse ; bd : FLAMMARION/LA MAISON RUSTIQUE /F. Morelle *Pose du tissu mural.* **20** hg : MARCUS ROBINSON ; step : Y. ROBIC. **21 :** MADAME FIGARO/J. M. Palisse ; encadré : Jean-Claude Hurni ; cadre : ORIGINES Parquet brossé. « Bagatelle » ; b : Y. ROBIC. **22** hg : MARIE CLAIRE MAISON/S. Lancrenon. Stylisme : M. Bayle ; mg : MARIE CLAIRE IDÉES/G. de Chabaneix. Stylisme : C. de Chabaneix ; recette : PRODUITS D'ANTAN/P. Marty ; bd : MARIE CLAIRE IDÉES/P. Hussenot. Stylisme : P. Chastres/C. Lancrenon. **23** hg : MARIE CLAIRE IDÉES/L. Gaillard. Stylisme : P. Chastres/P. Chombart de Lauwe ; hd : ELIZABETH WHITING & Associates ; bd : G. GUÉRIN. **24** hg : MADAME FIGARO/J. Laiter ; md, bd : G. GUÉRIN. **25 :** MADAME FIGARO/J. P. Godeaut ; hg : TOP/P. Chevallier. **26** hg : MARIE CLAIRE IDÉES/B. Maltaverne. Stylisme : M. Faver ; mg : MARIE CLAIRE MAISON/G. de Chabaneix. Stylisme : M. F. Boyer ; hd : Y. ROBIC ; bd : MARIE CLAIRE MAISON/R. Beaufre. Stylisme : L. Fasoli. **27** hd : S.R.D./J. P. Delagarde ; bd : MARIE CLAIRE MAISON/M. P. Morel. Stylisme : D. Rosenstroch. **28** hg : Y. ROBIC ; step : MARIE CLAIRE IDÉES/L. Rouvrais. Stylisme : M. Schneider. **29** m : MARIE CLAIRE MAISON/A. Bailhache. Stylisme : M. Guibert ; hd : MARIE CLAIRE IDÉES/L. Rouvrais. Stylisme : M. Schneider ; md : Y. ROBIC ; bd : CARRE S.A. Paris/J.P. Verger. **30** hg : 100 IDÉES/N. Garçon. Stylisme : N. Renaut ; bg : Y. ROBIC ; hd : MARIE CLAIRE MAISON/J. P. Godeaut. Stylisme : C. O'Byrne. **31** hd : 100 IDÉES/N. Garçon. Stylisme : N. Renaut ; md : M. Duffas ; step MARIE CLAIRE IDÉES/L. Rouvrais. Stylisme : M. Schneider. **32** hg, cadre : MARIE CLAIRE IDÉES/P. Hussenot. Stylisme : P. Chastres/C. Lancrenon ; encadré : gracieuseté du musée des Arts décoratifs de Montréal, collection Liliane & David M. Stewart, Photo Gilles Rivest ; hd, md : Y. ROBIC. **33 :** MARIE CLAIRE IDÉES/P. Hussenot. Stylisme : P. Chastres/C. Lancrenon. **34** hg : G. GUÉRIN. Maison La Bourdonnaye ; mg, step : Y. ROBIC ; hd : S.R.D./J. P. Delagarde. Stylisme : M. C. Petit. **35 :** MARIE CLAIRE MAISON/G. de Chabaneix. Stylisme : D. Rosenstroch. **36** hd, bg : Y. ROBIC ; hd : TOP/P. Hinous. Château de Gravenweesel. Belgique. A. Verwoordt Antiquaire. **37** hg, md : S.R.D./J. P. Delagarde. Stylisme : M. C. Petit ; b : MARIE CLAIRE MAISON/G. de Chabaneix. Stylisme : C. Ardouin ; encadré : Jean-Claude Hurni/Publiphoto ; cadre : SCOPE/J. Guillard, Ph. Blondel. **38** hg : JEAN DIDIER ARNOUX ; bg : cadre : © Photodisc ; encadré : Michel Lessard/Sogides Ltée ; hd : MARIE CLAIRE MAISON/L. Gaillard. Stylisme : C. Puech ; md : S.R.D./O. Beuve-Mery. **39** h : STUDIO X/Vrittgens Hüssmann ; b : S.R.D./J. P. Delagarde. Stylisme : M. C. Petit. **40** hg, hd, bd : INSIDE/J. Darblay, J. F. Jaussaud. Arch. Mellerio. Paris. Décoration : S. Houlis. Décoration : Inès de La Fressange ; m : S.R.D./O. Beuve-Mery. **41 :** TOP/P. Chevallier. Décoration : M. Sauboua. **42** hd : TOP/R. Beaufre ; bg : STUDIO X-Brigitte/Nüttgens. Jacobi ; hd, bd : S.R.D./O. Beuve-Mery. **43** hg, hd, b : BIOS/Franco/Bonnard, C. Ruoso, Ph. Garguil ; mg : PHOTOTHÈQUE CULINAIRE/Rosenfeld ; md : MADAME FIGARO/J. Laiter. **44** mg : MARIE CLAIRE IDÉES/G. de Chabaneix. Stylisme : C. de Chabaneix ; hd : JACANA/E. Froissard. **45** m : MARIE CLAIRE MAISON/M. P. Morel. Stylisme : C. Puech ; cadre : R.M.N./Chuzeville ; m : RUSTICA/J. Creuse ; b : BIOS/J. J. Étienne. **46** hg : S.R.D./ J. P. Delagarde. Stylisme : M. C. Petit ; b : TOP/Ch. Fleurent ; DIAF/M. Rosenfeld ; PHOTOTHÈQUE CULINAIRE/J. J. Magis. **47** mg : MAP/A. Descat ; MARIE CLAIRE MAISON/A. Bailhache. Stylisme : C. Ardouin. **48** bg : MARIE CLAIRE IDÉES/M. Schwartz. Stylisme : C. Lancrenon ; d : P. Brunet, extrait du livre *Les escaliers de Montréal.* **49** hd : cadre : © WEKA ; bd : MARIE CLAIRE IDÉES/S. Lancrenon. Stylisme : C. Lancrenon/P. Chombart de Lauvre. **50-51 :** MARIE CLAIRE IDÉES/G. de Chabaneix. Stylisme : C. de Chabaneix. **52** hg : DAGLI ORTI ; step : MARIE CLAIRE IDÉES/L. Rouvrais. Stylisme : M. Schneider ; d : INSIDE/J. Darblay. **53** encadré : Alain Comptois/Maison Saint-Gabriel ; cadre : TOP/P. Putelat ; m : S.R.D./J. P. Delagarde. Stylisme : M. C. Petit ; b : MADAME FIGARO/J. M. Palisse. **54** hg : S.R.D./J. P. Delagarde. Stylisme : M. C. Petit ; bg : MARIE CLAIRE IDÉES/M. Schwartz. Stylisme : P. Chombart de Lauwe ; hd : TOP/P. Chevallier. Stylisme : S. Nègre ; bd : S.R.D./J. P. Germain. **55 :** TOP/R. Beaufre. Décoration : W. Foucault ; hg : HOA QUI/C. Valentin ; hd, b : FOUINEUSE/Leroy. Stylisme : C. Ardouin. **56** hg : D. GADOUIN ; bg : MARIE CLAIRE IDÉES/P. Hussenot. Stylisme : P. Chastres/C. Lancrenon ; hd : MARIE CLAIRE MAISON/M. P. Morel. Stylisme : G. Le Signe ; bd : MARIE CLAIRE IDÉES/L. Rouvrais. Stylisme : M. Schneider. **57** bd : MARIE CLAIRE IDÉES/L. Rouvrais. Stylisme : M. Schneider ; encadré : EDIMEDIA/Bar d'appartement. Arts Déco XXe siècle de J. Dunand et J. Lambert-Rucki. A.D.A.G.P. Paris. 1997 ; cadre : D. GADOUIN. **58** h : MARIE CLAIRE IDÉES/P. Hussenot. Stylisme : P. Chastres/C. Lancrenon ; mg : MARIE CLAIRE MAISON/S. Lancrenon. Stylisme : M. Bayle ; md, step : MARIE CLAIRE IDÉES/L. Rouvrais. Stylisme : M. Schneider. **59** hg, bd : INSIDE/I. Terestchenko, G. Bouchet ; md : MARIE CLAIRE IDÉES/L. Rouvrais. Stylisme : M. Schneider. **60** hg, bd : S.R.D./J. P. Delagarde. Stylisme : M. C. Petit ; bg : INSIDE/W. Waldron ; hd : MARIE CLAIRE MAISON/P. Rozes. Stylisme : M. Hirsh. **61** hg : MARIE CLAIRE IDÉES/L. Rouvrais. Stylisme : C. Lancrenon ; hd : INSIDE/J. Caillaut ; step : MARIE CLAIRE IDÉES/L. Rouvrais. Stylisme : M. Schneider. **62 :** MARIE CLAIRE MAISON/C. Dugied. Stylisme : J. Postic ; bg : MARIE CLAIRE IDÉES/P. Hussenot. Stylisme : P. Chastres/C. Lancrenon ; hd : MARIE CLAIRE MAISON/N. Hoeffe. Stylisme : M. Bayle. **63** mg : MARIE CLAIRE IDÉES/L. Gaillard. Stylisme : P. Chastres/C. Lancrenon ; bg : MADAME FIGARO/J. M. Palisse ; hd : MARIE CLAIRE IDÉES/G. de Chabaneix. Stylisme : C. de Chabaneix. **64** hg, hd : INSIDE/J. Darblay, I. Terestchenko ; bg : S.R.D./J. P. Delagarde. Stylisme : M. C. Petit ; bd : MARIE CLAIRE MAISON/S. Lancrenon. Stylisme : M. Bayle. **65** hd : INSIDE/G. Bouchet ; encadré : Alain Comptois/Maison Saint-Gabriel ; cadre : MARIE CLAIRE MAISON/L. de Champris. Stylisme : J. Postic. **66** g : MADAME FIGARO/J. M. Palisse ; hd : J. PANSU ; bd : S.R.D./J. P. Delagarde. Stylisme : M. C. Petit. **67** bd : MARIE CLAIRE IDÉES/C. Dugied. Stylisme : P. Chombart de Lauwe. **68 :** MARIE CLAIRE IDÉES/P. Hussenot. Stylisme : C. de Chabaneix ; hg, hd : INSIDE/C. Sarramon, I. Terestchenko. **69** hg : MARIE CLAIRE IDÉES/C. Dugied. Stylisme : M. P. Faure ; md : INSIDE/F. Lemarchand. **70** hg : MADAME FIGARO/J. M. Palisse ; hd : ANA/R. Nourry ; hd : MARIE CLAIRE IDÉES/P. Hussenot. Stylisme : P. Chastres/C. Lancrenon. **71** mg, step : MARIE CLAIRE IDÉES/S. Lancrenon. Stylisme : P. Chombart de Lauwe ; m : ANA/R. Nourry ; hd : MARIE CLAIRE IDÉES/M. Schwartz. Stylisme : C. Lancrenon. **72** h : INSIDE/J. Darblay ; b : LORENZ BOOK/ANNESS PUBLISHING/N. Hargreaves. *Le Livre pratique de la maison.* **73 :** MARIE CLAIRE MAISON/M. P. Morel. Stylisme : C. Puech ; hg : MARIE CLAIRE IDÉES/Y. Duronsoy. Stylisme : F. Lapeyre/S. Rey ; bg : MARIE CLAIRE IDÉES/S. Lancrenon. Stylisme : C. Lancrenon/P. Chombart de Lauwe. **74** hg : LORENZ BOOK/ANNESS PUBLISHING/K. Jackson. *Le Livre pratique de la maison ;* hd : MARIE CLAIRE IDÉES/L. Rouvrais. Stylisme : M. Schneider ; b : MARIE CLAIRE IDÉES/C. Dugied. Stylisme : M. Faure. **75** h : 100 IDÉES/S.O. Deaut ; m, b : ANA/A. Stragesko, R. Nourry. **76** dg : M979.33.6 Musée McCord d'histoire canadienne, Montréal ; db : M972.122.4 Musée McCord d'histoire canadienne, Montréal. **77** mg : ANA/R. Nourry ; hd : INSIDE/S. Dos Santos ; bd : MARIE CLAIRE IDÉES/L. Rouvrais. Stylisme : M. Schneider. **78** hd : MARIE CLAIRE IDÉES/E. Matheron-Balay. Stylisme : F. Lapeyre/S. Rey ; encadré : MUSÉE DE LA MODE ET DU TEXTILE/Coll. UFAC ; cadre : MARIE CLAIRE/C. Moser ; hd : MARIE CLAIRE IDÉES/L. Rouvrais. Stylisme : M. Schneider ; bd : MADAME FIGARO/J. M. Palisse. **79** hg : MARIE CLAIRE IDÉES/E. Chauvin. Stylisme : C. Lancrenon/P. Chombart de Lauwe ; bg, hd : MARIE CLAIRE MAISON/J. P. Morel. Stylisme : J. Postic ; bd : 100 IDÉES/A. McLean. Stylisme : M. Faver. **80** h : MARIE CLAIRE IDÉES/T. Le Chevillier. Stylisme : P. Chombart de Lauwe ; mg : DIAF/J. D. Sudres ; d : MARIE CLAIRE MAISON/C. Dugied. Stylisme : C. Ardouin ; b : MARIE CLAIRE IDÉES/S. Becquet. Stylisme : M. P. Faure. **81** hd : MARIE CLAIRE IDÉES/G. de Chabaneix. Stylisme : C. de Chabaneix. **82** hg : MARIE CLAIRE IDÉES/P. Hussenot. Stylisme : P. Chastres/C. Lancrenon ; step : ELIZABETH WHITING & Associates. **83** h : INSIDE/C. Sarramon ; bg : MARIE CLAIRE IDÉES/E. Chauvin. Stylisme : C. Lancrenon/P. Chombart de Lauwe ; hd : MODES ET TRAVAUX/J. Lemoine ; bd : MARIE CLAIRE MAISON/E. Morin. Stylisme : M. F. Boye. **84** h : J. L. CHARMET ; bg : MARIE CLAIRE IDÉES/P. Hussenot. Stylisme : C. Lancrenon/P. Chombart de Lauwe ; m : RUSTICA ; hd : MARIE CLAIRE IDÉES/P. Hussenot. Stylisme : P. Chastres/C. Lancrenon ; encadré : Coll. Kharbine-Tapabor ; cadre : OPTION PHOTO/A. Portejoie. **85** hg : Michel Lessard/Sogides Ltée ; cadre : © Photodisc ; b : Michel Lessard/Sogides Ltée. **86 :** INSIDE/J. Caillaut. **87** hg : INSIDE/S. McBride ; hd : S.R.D./J. P. Delagarde. Stylisme : M. C. Petit ; encadré : D. GADOUIN ; cadre : MODES ET TRAVAUX/P. Hussenot. **88** bg : MARIE CLAIRE MAISON/F. Brussat. Stylisme : Tine/Forestier ; hd : PREMIÈRE PAGE/J. P. Paireault. *Les Cuisines de nos grands-mères ;* bd : D. GADOUIN. **89** hg : MADAME FIGARO/J. Laiter ; bg, hd : MARIE CLAIRE IDÉES/M. Schwartz. Stylisme : C. Lancrenon. **90** h : JERRICAN/Limier ; b : MARIE CLAIRE IDÉES/L. Gaillard. Stylisme : P. Chastres/C. Lancrenon. **91** hd : MARIE CLAIRE IDÉES/L. Gaillard. Stylisme : P. Chastres/C. Lancrenon ; mb : S.R.D./J. P. Delagarde. Stylisme : M. C. Petit. **92** hg : MARIE CLAIRE MAISON/G. de Chabaneix. Stylisme : D. Rosenstroch ; mg, b : MADAME FIGARO/J. M. Palisse, P. Chevallier ; md : MARIE CLAIRE IDÉES/M. Schwartz. Stylisme : M. Morelle Thiébaut. **93 :** MARIE CLAIRE MAISON/N. Tosi. Stylisme : J. Borgeaud ; d : MARIE CLAIRE IDÉES/G. de Chabaneix. Stylisme : C. de Chabaneix. **94** hg : MARIE CLAIRE IDÉES/E. Hauguel. Stylisme : M. Paillard ; hd : MARIE CLAIRE IDÉES/C. Dugied. Stylisme : P. Chombart de Lauwe ; b : LES IDÉES DE MA MAISON/Jean-Claude Hurni. **95** hg : MARIE CLAIRE IDÉES/Yoichiro Sato. Stylisme : M. Paillard ; hd : LORENZ BOOK ANNESS PUBLISHING/N. Hargreaves. *Le Livre pratique de la maison ;* b : S.R.D./J. P. Delagarde. **96-97 :** VISA/P. Van Robaeys. Chez Annie Kuentzmann. **98** hg, hd : INSIDE/J. Darblay ; mg : MADAME FIGARO/G. de Chabaneix ; step : BIOS/J. Frebet. **99** g : MARIE CLAIRE IDÉES/G. de Chabaneix. Stylisme : C. de Chabaneix ; d, cadre : BIOS/B. Marielle, J. Frebet. **100** hg : MARIE CLAIRE IDÉES/J. Giaume. Stylisme : P. Chastres/C. Lancrenon ; mg : INSIDE/S. McBride ; bg : BIOS/J. Frebet ; hd, bd : EDIMEDIA. **101** hg : MARIE CLAIRE IDÉES/G. de Laubier. Stylisme : R. Paillard/S. Pigache ; md : COLLINS AND BROWN/M. Newton/R. Smith. *Flower Craft ;* bg , cadre : BIOS/J. Frebet, C. Ruoso. **102** hg : INSIDE/I. Terestchenko « Garden Room » de Tim Mawson ; bg : MADAME FIGARO MAISON/I. Terestchenko ; encadré : Bibliothèque municipale de Rouen/D. Tragin/C. Lancien ; cadre : BIOS/J. Frebet ; bd : COLLINS AND BROWN/M. Newton/R. Smith. *Flower Craft.* **103 :** MADAME FIGARO MAISON/I. Terestchenko ; bg : MODES ET TRAVAUX/B. Maltaverne. **104** hg : MAP/F. Strauss ; m : MARIE CLAIRE IDÉES/G. de Chabaneix. Stylisme : C. de Chabaneix/M. C. Bastit ; b : MARIE CLAIRE IDÉES/E. Chauvin. Stylisme : P. Chombart de Lauwe. **105** hg : MARIE CLAIRE MAISON/B. Maltaverne ; bg : INSIDE/Y. Duronsoy ; step : RUSTICA/C. Hochet-M. Gautier. **106** h : MARIE CLAIRE IDÉES/J. Giaume. Stylisme : P. Chastres/C. Lancrenon ; g : MARIE CLAIRE IDÉES/G. de Chabaneix. Stylisme : C. de Chabaneix/M. C. Bastit ; d : MARIE CLAIRE IDÉES/P. Hussenot. Stylisme : P. Chastres/C. Lancrenon. **107** step : COLLINS AND BROWN/M. Newton *Dried Flowers Arranger's Year.* **108** g : MARIE CLAIRE IDÉES/E. Chauvin. Stylisme : P. Chombart de Lauwe ; hd : HARPER AND COLLINS/J. Bouchier *Papercraft* par Amélia Saint-Georges ; encadré : TOP/A. Chadfau ; cadre : S.R.D./O. Beuve-Mery. **109** h : HARPER AND COLLINS/J. Bouchier *Papercraft* par Amélia Saint-Georges ; step : MARIE CLAIRE IDÉES/L. Rouvrais. Stylisme : Ch. Coatalem. **110** hg : MARIE CLAIRE IDÉES/G. de Chabaneix. Stylisme : C. de Chabaneix ; step : CARROLL AND BROWN/D. Murray *Finishing Touches with Paint and Paper ;* d : INSIDE/G. Bouchet. Château de La Motte-Tilly. **111 :** MARIE CLAIRE IDÉES/C. Fleurent. Stylisme : P. Chastres. **112** hg : John A. Fleming, *Les meubles peints du Canada français 1700-1840,* Hull, Camden House/Musée canadien des civilisations, 1994, photo James A. Chambers ; bg, bd : MARIE CLAIRE IDÉES/C. Fleurent. Stylisme : P. Médina, P. Chastres. **113** hg, bg, md, hd : LORENZ BOOK ANNESS PUBLISHING/D. Patterson. *The New Candle Book ;* bd : R. PANIER. **114 :** LORENZ BOOK ANNESS PUBLISHING/D. Patterson. *The New Candle Book ;* hd, bd : MARIE CLAIRE MAISON/M. P. Morel. Stylisme : D. Rozensztroch. **115** hg, hd : LORENZ BOOK ANNESS PUBLISHING/D. Patterson. *The New Candle Book ;* step : MARIE CLAIRE IDÉES/E. Chauvin. Stylisme : C. Lancrenon/C. Rion. **116** h : MARIE CLAIRE IDÉES/P. Hussenot. Stylisme : P. Chastres/C. Lancrenon ; bg : MADAME FIGARO/J. M. Palisse ; d : MARIE CLAIRE IDÉES/G. de Chabaneix. Stylisme : C. de Chabaneix/M. C. Bastit. **117** h, step : MARIE CLAIRE IDÉES/P. Hussenot. Stylisme : P. Chastres/C. Lancrenon. **118 :** MARIE CLAIRE MAISON/J. P. Godeaut. Stylisme : V. de Ganay. **119** mg : BIOS/M. P. Samel ; hd : INSIDE/J. P. Godeaut. Stylisme : C. O'Byrne ; m : MARIE CLAIRE IDÉES/Th. Lechevillier. Stylisme : P. Chombart de Lauwe ; cadre : J. PANIER. **120** hg : MARIE CLAIRE MAISON/G. de Chabaneix. Stylisme : D. Rozensztroch ; bg : R. PANIER ; bd : MARIE CLAIRE IDÉES/Th. Lechevillier. Stylisme : P. Chombart de Lauwe ; hd : PREMIÈRE PAGE/J. P. Paireault. *Les Cuisines de nos grands-mères.* **121** hd : cadre © WEKA ; bd : INSIDE/J. Darblay ; m : MARIE CLAIRE IDÉES/Th. Lechevillier. Stylisme : P. Chombart de Lauwe ; bd : PREMIÈRE PAGE/J. P. Paireault. *Les Cuisines de nos grands-mères.* **122 :** MADAME FIGARO/J. M. Palisse ; hd : MARIE CLAIRE IDÉES/P. Hussenot. Stylisme : C. Lancrenon/P. Chastres ; md : MARIE CLAIRE IDÉES/P. Hussenot. Stylisme : C. Lancrenon/P. Chombart de Lauwe ; bd : 100 IDÉES/J. Laiter. Stylisme : N. Garçon. **123** hd : INSIDE/Y. Duronsoy ; bg : MARIE CLAIRE IDÉES/P. Hussenot. Stylisme : N. Belanger ; m : COLLINS AND BROWN/S. Atkinson-C. Streeter. *Book of Cross Stitch ;* hd : MADAME FIGARO/P. Chevallier ; md, encadré : MARIE CLAIRE IDÉES/E. Chauvin. Stylisme : P. Chastres/C. Lancrenon ; cadre : RUSTICA/C. Hochet. **124** mg : S.R.D./J. P. Delagarde. Stylisme : M. C. Petit ; h : MARIE CLAIRE IDÉES/E. Chauvin. Stylisme : P. Chastres/C. Lancrenon ; step : MARIE CLAIRE IDÉES/P. Hussenot. Stylisme : P. Chastres/C. Lancrenon. **125** h : MADAME FIGARO/P. Chevallier ; bg : CARROLL AND BROWN/J. Selmes. *Good House Keeping Step by Step Needlecraft ;* md : MARIE CLAIRE IDÉES/S. Becquet. Stylisme : C. Lancrenon. **126** hd : MARIE CLAIRE IDÉES/D. Czap. Stylisme : C. Lancrenon ; bg : MARIE CLAIRE IDÉES/G. de Chabaneix. Stylisme : C. de Chabaneix ; bd : MARIE CLAIRE IDÉES/E. Chauvin. Stylisme : P. Chombart de Lauwe. **127** g : MARIE CLAIRE MAISON/C. Dugied. Stylisme : J. Postic ; hd : MARIE CLAIRE IDÉES/L. Gaillard. Stylisme : P. Chastres/P. Chombart de Lauwe ; m, bd : MODES ET TRAVAUX/M. Schwartz, J. L. Scotto ; bg : MARIE CLAIRE IDÉES/E. Chauvin. Stylisme : P. Chombart de Lauwe. **128** hg, bg : *Guide complet des travaux à l'aiguille* © 1979 Sélection du Reader's Digest (Canada) Ltée ; hd : Jean-Claude Hurni/Publiphoto ; bd, encadré : Sylvain Majeau ; cadre : Kathryn Berenson. *Boutis de Provence.* H. Holt/Flammarion. Thames and Hudson. **129 :** INSIDE/J. J. Jaussaud. **130** mg : INSIDE/J. Dos Santos ; bg : MARIE CLAIRE IDÉES/L. Rouvrais. Stylisme : M. Schneider ; hd : MARIE CLAIRE MAISON/P. Hussenot. Stylisme : J. Postic/A. M. Comte ; md : MARIE CLAIRE IDÉES/M. Broussard. Stylisme : C. Taralon. **131** hd : DAGLI ORTI/Coll. Ara ; mh, hd : MARIE CLAIRE IDÉES/L. Rouvrais. Stylisme : M. Schneider ; b : ELIZABETH WHITING & Associates. **132** hg : MARIE CLAIRE IDÉES/L. Rouvrais. Stylisme : M. Schneider ; hd : S.R.D./J. P. Delagarde. Stylisme : M. C. Petit ; md, b : EDIMEDIA/Coll. particulière. **133** hg, bd : S.R.D./J. P. Delagarde. Stylisme : M. C. Petit ; bg : RUSTICA/C. Hochet ; h : LES ÉTAINS DU MANOIR ; m : DAGLI ORTI/Coll. Ara. **134** hg, hd : INSIDE/J. Darblay, W. Waldron ; bg, md : MARIE CLAIRE IDÉES/L. Rouvrais. Stylisme : M. Schneider ; md : DAGLI ORTI ; bd : MARIE CLAIRE IDÉES/L. Rouvrais. Stylisme : O. Mokette. **135 :** MARIE CLAIRE IDÉES/C. Dugied ; b : EDIMEDIA/J. Guillot. Connaissance des Arts ; m : S.R.D./J. P. Delagarde. Stylisme : M. C. Petit. **136 :** MADAME FIGARO/P. Chevallier ; **137** hg, encadré : pichet à eau #53-10, Musée de la civilisation/Alain Vézina ; cadre : EDIMEDIA/R. Guillemot. Connaissance des Arts, J. Guillot, Coll. particulière ; hd : S.R.D./J. P. Delagarde. Stylisme : M. C. Petit ; step : MARIE CLAIRE IDÉES/L. Rouvrais. Stylisme : M. Schneider. **138** hd : MARIE CLAIRE IDÉES/A. Bailhache. Stylisme : M. Bayle ; bg : Michel Lessard/Sogides Ltée ; bd : cadre ©

Photodisc. **139** mg, step: MARIE CLAIRE IDÉES/L. Rouvrais. Stylisme: M. Schneider; bd: MODES ET TRAVAUX/C. Seen; encadré, cadre: S.R.D./J. P. Delagarde. Stylisme: M. C. Petit. **140** h: MARIE CLAIRE IDÉES/L. Gaillard. Stylisme: P. Chastres/M. Duffas; m: S.R.D./J. P. Delagarde; step: MARIE CLAIRE IDÉES/L. Rouvrais. Stylisme: M. Schneider. **141**: MARIE CLAIRE IDÉES/P. Hussenot. Stylisme: P. Chastres: b: RUSTICA/C. Hochet. **142** hg: INSIDE/J. J. Jaussaud; step: MARIE CLAIRE IDÉES/L. Rouvrais. Stylisme: M. Schneider. **143** h, hg: MARIE CLAIRE IDÉES/L. Rouvrais. Stylisme: M. Schneider; b: INSIDE/J. P. Godeaut. **144** hg: MARIE CLAIRE MAISON/L. Gaillard. Stylisme: M. Bayle/C. Puech; bg: MARIE CLAIRE IDÉES/L. Gaillard. Stylisme: C. Lancrenon/P. Chastres; m: J. C. MAYER/G. LE SCANFF; b: MARIE CLAIRE IDÉES/P. Hussenot. Stylisme: P. Chastres. **145**: INSIDE/J. Darblay. M. Broussard; hg: MADAME FIGARO/J. Laiter. **146** hg: CUISINE ET VINS DE FRANCE/P. Hussenot. Stylisme: M. Leteuré; bg: MADAME FIGARO/B. Touillon; hd: MARIE CLAIRE IDÉES/C. Dugied. Stylisme: M. Thiébault-Morelle; bd: MARIE CLAIRE IDÉES/E. Chauvin. Stylisme: C. de Chabaneix. **147** hg: MARIE CLAIRE IDÉES/P. Hussenot. Stylisme: P. Chastres; encadré: EDIMEDIA; cadre: J. C. MAYER/G. LE SCANFF; hd: LA MAISON DE MARIE CLAIRE/Pataut. Stylisme: M. Bayle; bd: MARIE CLAIRE IDÉES/A. Bailhache. Stylisme: N. Renault. **148** hg: MARIE CLAIRE IDÉES/E. Chauvin; bg: MARIE CLAIRE IDÉES/L. Rouvrais. Stylisme: G. Descamps; mh: MARIE-CLAIRE IDÉES/T. Lechevillier. **149** hg: TOP/J. F. Rivière; bg: PHOTOTHÈQUE CULINAIRE/A. Muriot; hd: MARIE CLAIRE IDÉES/P. Hussenot. Stylisme: Skawinsky; bd: MARIE CLAIRE MAISON/A. Bailhache. Stylisme: Domte. **150** g: INSIDE/S. McBride; mh: MARIE CLAIRE IDÉES/B. Maltaverne. Stylisme: M. Faver; hd: TOP/M. Seelow; bd: Éd. D. CARPENTIER. *Arts et Techniques des œufs décorés.* **151** hg: OPTION PHOTO/J. Masson; bg: HOA QUI/ZEFA; encadré: MARIE CLAIRE IDÉES/L. Rouvrais. Stylisme: M. Marsiglia; cadre: VISA/A. Muriot. **152-153**: MARIE CLAIRE IDÉES/G. de Chabaneix. Stylisme: C. de Chabaneix. **154** hg: BIOS/J. P. Delobelle; hd: PREMIÈRE PAGE/J. P. Paireault. *Les Cuisines de nos grands-mères.* b: MARIE CLAIRE IDÉES/P. Hussenot. Stylisme: A. Torrontegui/P. Chastres. **155** hg: PHOTOTHÈQUE CULINAIRE/A. Muriot; bg: P. GINET. Stylisme: C. Drin; hd: cadre: © WEKA; md: TOP/H. Amiard; bg: VISA/P. Ginet. Stylisme: C. Drin. **156** h: MARIE CLAIRE. Fauchon; step: MARIE CLAIRE/P. Knapp. Stylisme: J. Saulnier. **157** hg: CUISINE ET VINS DE FRANCE/J. F. Rivière. Stylisme: M. Leteuré; bg: VISA/A. Venturi; md: RUSTICA/C. Hochet; bd: CEDUS/CANDI PRESS. Campanile. **158** hg: MARIE CLAIRE MAISON/M. P. Morel. Stylisme: M. Bayle/C. Puech; hd: LORENZ BOOK/ANNESS PUBLISHING/A. Heywood *The French Recipe Cookbook;* b: Brian Merrett. **159** hg, step: P. ASSET; bg: TOP/P. Chevallier; hd: MARIE CLAIRE IDÉES/Ryman-Cabanes. Stylisme: A. Torrontegui. **160**: HOA QUI/C. Valentin; hg, bg: CEDUS/Noak, Pierrot gourmand; hd: VISA/M. Rougemont. **161** hd: TOP/P. Hussenot; mb: CEDUS/CANDI PRESSE, Maïer. **162** hg: CUISINE ET VINS DE FRANCE/J. F. Rivière. Stylisme: S. Bendavid/M. Mourgues; bg, encadré, md: CEDUS/CANDI PRESSE; cadre: HOA QUI/C. Valentin; step: VISA/A. Muriot. **163** mg: MADAME FIGARO/G. de Chabaneix; b: VISA/A. Muriot; hd: PHOTOTHÈQUE CULINAIRE/Symon. **164** hg, bg, b: VISA/C. Valentin, B. Semeteys; d: HOA QUI/C. Valentin. **165** mg: VISA/B. Semeteys; bg: CUISINE ET VINS DE FRANCE/C. Fleurent. Stylisme: P. Chastres; hd: MARIE CLAIRE IDÉES/P. Hussenot. Stylisme: A. Torrontegui/A. Gault. **166** hg: CUISINE ET VINS DE FRANCE/J. F. Rivière. Stylisme: M. Carles; bg: MARIE CLAIRE IDÉES/M. Broussard. Stylisme: C. Taralon; hd: PHOTOTHÈQUE CULINAIRE/J. J. Magis; md: CUISINE ET VINS DE FRANCE/B. Mauduech-Delsage. Stylisme: F. Lebain; bd: MARIE CLAIRE IDÉES/P. Hussenot. Stylisme: A. Torrontegui/A. Gault. **167**: VISA/A. Muriot. **168** h: CUISINE ET VINS DE FRANCE/J. J. Magis. Stylisme: J. Bordat; step: MARIE CLAIRE IDÉES/P. Hussenot. Stylisme: A. Torrontegui/P. Chastres. **169** hg: LORENZ BOOK/ANNESS PUBLISHING/A. Heywood. *The French Recipe Cookbook;* cadre: © Photodisc; hd: PREMIÈRE PAGE/J. P. Paireault. *Les Cuisines de nos grands-mères;* md: © Photodisc. **170** hg: CUISINE ET VINS DE FRANCE/J. J. Magis. Stylisme: C. Madani; bg: MARIE CLAIRE IDÉES/P. Hussenot. Stylisme: A. Torrontegui/A. Gault; hd: MARIE CLAIRE IDÉES/M. Faver; bd: MODES ET TRAVAUX/C. Dugied. **171** hg: CUISINE ET VINS DE FRANCE/J. F. Rivière. Stylisme: S. Bandeville-Oulerich; step: MARIE CLAIRE IDÉES/Ryman Cabannes. Stylisme: A. Torrontegui; step final: CUISINE ET VINS DE FRANCE/J. F. Rivière. Stylisme: S. Bandeville-Oulerich. **172** g: CUISINE ET VINS DE FRANCE/J. F. Rivière. Stylisme: M. Carles; b: HOA QUI/E. Valentin; hd, md: TOP/C. Adam. **173** hg: PREMIÈRE PAGE/J. P. Paireault. *Les Cuisines de nos grands-mères;* bg, hd: VISA/A. Muriot; bd: CEDUS/CANDI PRESSE. **174** hg: PHOTOTHÈQUE CULINAIRE/J. J. Magis; mg: LORENZ BOOK/ANNESS PUBLISHING/A. Heywood. *The French Recipe Cookbook;* step: CEDUS/CANDI PRESSE. **175**: VISA/C. Valentin; hg: J. C. MAYER/G. LE SCANFF; bg: CEDUS/ABC DU DESSERT; bd: BIOS/B. Marielle. **176** h: CUISINE ET VINS DE FRANCE/J. J. Magis. Stylisme: M. Leteuré; b: RUSTICA/C. Hochet. **177** step, bg: PHOTOTHÈQUE CULINAIRE/Dieterlen; step final: VISA/P. Ginet. Stylisme: C. Drin; cadre: HOA QUI/E. Valentin; b: DIAF/J. C. Gérard. **178** hg, md: PHOTOTHÈQUE CULINAIRE/M. Barberousse, J. J. Magis; bg: TOP/M. Barberousse; hd: RUSTICA/C. Hochet; bd: J. C. MAYER/G. LE SCANFF. **179** hg: CUISINE ET VINS DE FRANCE/B. Mauduech-Delage. Stylisme: F. Lebain; bg, md: MARIE CLAIRE IDÉES/L. Rouvrais. Stylisme: M. Marsiglia; bd: VISA/A. Muriot. **180** hg: PHOTOTHÈQUE CULINAIRE/J. J. Magis; m: VISA/P. Libert; b: OPTION PHOTO/D. Azambre; cadre: J. C. MAYER/G. LE SCANFF. **181**: PHOTOTHÈQUE CULINAIRE/Blake; hg: CUISINE ET VINS DE FRANCE/B. Mauduech-Delage. Stylisme: F. Lebain; hd: J.C. MAYER/G. LE SCANFF. **182** hg, hd: PHOTOTHÈQUE CULINAIRE/Eising, J. J. Magis; b: Institut de tourisme et hôtellerie du Québec. **183** hg: DIAF/J. D. Sudres; bg: PREMIÈRE PAGE/J. P. Paireault. *Les Cuisines de nos grands-mères;* hd, bd: OPTION PHOTO/P. Asset, D. Azambre. **184** h: MARIE CLAIRE IDÉES/L. Rouvrais. Stylisme: A. Torrontegui; g: DIAF/J. D. Sudres. **185** hg: MARIE CLAIRE IDÉES/P. Hussenot. Stylisme: A. Torrontegui/P. Chastres; bg: EDIMEDIA/Coll. particulière; md: OPTION PHOTO/D. Azambre; cadre: J. C. MAYER/G. LE SCANFF. **186** hg: TOP/P. Hussenot; mg: MARIE CLAIRE IDÉES/P. Hussenot. Stylisme: A. Torrontegui/A. Gault; bd: OPTION PHOTO/D. Azambre. **187** hg: TOP/H. Amiard; hd: PHOTOTHÈQUE CULINAIRE/J. J. Magis; step: MARIE CLAIRE IDÉES/P. Hussenot. Stylisme: A. Torrontegui/P. Chastres. **188** hg: VISA/A. Muriot; hd: TOP/P. Hussenot; m: DIAF/M. Rosenfeld; b: J. C. MAYER/G. LE SCANFF. **189**: CUISINE ET VINS DE FRANCE/C. Sarramon. Stylisme: S. Branly. **190** hg: TOP/C. Fleurent; bg: MODES ET TRAVAUX/D. M. Studio; hd, b: DIAF/P. Sabatier, J. D. Sudres; bd: PHOTOTHÈQUE CULINAIRE/J. J. Magis. **191** hg: MARIE CLAIRE MAISON/F. Goudier; bg: MARIE CLAIRE IDÉES/L. Gaillard. Stylisme: P. Chastres; hd: OPTION PHOTO/D. Azambre; bd: CEDUS/CANDI PRESSE. **192** hg: EDIMEDIA/Coll. A. Perrier-Robert; bg: DIAF/J. D. Sudres; hd: RUSTICA/C. Hochet. **193** hg: TOP/H. Amiard; bg, m: PHOTOTHÈQUE CULINAIRE/Rosenfeld/Images L.T.D., J. J. Magis; bd: CUISINE ET VINS DE FRANCE/H. Amiard. Stylisme: J. Saulnier. **194** hg: MARIE CLAIRE IDÉES/L. Rouvrais. Stylisme: A. Torrontegui/A. Gault; hd: MARIE CLAIRE IDÉES/P. Hussenot. Stylisme: P. Chastres; b: 100 IDÉES/M. Duffas. Stylisme: J. Schoumacher. **195** hd: PHOTOTHÈQUE CULINAIRE; m: La Maison des Futailles, SAQ; cadre: RUSTICA. **196** hg: PREMIÈRE PAGE/J. P. Paireault. *Les Cuisines de nos grands-mères;* bg: CUISINE ET VINS DE FRANCE/J. J. Magis. Stylisme: C. Madani; hd: VISA/P. Ginet. Stylisme: C. Drin. **197** bg: VISA/A. Muriot; hd: D. GADOUIN. **198-199**: MADAME FIGARO/A. F. Pélissier. **200** hg: MARIE CLAIRE/C. Moser; bg, bd: OREDIA-Retna/K. Bank, J. Acheson; hd: EXPLORER. **201** hg: B.S.I.P.; hd: OPTION PHOTO/A. Macleod; bd: MARIE CLAIRE IDÉES/E. Materon-Balay. Stylisme: M. Paillard. **202** hg, hd: OREDIA/D. Boccabella, New Eyes-F. P. Wartenberg; bg: S.R.D./J. P. Delagarde. Stylisme: M. C. Petit. **203** hg: S.R.D./J. P. Delagarde. Stylisme: M. C. Petit; bg: J. L. CHARMET; m: MAP/Y. Morel; bd: MARIE CLAIRE IDÉES/Yoichiro Sato. Stylisme: M. Paillard. **204** hg: OPTION PHOTO/J. P. Lefret; bg: Coll. Kharbine-Tapabor; bd: ELIZABETH WHITING & Associates. **205**: TOP/R. Beaufre. Stylisme: A. Comar; hd: MARIE CLAIRE IDÉES/G. de Chabaneix. Stylisme: C. de Chabaneix; bg: MARIE CLAIRE IDÉES/Yoichiro Sato. Stylisme: M. Paillard/S. Pigache. **206** h: STOCK IMAGE/J. P. Nova; bg: DAGLI ORTI; bd: MADAME FIGARO/C. Moser. **207** bg: S.R.D./J. P. Delagarde. Stylisme: M. C. Petit; bd: MARIE FRANCE/M. Montezui. **208** hg: S.R.D./J. P. Delagarde. Stylisme: M. C. Petit; bg: OPTION PHOTO/A. Macleod; encadré: J. L. CHARMET; cadre: MADAME FIGARO/C. Moser; bd: BIOS/J. Douillet; bm; MAP/A. Descat. **209** hg: MARIE CLAIRE IDÉES/G. de Laubier. Stylisme: M. Paillard/S. Pigache; bg: MARIE CLAIRE IDÉES/G. de Chabaneix. Stylisme: C. de Chabaneix; bd: *La maison au naturel,* Éd. GRUND/Pia Tryde. Robert Harding Picture Library, Londres; m: MARIE CLAIRE IDÉES/Y. Duronsoy. Stylisme: S. Pigache; bd: MARIE CLAIRE IDÉES/C. Dugied. Stylisme: P. Chastres. **210** hg: STOCK IMAGE/J.C. Marlay; bg: A.K.G.; step: LORENZ BOOK/ANNESS PUBLISHING/M. Garrett. «Glorious Country». **211**: *La maison au naturel,* Éd. GRUND/Pia Tryde, Robert Harding Picture Library, Londres; hd: MARIE FRANCE/L. de Chambris. Stylisme: M. Bocquillon; bd: MARIE CLAIRE IDÉES/C. Dugied. Stylisme: M. P. Faure. **212** h: MARIE CLAIRE IDÉES/G. de Chabaneix. Stylisme: C. de Chabaneix; bg: MADAME FIGARO/C. Moser; bd: HOA QUI/C. Valentin. **213** hg: MADAME FIGARO/G. Shearer; bg: OREDIA-Retna/S. Teitler; hd: OPTION PHOTO/A. Macleod; bd: S.R.D./J. P. Delagarde. Stylisme: M. C. Petit. **214** hg: INSIDE/C. Panchout; hd: AVANTAGES/A. Langeaud. Stylisme: C. Pirotte; m, step: S.R.D./J. P. Delagarde. Stylisme: M. C. Petit. **215**: OREDIA-Retna/J. Acheson; bd: OPTION PHOTO/M. Lemaire. **216** h: OPTION PHOTO/M. Lemaire; bg: S.R.D./J. P. Delagarde. Stylisme: M. C. Petit; bd: OREDIA/D. Boccabella. **217** h: STOCK IMAGE/P. Del Rio; m: S.R.D./J. P. Delagarde. Stylisme: M. C. Petit; cadre: D. GADOUIN; bd: OREDIA-New Eyes/Scholz. **218** hg: MARIE CLAIRE IDÉES/M. Brandis. Stylisme: M. Paillard; mg, bg: OREDIA-Retna/J. Acheson; bm: AVANTAGES/T. Biondo. **219**: MARIE CLAIRE IDÉES/G. de Chabaneix. Stylisme: M. Paillard/S. Pigache; hd: STOCK IMAGE/A. Verdi; md: S.R.D./J. P. Delagarde. Stylisme: M. C. Petit; bd: OPTION PHOTO/L. Beils. **220**: MARIE CLAIRE IDÉES/Sato Yoichiro. Stylisme: M. Paillard/S. Pigache. **221** hg: STOCK IMAGE/J. Boorman; mg: INSIDE/C. Panchout; hd: MADAME FIGARO/F. Cresseaux; step: STOCK IMAGE/P. Del Rio. **222** hg: J. L. CHARMET. B.N. Paris; mg: S.R.D./J. P. Delagarde. Stylisme: M. C. Petit; bg: Coll. Kharbine-Tapabor; hd: STOCK IMAGE/P. Del Rio; bd: MARIE CLAIRE IDÉES/S. Lancrenon. Stylisme: J. Chanut Bombard. **223** hd: OPTION-PHOTO/L. Beils; m: MARIE CLAIRE IDÉES/J. Giaume. Stylisme: M. Paillard; bd: OREDIA-New Eyes/F. P. Wartenberg. **224** hg: *La maison au naturel,* Éd. GRUND/Pia Tryde, Robert Harding Picture Library, Londres; hd: Coll. Kharbine-Tapabor; encadré: J. L. CHARMET; cadre: MARIE CLAIRE IDÉES/S. Lancrenon. Stylisme: P. Chombart de Lauwe. **225** hg: MADAME FIGARO/C. Moser; bg: STOCK IMAGE/P. Gueritot; hd: MARIE CLAIRE IDÉES/E. Hauguel. Stylisme: D. Evêque/F. Lautard; md: S.R.D./J. P. Delagarde. Stylisme: M. C. Petit; md: FRAGONARD. **226** hg: MAP/F. Strauss; b: D. GADOUIN; hd: MARIE CLAIRE IDÉES/P. Hussenot. Stylisme: P. Chastres; bd: MARIE CLAIRE IDÉES/L. Gaillard. Stylisme: P. Chastres. **227** encadré, cadre: JACANA/F. Lieutier; step: S.R.D./J. P. Delagarde. Stylisme: M. C. Petit. **228**: MARIE CLAIRE IDÉES/E. Hauguel. Stylisme: M. Paillard; hd: INSIDE/Le Tourneur d'Ison. **229** hg: GUERLAIN; mg: OREDIA-Retna/J. Acheson; encadré: J. L. CHARMET. Bibl. des Arts Décoratifs. Paris; cadre: MARIE CLAIRE IDÉES/G. de Chabaneix. Stylisme: C. de Chabaneix; bd: INSIDE/C. Sarramon. **230** hg: RUSTICA; m, hd: DAGLI ORTI. Bibl. des Arts Décoratifs. Paris; bd: B.S.I.P./F. Dequest. **231** hd, cadre: B.S.I.P./D. Taulin; **232** hg: J. C. MAYER/G. LE SCANFF; bg: MARIE CLAIRE IDÉES/L.Gaillard. Stylisme: P. Chastres. **233**: BIOS/O. Berrand; md: D. GADOUIN; encadré: J. L. CHARMET. Paris. Ordre national des pharmaciens. Coll. Bouvet; cadre: VISA/P. Ginet. Stylisme: C. Drin. **234**: RUSTICA. **235** hg: TOP/P. Hussenot; hd: STOCK IMAGE/J. M. Foujols; step: S.R.D./J. P. Delagarde. Stylisme: M. C. Petit. **236** hg: 100 IDÉES/B. Lacombe. Stylisme: N. Garcon/J. Schoumacher; bg: LAMONTAGNE; hd: J. L. CHARMET. Paris. Ordre national des pharmaciens. Coll. Bouvet; bd: STOCK IMAGE/Photonica. **237** hg, m: S.R.D./J. P. Delagarde. Stylisme: M. C. Petit; hd: RUSTICA; b: JERRICAN/V. Clément. **238** hg: LAMONTAGNE; hd: RUSTICA/C. Hochet; step: S.R.D./J. P. Delagarde. Stylisme: M. C. Petit. **239**: MARIE CLAIRE IDÉES/G. de Chabaneix. Stylisme: C. de Chabaneix. **240** hg: MARIE CLAIRE IDÉES/L. Rouvrais. Stylisme: M. Faver; mg: JERRICAN/J. M. Labat; cadre: DAGLI ORTI; bd: STOCK IMAGE/P. Del Rio. **241** hg: J. C. MAYER/G. LE SCANFF; hd: J. L. CHARMET. Bibl. des Arts Décoratifs. Paris; bd: S.R.D./J. P. Delagarde. Stylisme: M. C. Petit. **242** hg: J. C. MAYER/G. LE SCANFF; bg: D. GADOUIN; mh: B.S.I.P./D. Taulin; hd: MAP/A. Descat; bd: MARIE CLAIRE IDÉES/M. Brandis. Stylisme: M. Paillard/E. Fournier. **243** h: MARIE CLAIRE IDÉES/S. Lancrenon. Stylisme: J. Chanut Bombart; mg: S.R.D./J. P. Delagarde. Stylisme: M. C. Petit; encadré, cadre: J. L. CHARMET. Bibliothèque de la Faculté de médecine, Paris; hd: MARIE CLAIRE IDÉES/Sato Yoichiro. Stylisme: M. Paillard; hd: J. C. MAYER/G. LE SCANFF. **244-245**: INSIDE/I. Terestchenk. **246** hg: EXPLORER-ARCHIVES; bg: Cl. THIRIET; encadré: COLIBRI/T. Moreau; bd: BIOS/Franco/ Bonnard. **247** hg, encadré: BIOS/H. Ausloos, G. Lopez; bg: CIEL ET ESPACE-APBS/Numazawa; cadre: J. C. MAYER/G. LE SCANFF. **248** hg: BIOS/R. Cavignaux; cadre: R. PANIER; m: COLIBRI/J. L. Paumard. **249** bg: J. C. MAYER/G. LE SCANFF; hg: CIEL ET ESPACE/Ichkanian; hd: BIOS/P. Vantighem; md: DIAF/J. C. Gérard; bd: COLIBRI/A. Roussel. **250** hg: J. C. MAYER/G. LE SCANFF; hd: RUSTICA/J. Creuse; m: COLIBRI/F. Merlet; b: Jardin botanique de Montréal. **251**: R. PANIER; hg, bg: Jardin botanique de Montréal; bd: MAP/N. et P. Mioulane. **252** h, hg: BIOS/J. L. Le Moigne, Y. Noto Campanella; encadré: MAP/A. Descat. **253** hg: POTERIE DE LA MADELEINE. Anduze/D. Bernard; bg: A.P.S. Photothèque-The Garden Picture Library/M. Diggin; hd: MARIE CLAIRE MAISON/Heuf Marikje. Stylisme: A. Simonet; encadré: MADAME FIGARO/B. Petit; cadre: MAP/F. Didillon. **254** hg: BIOS/F. Gilson; step: MARIE CLAIRE IDÉES/P. Hussenot. Stylisme: P. Chastres/C. Lancrenon. **255** h: INSIDE/J. F. Jaussaud. «Jardin des Valettes»; bg: L'AMI DES JARDINS/P. Fernandes; bd: MAP/N. et P. Mioulane. **256**: TOP/J. Harpur. Décor: J. Fowler et N. Haslam. **257** h: J. C. MAYER/G. LE SCANFF. Wy dit Joli Village chez C. Pigeard; g: BIOS/H. Lenain; step: A.P.S. Photothèque/C. Pendle. «House and Interiors». **258** hd, mb: Éd. Abbeville/B. Touillon, M. Schwartz. *Outils de jardin;* bg: A.P.S. Photothèque-The Garden Picture Library/M. Watson; bd: RUSTICA. **259** hd: MAP/N. et P. Mioulane; step: ELIZABETH WHITING & Associates. **260**: INSIDE/C. de Virieu, C. Sarramon. Jardin de C. Louboutin. **261**: Éd. Abbeville/B. Touillon. *Outils de jardin.* **262** hg: MAP/Nief; hd: RUSTICA; mb: COLIBRI/D. Alet, D. Bernardin. **263** h: BIOS/D. Bruigard; step: A.P.S. Photothèque-The Garden Picture Library/J. Legate. **264** g: RUSTICA; hd: Éd. Abbeville/B. Touillon. *Outils de jardin;* bd: A.P.S. Photothèque-The Garden Picture Library/J. Miller. **265** hd: RUSTICA. **266** hg: MAP/F. Didillon. Barnsley House, A. Descat; m: BIOS/Y. Thonnerieux; bg: J. C. Hurni, Publiphoto. **267**: Éd. Abbeville/ B. Touillon. *Outils de jardin;* md: S.R.D./O. Beuve-Méry; b: MAP/N. et P. Mioulane. **268** mh, hg: COLIBRI/J. L. Paumard, E. Bellieud; bg, bm: BIOS/S. Bonneau, E. Hussenet; hd: MARIE CLAIRE IDÉES/M. Schwartz. Stylisme: C. Lancrenon. **269** hg: RUSTICA/C. Hochet; bg: MAP/N. et P. Mioulane; md: COLIBRI/A. Jeser; bd: BIOS/M. Ribette. **270** h: Denis Faucher; d: LAMONTAGNE. **271** h, bg, md: COLIBRI/C. Guihard, J. M. Chipot, A. Christof; encadré: EXPLORER; cadre: S.R.D./O. Beuve-Méry. **272** hg: MARIE CLAIRE IDÉES/M. Broussard. Stylisme: C. Taralon; bg: MAP/N. et P. Mioulane; encadré: LAMONTAGNE; cadre: RUSTICA/C. Hochet. **273**: TOP/J. Harpur; mg, bg: MAP/A. Descat; m: BIOS/J. Y. Grospas. **274** hg: A.P.S. Photothèque/J. Harpur. Stylisme: T. Hobbs; hd: ELIZABETH WHITING & Associates; step: MAP/N. et P. Mioulane; step final: INSIDE/J. Dirand. **275** hd, bd: MAP/N. et P. Mioulane, A. Descat; bg: MARIE CLAIRE IDÉES/M. Faver. **276** hg: Jardin botanique de Montréal; bg: LAMONTAGNE; m: MAP/F. Strauss. **277** h: MAP/N. et P. Mioulane; encadré: J. C. MAYER/G. LE SCANFF; cadre: ELIZABETH WHITING & Associates. **278** hg: A.P.S. Photothèque-The Garden Picture Library/C. Gallagher; hd: MAP/N. et P. Mioulane. **279** b: J. C. MAYER/G. LE SCANFF. Jardin du Vasterival; hg: MAP/N. et P. Mioulane; hd: INSIDE/C. Ternynck; md: Jardin botanique de Montréal. **280** hg: MAP/A. Descat; step: RUSTICA; step final: A.P.S. Photothèque/E. Crichton. **281**: P. Brunet, extrait du livre *Les escaliers de Montréal.* **282** hg: RUSTICA; mg: MAP/A. Descat; hd: J. C. MAYER/G. LE SCANFF. **283** bg: MARIE CLAIRE IDÉES/M. Broussard. Stylisme: C. Taralon; h: RUSTICA/P. Asseray; md: J. C. MAYER/G. LE SCANFF; bd: Jardin botanique de Montréal. **284**: MAP/F. Didillon; bg, bd: J. C. MAYER/G. LE SCANFF. **285** step: RUSTICA; cadre, hd: MAP/N. et P. Mioulane; md: MARIE CLAIRE IDÉES/B. Maltaverne. Stylisme: M. Faver. **286** hg: Jardin botanique de Montréal; bg: RUSTICA. **287** h: J. C. MAYER/G. LE SCANFF. Saint-Jean de Beauregard; encadré: Archives nationales du Québec; cadre: BIOS/J. C. Nalausa; md: RUSTICA. **288** step: RUSTICA/J. Le Bret; step final: JACANA/M. Hoang Cong; bg: Éd. Abbeville/B. Touillon. *Outils de jardin;* md: MAP/N. et P. Mioulane. **289** hg: A.P.S. Photothèque/E. Crichton; mg: BIOS/B. Marielle; cadre, md: RUSTICA/P. Asseray; bd: J. C. MAYER/G. LE SCANFF. **290** hg, mg: MAP/F. Strauss, N. et P. Mioulane; hd: INSIDE/J. B. Leroux. Jardin du parfumeur. J. F. Laporte; mb: A.P.S. Photothèque/E. Crichton. **291** bg: MARIE CLAIRE IDÉES/P. Hussenot. Stylisme: P. Chastres/C. Lancrenon; hd, encadré, cadre: MAP/F. Strauss, G. Nichols, F. Didillon; md: MARIE CLAIRE IDÉES/M. Faver. **292-293** fond: S.R.D./J. P. Germain.

Remerciements:

Les aliments de santé Laurier, Place Laurier, Sainte-Foy
Brault & Martineau, Montréal
Cuir N° 1, Montréal
M. Desbiens, Quincaillerie Lambert, Montréal
G. Laliberté, correcteur
Marmokem inc., produits d'entretien de carrelage de céramique
M. Sadoun, Groupe Laudie, manufacturiers de produits sanitaires
M. Sauvé, Van Waters & Rogers ltée, Montréal
Sico inc., Montréal

Photogravure: Les industries Tri-Graphiques Inc.
Impression: Imprimerie Interglobe inc.
Reliure: Transcontinental inc.